**本书获**

2024 年度贵州省出版传媒事业发展专项资金资助
2022 年贵州出版集团有限公司出版专项资金资助

# 中國改革開放

## 第三卷

（2002—2012）

沈传亮／主编　　桑东华／著

贵州出版集团
贵州人民出版社
北京出版集团
北京出版社

**图书在版编目（CIP）数据**

中国改革开放. 第三卷, 2002—2012 / 沈传亮主编 ; 桑东华著. -- 贵阳 : 贵州人民出版社 ; 北京 : 北京出版社, 2025. 3. -- ISBN 978-7-221-18977-6

Ⅰ. D61

中国国家版本馆CIP数据核字第2025G933H5号

ZHONGGUO GAIGE KAIFANG　DI-SAN JUAN（2002—2012）

**中国改革开放　第三卷（2002—2012）**

沈传亮　主编　桑东华　著

---

出 版 人　朱文迅

出版统筹　谢丹华　戴　俊　王显永

策划编辑　田　军　王　娜　丁林枫

特邀编辑　陶宇辰　白　云　王　娜

责任编辑　陈　章　张　薇

封面设计　田　晗

---

出版发行　贵州出版集团　贵州人民出版社

地　　址　贵阳市观山湖区中天会展城会展东路SOHO公寓A座

印　　刷　唐山才智印刷有限公司

版　　次　2025年3月第1版

印　　次　2025年3月第1次印刷

开　　本　710毫米×1000毫米　1/16

印　　张　25

字　　数　374千字

书　　号　ISBN 978-7-221-18977-6

定　　价　89.00元

---

# 目录

# 第一章

# 中共十六大和全面建设小康社会新征程的开启

当历史的车轮驶入21世纪，我国进入全面建设小康社会、加快推进社会主义现代化的新阶段。在国际局势风云变幻，综合国力竞争激烈的背景下，2002年11月中共十六大召开，制定了全面建设小康社会的奋斗目标，产生了以胡锦涛为总书记的新一届中央领导集体。从此，全国人民踏上了全面建设小康社会的新征程。在前进过程中，面对突如其来的非典疫情，中国共产党带领人民坚持一手抓防治非典这件大事不放松，一手抓经济建设这个中心不动摇，夺取了抗击非典的重大胜利。非典疫情的发生，暴露出我国经济社会发展中的深层次问题。以胡锦涛同志为总书记的党中央立足社会主义初级阶段基本国情，总结我国发展实践，借鉴国外发展经验，及时提出科学发展观这一重大战略思想，开拓了经济社会发展的广阔空间。

## 第一节　中共十六大和全面建设小康社会纲领的制定

对于21世纪的到来，毛泽东在1956年曾经有过这样的展望："进到二十一世纪的时候，中国的面目更要大变。中国将变为一个强大的社会主义工业国。"[①] 经过近半个世纪的艰苦奋斗，经过十一届三中全会以来20多年的改革开放，这个展望变成了现实。当历史迎来新的世纪时，中国共产党带领全国人民取得举世瞩目的成就，中国的面貌发生了实实在在的"大变"，中国已经成为一个日益繁荣和充满生机活力的社会主义国家。

这个时候，我国实现了从高度集中的计划经济体制向社会主义市场经济体制的成功转轨，社会主义市场经济体制初步建立，市场在资源配置中的基础性作用明显增强，经济发展的体制环境发生了重大变化。我国实现了从封闭半封闭到全方位对外开放的转变，对外经济关系发生了重大变化，中国在世界贸易中的排名由改革开放初期的第32位提升到第8位[②]，中国经济对世界发展的贡献越来越大。我国实现了从生产力相对落后的状况到经济总量不断提升的转变，国民经济保持持续快速健康发展，经济总量在世界主要国家中的排名由1978年的第10位跃居到第6位[③]，长期困扰中国人民的商品短缺状况基本结束。中国实现了人民生活从温饱不足到总体小康的历史性跨越，千百年来困扰着中国人的吃饭问题得到根本解决，祖祖辈辈关于小康生活的梦想终于成为现实。

进入21世纪，中国的发展站在了一个新的历史起点上，成就令人鼓舞，

---

① 中共中央文献研究室编《毛泽东文集》第七卷，人民出版社1999年版，第156页。

② 中华人民共和国国家统计局编《中国统计年鉴2006》，中国统计出版社2006年版，第1028页。

③ 中华人民共和国国家统计局编《中国统计年鉴2006》，中国统计出版社2006年版，第1028页。

但困难和挑战也不容忽视。从国际上看，世界格局正在发生冷战结束以后最为深刻的变化。世界多极化趋势在曲折中发展，继续深刻影响包括社会主义国家和资本主义国家在内的世界各国的关系，各种社会制度将在长期的共存共处中竞争和斗争。和平与发展仍是当今世界的两大主题，全球的经济联系日益加强。但霸权主义和强权政治依然存在并有所发展，恐怖主义成为国际安全的重要威胁，社会生活中种种不确定因素在增加。总体和平、局部战争，总体缓和、局部紧张，总体稳定、局部动荡，是一个时期内国际局势的基本态势。

从国内看，十一届三中全会以后，我国改革和发展的道路并不平坦。随着改革开放的深入和社会主义市场经济的发展，社会环境已经发生重大变化。社会经济成分、组织形式、就业方式、利益关系和分配方式日益多样化，新事物新问题新矛盾不断出现。经济结构战略性调整中的深层次问题还没有完全解决。收入分配关系尚未理顺，就业压力加大。在人民根本利益一致的前提下，如何妥善处理不同群体间的具体利益关系，成为摆在中国共产党面前的重大课题。

尤其不容忽视的是，我国的发展是在世界范围激烈竞争的大趋势下进行的。进入 21 世纪，经济全球化趋势持续发展，科技进步日新月异，各国之间在经济实力、国防实力、民族凝聚力等综合国力上的激烈竞争前所未有。世界范围内的各种思想文化相互激荡。中国正面对着世界经济和科技前所未有的大发展，也面对着前所未有的激烈的国际竞争。这是一场全球范围的大竞争，任何国家、任何民族都回避不了。这场竞争如同逆水行舟，不进则退，关系一个国家、一个民族的兴衰成败。

形势逼人，不进则退。科学地分析、正确地把握、积极地应对世界和中国发生的剧烈变化，始终站在时代潮流的前头，激励并带领全国各族人民，把中国特色社会主义事业继续推向前进，这是中国共产党的庄严历史使命，也是中国共产党面对的严峻考验。中共十六大就是在这样的国际国内大背景下召开的。

2002年11月8日至14日，中国共产党第十六次全国代表大会在北京召开。大会正式代表2114人，特邀代表40人，代表着全国6600多万党员。江泽民代表第十五届中央委员会作题为《全面建设小康社会，开创中国特色社会主义事业新局面》的报告。大会通过了《中国共产党章程（修正案）》，批准了中央纪律检查委员会的工作报告，选举产生了新一届中央委员会和中央纪律检查委员会。

中共十六大具有以下几个突出特点：

第一，十六大鲜明地回答了在新世纪新阶段中国共产党举什么旗、走什么路、实现什么目标的重大问题。中国共产党肩负着历史的重任和人民的期望，党带领全国人民举什么旗、走什么路、实现什么目标，历来是关系党的事业发展的根本问题。十六大是中国共产党在新世纪召开的第一次代表大会，也是在开始实施社会主义现代化建设第三步战略部署的形势下召开的一次十分重要的代表大会，国内外都很关注，都想通过这次大会观察中国今后的走向，判断中国共产党今后举什么旗、走什么路、实现什么目标。对此，十六大报告作出了鲜明、有力的回答。报告郑重提出：十六大的主题是，高举邓小平理论伟大旗帜，全面贯彻“三个代表”重要思想，继往开来，与时俱进，全面建设小康社会，加快推进社会主义现代化，为开创中国特色社会主义事业新局面而奋斗。①

十六大报告的全部内容都是围绕这一主题展开的。报告清楚地向世人昭示：在新世纪新阶段，中国共产党高举的旗帜，就是马克思列宁主义、毛泽东思想和邓小平理论的旗帜，就是“三个代表”重要思想的旗帜；中国共产党要走的道路，就是邓小平开辟的中国特色社会主义道路；中国共产党带领人民在新世纪前50年要实现的目标，就是全面建设小康社会进而实现现代化的目标。这些鲜明有力的回答，表明了中央的决心，反映了人民的意愿，体现了党和国家事业不断发展的客观要求，对于统一思想，凝

---

① 中共中央文献研究室编《十六大以来重要文献选编》（上），中央文献出版社2011年版，第1页。

聚力量，全面开创中国特色社会主义事业新局面，具有十分重大的意义。

第二，十六大全面回顾中共十五大以来五年的工作，系统总结了中共十三届四中全会以来13年的奋斗历程和基本经验。十三届四中全会以来的13年，国际局势风云变幻，国内建设和改革任务繁重，可以说是外有压力、内有困难，考验不断。以江泽民为核心的第三代中央领导集体，团结带领全党和全国各族人民，坚持十一届三中全会以来的路线不动摇，从容应对来自各方面的困难和风险，改革开放和现代化建设取得历史性突破，我国的综合国力大幅度跃升，祖国和平统一大业取得重大进展，人民生活总体上实现了由温饱到小康的历史性跨越，开创了中国特色社会主义事业的新局面。可以说，13年取得的成就来之不易。

十六大报告的一个亮点和特色，就是联系改革开放以来的实践，系统总结了13年来党领导人民推进中国特色社会主义伟大事业的10条基本经验。这就是：坚持以邓小平理论为指导，不断推进理论创新；坚持以经济建设为中心，用发展的办法解决前进中的问题；坚持改革开放，不断完善社会主义市场经济体制；坚持四项基本原则，发展社会主义民主政治；坚持物质文明和精神文明两手抓，实行依法治国和以德治国相结合；坚持稳定压倒一切的方针，正确处理改革发展稳定的关系；坚持党对军队的绝对领导，走中国特色的精兵之路；坚持团结一切可以团结的力量，不断增强中华民族的凝聚力；坚持独立自主的和平外交政策，维护世界和平与促进共同发展；坚持加强和改善党的领导，全面推进党的建设新的伟大工程。① 这10条经验，覆盖改革发展稳定、内政外交国防、治党治国治军等各个方面，是中国共产党理论创新的重要成果。10条基本经验，同党在新时期的基本理论、基本路线、基本纲领一道，对党和国家事业发展具有长远的指导作用。

第三，十六大报告通篇贯穿“三个代表”重要思想，充分体现了理论创

① 中共中央文献研究室编《十六大以来重要文献选编》（上），中央文献出版社2011年版，第6—8页。

新对实践创新的指导作用。“三个代表”重要思想是十六大报告的灵魂，也是贯穿报告全篇的一条主线。十六大报告科学阐述了“三个代表”重要思想的时代背景、历史地位、精神实质和指导意义，进一步阐明了贯彻“三个代表”重要思想的根本要求。报告指出：“三个代表”重要思想，是在科学判断党的历史方位的基础上提出来的。我们党历经革命、建设和改革，已经从领导人民为夺取全国政权而奋斗的党，成为领导人民掌握全国政权并长期执政的党；已经从受到外部封锁和实行计划经济条件下领导国家建设的党，成为对外开放和发展社会主义市场经济条件下领导国家建设的党。[①]“三个代表”重要思想是对马克思列宁主义、毛泽东思想和邓小平理论的继承和发展，反映了当代世界和中国的发展变化对党和国家工作的新要求，是加强和改进党的建设、推进我国社会主义自我完善和发展的强大理论武器，是全党集体智慧的结晶，是党必须长期坚持的指导思想。始终做到“三个代表”，是党的立党之本、执政之基、力量之源。[②]报告强调，贯彻“三个代表”重要思想，关键在坚持与时俱进，核心在坚持党的先进性，本质在坚持执政为民。[③]这三句话，以高度凝练的语言，科学概括了“三个代表”的精神实质。对于在实践中如何贯彻“三个代表”重要思想，报告提出了“四个必须”的要求，这就是：必须使全党始终保持与时俱进的精神状态，不断开拓马克思主义理论发展的新境界；必须把发展作为党执政兴国的第一要务，不断开创现代化建设的新局面；必须最广泛最充分地调动一切积极因素，不断为中华民族的伟大复兴增添新力量；必须以改革的精神推进党的建设，不断为党的肌体注入新活力。[④]

中共十六大通过的《中国共产党章程（修正案）》，把“三个代表”重

① 中共中央文献研究室编《十六大以来重要文献选编》（上），中央文献出版社 2011 年版，第 9 页。

② 中共中央文献研究室编《十六大以来重要文献选编》（上），中央文献出版社 2011 年版，第 8—9 页。

③ 中共中央文献研究室编《十六大以来重要文献选编》（上），中央文献出版社 2011 年版，第 9 页。

④ 中共中央文献研究室编《十六大以来重要文献选编》（上），中央文献出版社 2011 年版，第 9—13 页。

要思想同马克思列宁主义、毛泽东思想、邓小平理论一道，作为党必须长期坚持的指导思想写入党章。将“三个代表”重要思想确立为党的指导思想，这是十六大的一个历史性的决策，也是一个历史性的贡献。

第四，十六大提出全面建设小康社会的奋斗目标，是中国共产党在新世纪新阶段的政治宣言。早在改革开放之初，邓小平就从中国实际出发，提出了现代化建设“三步走”的战略部署。经过 20 多年的奋斗，到 2000 年底，我国胜利实现了“三步走”战略的第一步、第二步目标，人民生活总体上达到小康水平。那么，实现了现代化建设的前两步战略目标后，新世纪之初我国的发展目标怎么定？这是一个重大问题。对此，十六大报告清醒地指出：“我国正处于并将长期处于社会主义初级阶段，现在达到的小康还是低水平的、不全面的、发展很不平衡的小康……巩固和提高目前达到的小康水平，还需要进行长时期的艰苦奋斗。”① 在深刻分析党和国家面临的新形势新任务的基础上，十六大作出了“21 世纪头 20 年，对我国来说，是一个必须紧紧抓住并且大有可为的重要战略机遇期”的重大判断。根据十五大提出的到 2010 年、建党 100 周年和新中国成立 100 周年的发展目标，大会提出了全面建设小康社会的奋斗目标，明确指出：“我们要在本世纪头二十年，集中力量，全面建设惠及十几亿人口的更高水平的小康社会，使经济更加发展、民主更加健全、科教更加进步、文化更加繁荣、社会更加和谐、人民生活更加殷实。经过这个阶段的建设，再继续奋斗几十年，到本世纪中叶基本实现现代化，把我国建成富强民主文明的社会主义国家。”②

对于全面建设小康社会的奋斗目标，大会从经济、政治、文化等方面勾画了宏伟蓝图。这就是：“在优化结构和提高效益的基础上，国内生产总值到 2020 年力争比 2000 年翻两番，综合国力和国际竞争力明显增强。基本实现工业化，建成完善的社会主义市场经济体制和更具活力、更加开放的

---

① 中共中央文献研究室编《十六大以来重要文献选编》（上），中央文献出版社 2011 年版，第 14 页。

② 中共中央文献研究室编《十六大以来重要文献选编》（上），中央文献出版社 2011 年版，第 14—15 页。

经济体系。城镇人口的比重较大幅度提高，工农差别、城乡差别和地区差别扩大的趋势逐步扭转。社会保障体系比较健全，社会就业比较充分，家庭财产普遍增加，人民过上更加富足的生活。社会主义民主更加完善，社会主义法制更加完备，依法治国基本方略得到全面落实，人民的政治、经济和文化权益得到切实尊重和保障。基层民主更加健全，社会秩序良好，人民安居乐业。全民族的思想道德素质、科学文化素质和健康素质明显提高，形成比较完善的现代国民教育体系、科技和文化创新体系、全民健身和医疗卫生体系。人民享有接受良好教育的机会，基本普及高中阶段教育，消除文盲。形成全民学习、终身学习的学习型社会，促进人的全面发展。可持续发展能力不断增强，生态环境得到改善，资源利用效率显著提高，促进人与自然的和谐，推动整个社会走上生产发展、生活富裕、生态良好的文明发展道路。”①

可以看出，全面建设小康社会的奋斗目标，是一个集宏观与微观、城市与农村、经济政治文化与生态环境，以及人的全面发展在内的综合性、系统性目标。这个目标，是中国特色社会主义经济、政治、文化全面发展的目标，是与加快推进现代化相统一的目标，符合中国国情和现代化建设的实际，符合人民的愿望。回顾党的奋斗历程，在革命、建设、改革的历史时期，我们党都根据人民的意愿和事业发展的需要，提出具有感召力的目标，并团结和带领广大人民为之奋斗。这是中国共产党十分重要的政治领导艺术。十六大报告明确提出全面建设小康社会的目标，有利于最广泛最充分地调动一切积极因素为实现中华民族伟大复兴而奋斗，对凝聚人心、鼓舞斗志，加快推进我国现代化建设，产生了十分重要的作用。

第五，十六大对新形势下加强和改进党的建设作出了全面部署。报告指出，中国共产党深深扎根于中华民族之中。党从成立那一天起，就是中国工人阶级的先锋队，同时是中国人民和中华民族的先锋队，肩负着实现中

---

① 中共中央文献研究室编《十六大以来重要文献选编》（上），中央文献出版社 2011 年版，第 15 页。

华民族伟大复兴的庄严使命。[1]报告提出了加强和改进党的建设的总体要求，这就是：一定要高举邓小平理论伟大旗帜，全面贯彻“三个代表”重要思想，保证党的路线方针政策全面反映人民的根本利益和时代发展的要求；一定要坚持党要管党、从严治党的方针，进一步解决提高党的领导水平和执政水平、提高拒腐防变和抵御风险能力这两大历史性课题；一定要准确把握当代中国社会前进的脉搏，改革和完善党的领导方式和执政方式、领导体制和工作制度，使党的工作充满活力；一定要把思想建设、组织建设和作风建设有机结合起来，把制度建设贯穿其中，既立足于做好经常性工作，又抓紧解决存在的突出问题。[2]这四个“一定要”，体现了理论与实践相统一，继承和创新相结合，充满了与时俱进精神，反映了时代发展要求。

此外，中共十六大还对经济建设和经济体制改革、政治建设和政治体制改革、文化建设和文化体制改革、国防和军队建设、“一国两制”和实现祖国的完全统一、对外工作等作出战略部署，为全面建设小康社会、加快推进社会主义现代化指明了方向。

着眼于党的兴旺发达和国家长治久安，中共十六大顺利实现了中央领导集体的新老交替。大会选举产生了由 198 名委员、158 名候补委员组成的中央委员会和由 121 名委员组成的中央纪律检查委员会。11 月 15 日，中共十六届一中全会选举新一届中央政治局委员、候补委员，通过了中央书记处成员。全会选举胡锦涛、吴邦国、温家宝、贾庆林、曾庆红、黄菊、吴官正、李长春、罗干为中央政治局常委，胡锦涛为中央委员会总书记；决定江泽民为中央军委主席；批准吴官正为中央纪律检查委员会书记。

中共十六届一中全会结束后，新当选的中央政治局常委在人民大会堂与中外记者见面。胡锦涛代表新当选的中央领导机构成员，感谢全党的信

---

① 中共中央文献研究室编《十六大以来重要文献选编》（上），中央文献出版社 2011 年版，第 43 页。

② 中共中央文献研究室编《十六大以来重要文献选编》（上），中央文献出版社 2011 年版，第 38 页。

任。他说：我们全党和全国各族人民将更加紧密地团结在一起，聚精会神搞建设，一心一意谋发展，把改革开放和现代化建设事业继续推向前进。①

2003 年 3 月，十届全国人大一次会议选举胡锦涛为国家主席，江泽民为中华人民共和国中央军委主席，吴邦国为全国人大常委会委员长；决定温家宝为国务院总理。同时召开的全国政协十届一次会议选举贾庆林为全国政协主席。

在以胡锦涛同志为总书记的党中央领导下，全党全国人民开启了全面建设小康社会的新征程。

## 第二节 科学发展观的提出

中共十六大闭幕后不久，2002 年 12 月 5 日至 6 日，胡锦涛率领中央书记处成员前往革命圣地河北省石家庄市平山县西柏坡学习考察，深情回顾中国共产党带领人民进行伟大革命斗争的光辉历史，重温毛泽东 1949 年在中共七届二中全会上的重要讲话，特别是其中关于“两个务必”的重要论述。在考察中，胡锦涛指出，越是改革开放和发展社会主义市场经济，越要弘扬艰苦奋斗精神。即使将来我们国家发达了，人民生活富裕了，艰苦奋斗精神也不能丢。②他向全党特别是领导干部提出四点希望：第一，牢记我国的基本国情和我们党的庄严使命，树立为党和人民长期艰苦奋斗的思想；第二，牢记全心全意为人民服务的宗旨，始终不渝地为最广大人民谋利益；第三，牢记党的基本理论、基本路线、基本纲领和基本经验，以艰苦奋斗的精神做好各项工作；第四，牢记党和人民的重托和肩负的历史责任，自觉在艰苦奋斗的实践中加强党性锻炼。③胡锦涛强调：坚持艰苦奋斗，

① 孙杰等：《胡锦涛等十六届中央政治局常委与中外记者见面》，《人民日报》2002 年 11 月 16 日。
② 胡锦涛：《胡锦涛文选》第二卷，人民出版社 2016 年版，第 7 页。
③ 胡锦涛：《胡锦涛文选》第二卷，人民出版社 2016 年版，第 8—10 页。

根本目的就是要为最广大人民根本利益而不懈努力，不断把人民群众利益实现好、维护好、发展好。各级领导干部要时刻把人民群众安危冷暖挂在心上，做到权为民所用、情为民所系、利为民所谋。[①]要树立正确权力观，坚持立党为公、执政为民，真正为人民掌好权、用好权，做到夙兴夜寐、勤奋工作。无论在成绩面前还是在困难面前，领导干部都要始终保持谦虚谨慎、不骄不躁的作风，保持艰苦奋斗的作风。[②]在进入全面建设小康社会、加快推进社会主义现代化的新阶段，中共中央把大力发扬艰苦奋斗作风又一次鲜明地提到全党面前，具有特殊重要的意义，为在新世纪新阶段经受住新考验新挑战，作了必要的思想准备。

## 一、战胜突如其来的非典疫情

正当全党全国人民意气风发为实现全面建设小康社会的宏伟目标而奋斗的时候，2003 年上半年，我国遭遇了一场突如其来的非典疫病灾害。

2003 年 1 月，广东省报告第一个非典病例[③]。由于非典是一种新发现的传染病，在疫病发生初期，我们在诊断、治疗、预防方面都缺乏经验，加上中国人口多、人员流动性大，使防治工作面临很大困难，疫情很快蔓延到大部分地区。3 月初，北京市出现输入性病例，并迅速传播蔓延。3 月 27 日，世界卫生组织宣布北京为非典疫区。此后，全国内地除海南、贵州、云南、西藏、青海、黑龙江、新疆外，其余 24 个省份均有非典临床诊断病例报告，共波及 266 个县（市、区）。

突如其来的非典疫情使经济社会发展和人民生命健康受到极大威胁，引起了全国上下的担忧，也受到了国际社会的关注。能否迅速制止非典疫情的蔓延，有效救治患病群众，直接关系到广大人民群众的身体健康和生命安全，关系到改革发展稳定的大局，关系到我国的国家利益和国际形象。

---

① 胡锦涛：《胡锦涛文选》第二卷，人民出版社 2016 年版，第 9 页。

② 胡锦涛：《胡锦涛文选》第二卷，人民出版社 2016 年版，第 11 页。

③ 在随后展开的流行病学调查中，回顾性确认广东第一例非典病例发生于 2002 年 11 月 16 日。

能否迅速战胜非典疫情，也是对党和政府应对突发事件、驾驭复杂局面能力的一次严峻考验，是对全党全国人民战胜困难、继续前进的意志和勇气的严峻考验。

面对严峻考验和严重疫情，以胡锦涛为总书记的新一届党中央把人民群众的身体健康和生命安全放在第一位，把防治非典作为各项工作的重中之重，作出了一系列重大决策和部署。全国上下紧急动员起来，同这场突如其来的疾病灾害展开了一场艰苦卓绝的斗争。

2003 年 4 月 14 日，在广东抗击非典最为紧张的时刻，胡锦涛到广东省疾病预防控制中心，深入了解非典防治情况。他强调，要始终把人民群众安危冷暖放在心上，把防治非典工作作为关系人民群众身体健康和生命安全、关系改革发展稳定大局的一件大事，切实抓紧抓好。当务之急是继续全力以赴做好防治工作。对已经患病的群众要想方设法进行治疗，努力使他们早日痊愈。要继续加强疫情监测，搞好预防和控制工作，有效防止疫情扩散和反弹。要继续加强对病原的研究，努力探索防治规律。要有针对性做好宣传工作，使广大群众了解疾病预防知识，提高群众自我保护能力。[①]4 月 17 日，胡锦涛主持召开中央政治局常委会会议，对进一步做好非典防治工作进行研究部署。这次会议，明确提出了沉着应对、措施果断，依靠科学、有效防治，加强合作、完善机制的总体要求，确定了早发现、早报告、早隔离、早治疗的措施，制定了就地预防、就地观察、就地治疗的原则。会议强调，要切实加强对防治工作的领导，建立严格的责任制，各级领导干部一定要切实把广大人民群众的身体健康和生命安全放在第一位，党政主要领导要亲自抓、负总责。要准确掌握疫情，如实报告并定期对社会公布，不得缓报、瞒报。[②]

以温家宝为总理的新一届国务院从成立之日起，就把防治非典工作放

---

① 胡锦涛：《胡锦涛文选》第二卷，人民出版社 2016 年版，第 22—23 页。

② 《中共中央政治局常务委员会召开会议研究进一步加强非典型肺炎防治工作》，《人民日报》2003 年 4 月 18 日。

在突出重要位置，在成立后不到 1 个月的时间里先后召开 4 次国务院常务会议，其中有 3 次专门研究和部署非典防治工作。国务院果断决定，将非典列入我国法定的传染病进行依法管理，每天向世界卫生组织通报情况，并向社会公布疫情；建立国家应对突发公共卫生事件应急处理机制。4 月 23 日，温家宝主持召开国务院常务会议，决定成立全国防治非典指挥部，统一指挥、协调全国的非典防治工作。这次会议还决定，中央财政设立总额 20 亿元的非典防治基金，主要用于农民和城镇困难群众中非典型肺炎患者的救治工作，中西部困难地区县级医院的应急改造和购置治疗非典型肺炎的医疗设备，支持非典型肺炎防治的科技攻关等。4 月 24 日，在全国防治非典指挥部成立会上，温家宝要求扎扎实实做好 10 个方面的重要工作，主要包括：做好防治工作，准确统计并及时公布疫情，提高防治效果；加强对车站、机场、码头、出入境口岸和汽车、火车、飞机等重点部位流动人员的卫生检疫工作，采取果断措施切断疫病传播途径；充分利用国内科研力量，积极开展国际交流与合作，尽快找到科学有效的防治方法；确保医药用品等各种物资和设备不断档、不涨价；把农村疫情的防治工作做在前面，对困难患者实行免费治疗，对城市农民工就地救治；加强学校的疫情防治工作，关心师生身体健康，对患病学生要及时救治，维护学校的正常秩序；加强社会治安综合治理，坚决打击趁机造谣惑众、哄抬物价等各种违法犯罪活动，维护群众利益；大力宣传传染病防治法与防治知识，树立群众的信心；加强国际合作；把北京市防治工作作为全国的重中之重抓紧抓好。[①]

在抗击非典的过程中，党和政府实行全民动员、群防群控，紧紧依靠广大人民群众，充分发挥了人民的无穷力量。从城市到乡村，从企业到机关，从社区到校园，从军队到地方，全党、全军和全国人民群策群力、守望相助，构筑起一道防治疫病的钢铁长城。广大医务工作者和防疫人员临危不惧、舍生忘死，恪尽职守、敬业奉献，为救治患病群众、控制疫情扩散作出了突出贡献。面对非典疫情，社会各方面团结一致、齐心协力，党

① 孙承斌:《全国防治非典型肺炎指挥部成立》,《人民日报》2003 年 4 月 26 日。

政军群和社会各界服从大局、听从指挥，统一步调、密切配合，哪里有疫情，哪里就有真情奉献，哪里有困难，哪里就有无私援助。大批医务人员特别是军队医务人员紧急奔赴救治工作第一线，大量防治非典物资源源不断地运往疫区，众多企业为保障市场供应千方百计地扩大生产，社会各界纷纷捐款捐物。抗击非典，使中华民族生生不息的强大生命力和凝聚力再一次得到彰显和弘扬，全国各族人民万众一心、众志成城，团结互助、和衷共济，迎难而上、敢于胜利，展示了中国人民泰山压顶不弯腰的大无畏气概。

非典的肆虐，给我国经济社会发展造成了困难。一些地区和行业的发展受到不利影响，尤其是旅游、民航、客运、商贸、餐饮业受到的影响比较大，中小企业受冲击更为严重，由此也给就业再就业、增加农民收入等工作带来新的困难。2003 年 4 月 28 日，胡锦涛主持召开中央政治局会议，要求站在全局的高度，处理好非典防治工作和经济工作的关系，坚持一手抓防治非典这件大事不放松，一手抓经济建设这个中心不动摇，用发展的办法解决好经济生活中出现的突出矛盾和问题，把各方面加快发展的积极性引导好、保护好、发挥好，坚定不移地完成经济和社会发展的预期目标。[①]5 月 1 日，在天津检查非典防治工作时，胡锦涛进一步提出，要“在深入开展防治非典型肺炎斗争的同时，坚定不移地抓好发展这个第一要务，努力保持经济的稳定发展，把损失减少到最低限度，夺取防治非典型肺炎斗争和促进经济社会发展的双胜利”[②]。

为了因应情况变化，中央制定一系列促进发展的措施，采取了一些特殊政策扶持受影响较大的行业。各地区各部门坚持扩大内需的方针，特别是在增加农民收入、扩大就业再就业、加强重点工程建设、扩大居民消费、加强对外经贸合作和技术交流、开展增收节支、关心群众生产生活、深化

① 《中共中央政治局召开会议　研究在全党兴起学习贯彻“三个代表”重要思想新高潮等工作》，《人民日报》2003 年 4 月 29 日。

② 《广泛动员狠抓落实群防群控　打一场防治疫病的人民战争》，《人民日报》2003 年 5 月 2 日。

各项改革等方面采取有效措施，促进经济社会发展，努力把损失减少到最低限度。

防治非典和推动经济发展是相互联系、相互促进的。党和政府坚持防治非典和促进发展两手抓，说到底，都是为了维护和实现最广大人民的根本利益。只有下大气力抓好非典防治工作，切实保护人民群众身体健康和生命安全，才能保证广大群众生产生活正常进行，才能为经济发展提供良好社会环境；只有坚定不移抓好发展这个第一要务，保持经济稳定增长，才能有足够财力物力投入防治斗争中去，才能充分保证人民群众基本生活需求，才能把非典带来的不利影响减少到最低限度。最终，经过努力，尽管非典疫情给中国一些地区和行业发展带来了不利影响，但拉动中国经济发展的基本因素依然在发挥作用，中国经济发展势头依然强劲。

在中共中央、国务院的坚强领导下，经过全党全国人民的艰苦奋战，到 2003 年 6 月，我国取得防治非典的重大胜利，国民经济保持了较快增长的良好势头。6 月 8 日，北京首次迎来新增非典病例零纪录；6 月 24 日，世界卫生组织解除对北京的旅行警告，并将北京从非典疫区名单中删除。抗击非典的胜利，极大地彰显了中国特色社会主义制度的优越性，极大地提高了中国人民战胜困难的勇气和能力，极大地增强了中华民族的自信心，扩大了中国在国际上的影响力。这场波澜壮阔的斗争，奏响了弘扬中华民族伟大精神的嘹亮凯歌，书写了中国人民不畏艰险、敢于胜利的壮丽诗篇。

## 二、科学发展观的提出

还在非典疫情严重肆虐的 2003 年 5 月，美国摩根士丹利全球首席经济师史蒂芬·罗奇在其研究报告《中国的警醒》中就提出：“‘非典”疫症可能成为新中国发展史上的一个分水岭。中国可从这场或会演变成大灾难的疫症中汲取经验，崛起成为一个更强大的国家”，“中国长远来说一定会变得更加富强”。[①] 事实证明，这个分析是富有远见的。艰难困苦，玉汝于成。一个聪明的民族，从灾难和错误中学到的东西会比平时多得多。从这场与非典对抗的特殊战斗中，中国共产党和中国政府汲取了宝贵的经验和教训。反思这场灾难，全党全国深切地感到：要全面建设小康社会，应当更加重视经济社会的全面、协调和可持续发展。科学发展观就这样应运而生了。

2003 年 4 月 15 日，胡锦涛在广东指导抗击非典工作时提出，在新世纪新阶段，我们要认清形势，进一步增强加快发展、率先发展、协调发展的历史责任感和使命感；要积极探索加快发展的新路子，通过完善发展思路不断增创新优势；要着力深化改革，通过制度创新不断增创新优势；要坚持全面的发展观，通过促进三个文明协调发展不断增创新优势。[②] 在这个讲话中，胡锦涛明确使用“全面的发展观”“协调发展”等概念，提出了“积极探索加快发展的新路子”“完善发展思路”等明确要求，标志着科学发展观思想的初步萌芽。

2003 年 7 月 28 日，全国防治非典工作会议在北京召开。胡锦涛发表讲话指出：“反思我国非典疫情发生和我们防治非典的过程，既有成功经验，也有深刻教训……通过抗击非典斗争，我们比过去更加深刻地认识到，我国经济发展和社会发展、城市发展和农村发展还不够协调；公共卫生事业发展滞后，公共卫生体系存在缺陷；突发事件应急机制不健全，处理和管理危机能力不强；一些地方和部门缺乏应对突发事件的准备和能力，极少数党员、干部作风不实，在紧急情况下工作不力、举措失当。我们要高度重视存在的问题，采取切实措施加以解决，真正使这次防治非典斗争成为我们改进工作、更好推动事业发展的一个重要契机。”[③] 在讲话中，胡锦涛着重从总结经验教训的角度，深刻阐明了发展与增长的不同。他说：“我们讲

① 单羽青：《罗奇：“非典”——新中国发展史上又一个分水岭》，《中国经济时报》2003 年 5 月 8 日。

② 《抓住新机遇　增创新优势　开拓新局面　努力实现加快发展、率先发展、协调发展》，《人民日报》2003 年 4 月 16 日。

③ 胡锦涛：《胡锦涛文选》第二卷，人民出版社 2016 年版，第 65 页。

发展是党执政兴国的第一要务，这里的发展绝不只是指经济增长，而是要坚持以经济建设为中心，在经济发展的基础上实现社会全面发展。我们要更好坚持全面发展、协调发展、可持续发展的发展观，更加自觉地坚持推动社会主义物质文明、政治文明、精神文明协调发展，坚持在经济社会发展的基础上促进人的全面发展，坚持促进人与自然的和谐。在促进发展的进程中，我们不仅要关注经济指标，而且要关注人文指标、资源指标、环境指标；不仅要增加促进经济增长的投入，而且要增加促进社会发展的投入，增加保护资源和环境的投入。”①这个讲话，首次使用了“全面发展、协调发展、可持续发展的发展观”的表述。

科学发展观的完整概念，是2003年8月底至9月初胡锦涛在江西考察工作时第一次提出来的。考察期间，在听取江西省委和省政府工作汇报时，胡锦涛郑重提出：各级领导干部一定要深刻认识发展是党执政兴国的第一要务这个重大命题，切实把第一要务抓紧、抓实、抓好。要牢固树立全面发展、协调发展、可持续发展的科学发展观，积极探索符合实际的发展新路子，进一步完善社会主义市场经济体制，把加大结构调整力度同培育新的经济增长点结合起来，把推进城市发展和推进农村发展结合起来，把发挥科学技术的作用和发挥人力资源的优势结合起来，把发展经济和保护资源环境结合起来，把对外开放和对内开放结合起来，努力走出一条生产发展、生活富裕、生态良好的文明发展道路。②

2003年10月，中共十六届三中全会召开。14日，在全会第二次全体会议上，胡锦涛从战略和全局的高度，强调了树立和落实科学发展观的重大意义。他指出：“树立和落实科学发展观，这是二十多年改革开放实践的经验总结，是战胜非典疫情给我们的重要启示，也是推进全面建设小康社会的迫切要求。”在这次讲话中，他深入阐述了发展与增长的区别，强调：“树立和落实科学发展观，十分重要的一环就是要正确处理增长数量和质

① 胡锦涛：《胡锦涛文选》第二卷，人民出版社2016年版，第67页。

② 《继承发扬党的优良革命传统　加快全面建设小康社会步伐》，《人民日报》2003年9月3日。

量、速度和效益的关系。增长是发展的基础，没有经济数量增长，没有物质财富积累，就谈不上发展。但是，增长并不简单等同于发展，如果单纯扩大数量，单纯追求速度，而不重视质量和效益，不重视经济、政治、文化协调发展，不重视人与自然的和谐，就会出现增长失调、从而最终制约发展的局面。忽视社会主义民主法治建设，忽视社会主义精神文明建设，忽视各项社会事业发展，忽视资源环境保护，经济建设是难以搞上去的，即使一时搞上去了最终也可能要付出沉重代价。各级党委和政府一定要坚持科学发展观，不断探索促进全面发展、协调发展、可持续发展的新思路新途径，进一步提高发展质量，实现更快更好发展。”①

这次全会通过的《中共中央关于完善社会主义市场经济体制若干问题的决定》的一个突出亮点，就是第一次把“以人为本”与科学发展观紧密联系起来，明确提出要“坚持以人为本，树立全面、协调、可持续的发展观，促进经济社会和人的全面发展”②。把“以人为本”与“全面、协调、可持续发展”统一起来，作为我国经济社会发展的一个长远指导方针和各项工作必须坚持的重要原则，使科学发展思想得到了极大充实和提升，从而将新的发展思路与中国共产党的性质和宗旨、党的执政理念和要求更加紧密地联系在一起，在对发展问题的探索中鲜明地体现了马克思主义的基本立场观点。至此，构成科学发展观理论框架的核心要素——“以人为本”“全面、协调、可持续发展”等——都已完整提出。这标志着科学发展观作为一个重大战略思想已初步形成。

## 三、科学发展观的逐步丰富和初步实践

科学发展观提出以后，经历了一个实践、认识、再实践、再认识的过程，理论内涵不断丰富，实践成效不断显现。

---

① 胡锦涛:《胡锦涛文选》第二卷，人民出版社 2016 年版，第 104—105 页。

② 中共中央文献研究室编《十六大以来重要文献选编》(上)，中央文献出版社 2011 年版，第 465 页。

为了使党的高级干部更好地领会和贯彻这一思想，2004 年 2 月，中共中央在中央党校举办省部级主要领导干部树立和落实科学发展观专题研讨班。温家宝、曾庆红等中央领导同志在研讨班上就科学发展观的有关问题进行了阐述。由此开始，“以人为本，全面、协调、可持续的发展观”，被冠以“科学发展观”的概念正式公开使用。

2004 年 3 月 10 日，在中央人口资源环境工作座谈会上，胡锦涛对科学发展观的深刻内涵和基本要求作了进一步阐述。他指出：“坚持以人为本，就是要以实现人的全面发展为目标，从人民群众根本利益出发谋发展、促发展，不断满足人民群众日益增长的物质文化需要，切实保障人民群众经济、政治、文化权益，让发展成果惠及全体人民。全面发展，就是要以经济建设为中心，全面推进经济、政治、文化建设，实现经济发展和社会全面进步。协调发展，就是要统筹城乡发展、统筹区域发展、统筹经济社会发展、统筹人与自然和谐发展、统筹国内发展和对外开放，推进生产力和生产关系、经济基础和上层建筑相协调，推进经济、政治、文化建设各个环节各个方面相协调。可持续发展，就是要促进人与自然的和谐，实现经济发展和人口、资源、环境相协调，坚持走生产发展、生活富裕、生态良好的文明发展道路，保证一代接一代永续发展。”[①]他强调，保护自然就是保护人类，建设自然就是造福人类。要牢固树立以人为本的观念、节约资源的观念、保护环境的观念、人与自然相和谐的观念。要彻底改变以牺牲环境、破坏资源为代价的粗放型增长方式，不能以牺牲环境为代价去换取一时的经济增长，不能以眼前发展损害长远利益，不能用局部发展损害全局利益。[②]可以说，这些阐述，为科学发展观的贯彻落实提供了更为直接的理论指导。

在此基础上，2004年5月，胡锦涛在江苏考察工作时，向全党发出“把科学发展观贯穿于发展的整个过程和各个方面”的号召，要求全党增强贯彻落实科学发展观的自觉性和坚定性。他强调，科学发展观对整个改革开

---

① 胡锦涛：《胡锦涛文选》第二卷，人民出版社 2016 年版，第 166—167 页。

② 胡锦涛：《胡锦涛文选》第二卷，人民出版社 2016 年版，第 170—171 页。

放和现代化建设都具有重要指导意义。对于如何树立和落实科学发展观，胡锦涛强调要做到“三个结合”：一要把树立和落实科学发展观同坚持正确政绩观紧密结合起来。考核干部政绩，要注重考察落实科学发展观的实际成效，坚持用是否服务于人民、造福于人民，是否遵循客观规律和科学规律，是否推动经济社会协调发展，是否对子孙后代负责、对长远发展负责，作为考核干部政绩的根本标准。二要树立和落实科学发展观同掌握科学思想方法紧密结合起来。要把科学发展观贯穿于想问题、作决策、干工作全过程，以长远眼光谋划发展，以全局意识统筹发展，以科学态度抓好发展，更加自觉地促进社会主义物质文明、政治文明、精神文明协调发展。三要把树立和落实科学发展观同发扬优良工作作风紧密结合起来。要坚持解放思想、实事求是，讲实话、出实招、办实事、求实效，以改革精神和科学态度研究解决改革发展稳定中的重大问题，研究解决群众生产生活中的紧迫问题，多干群众急需的事，多干群众受益的事，多干打基础的事，多干长远起作用的事，扎扎实实把改革开放和现代化建设推向前进。[①]这个讲话，比较明确地阐述了树立和落实科学发展观的现实基础，以及在经济发展中如何落实科学发展观的问题。

2004 年，我国经济发展中出现一些不健康不稳定的因素，为此，党和政府进一步加强了宏观调控。加强和改善宏观调控的过程，实际上也是实践科学发展观并在实践检验中不断丰富和发展科学发展观的过程。在指导宏观调控的实践中，胡锦涛强调，“这次加强和改善宏观调控是贯彻落实以人为本、全面协调可持续的科学发展观的重大实践”[②]，“其实质就是要优化经济结构，加快转变经济增长方式，逐步消除可能导致经济大起大落的体制性、机制性障碍，以充分利用好重要战略机遇期，实现又快又好发展”[③]。到 2004 年年底，宏观调控取得初步成效。对此，胡锦涛在当年 12 月召开

---

① 胡锦涛：《胡锦涛文选》第二卷，人民出版社 2016 年版，第 185—186 页。

② 中共中央文献研究室编《十六大以来重要文献选编》（中），中央文献出版社 2011 年版，第 453 页。

③ 中共中央文献研究室编《十六大以来重要文献选编》（中），中央文献出版社 2011 年版，第 309 页。

的中央经济工作会议上总结说："实践充分证明，科学发展观是符合我国实际的，是全面建设小康社会和推进现代化建设始终要坚持的重要指导思想……加强和改善宏观调控不仅保持了经济平稳较快发展，更重要的是使全党同志深化了对科学发展观的认识。"他要求全党，在深化改革、促进发展、保持稳定的各项工作中，凡是符合科学发展观的事情我们就应当全力以赴地去做，凡是不符合的就应当毫不迟疑地去改[①]，把树立和落实科学发展观作为提高党的执政能力的一项重要内容。

至此，经过不断丰富和发展，科学发展观作为重大战略思想的主要内涵、指导地位和要求日益明确。人们对它有了更多了解，逐步形成广泛共识，科学发展观在实践中也得到了初步贯彻。广大干部群众深入学习科学发展观，认真实践科学发展观，形成了推动改革开放和现代化建设的强大动力。

科学发展观的提出，是对当今世界经济社会发展趋势的自觉回应。国际社会对发展问题的普遍关注始于20世纪40年代。第二次世界大战后，全球经济受到严重破坏，战后重建、发展经济成为许多国家的首要任务，加快经济增长成为普遍共识，国内生产总值（GDP）成为衡量一个国家和地区经济发展的主要标尺。应该说，这种发展观对于促进战后的经济繁荣起到了重要作用。但由于片面追求经济增长，也带来了经济结构失衡、资源极大浪费、环境污染和生态恶化、社会财富分配不公等严重的问题。为此，1992年，100多个国家的国家元首、政府首脑聚集巴西里约热内卢，通过《关于环境与发展里约热内卢宣言》和《21世纪议程》，作出了关于推进可持续发展的庄严承诺。中国发展是世界发展的重要组成部分。科学发展观提出之时，我国发展正处在一个关键阶段，即人均国内生产总值从2003年的1000美元向2020年的3000美元跨越的阶段。一些国家和地区的发展历程表明，在人均国内生产总值突破1000美元之后，经济社会就进入了一个

① 中共中央文献研究室编《十六大以来重要文献选编》（中），中央文献出版社2011年版，第453—454页。

关键的发展阶段。这是一个发展机遇期，也是一个矛盾凸显期。在这个阶段，既有因为举措得当从而促进经济快速发展和社会平稳进步的成功经验，也有因为应对失误从而导致经济徘徊不前和社会长期动荡的失败教训。只有认真总结和吸取国际社会在发展问题上的经验教训，妥善解决我国经济社会发展中的各种问题和矛盾，才能在更高的水平上推进现代化建设，实现更好更快的发展。科学发展观的提出，正是以宽广的世界眼光观察世界，正确认识当前国际国内发展环境，积极借鉴当代人类文明有益成果的具体体现，反映出中国共产党对人类社会发展规律、对社会主义建设规律的认识达到了新的自觉。

科学发展观的提出，是对中国社会主义现代化建设实践的科学总结。坚持一切从国情出发，是党制定正确的路线、方针、政策的前提和基础，也是树立和落实科学发展观的重要立足点。中国是在经济文化极为落后的条件下进入社会主义社会的，处于并将长期处于社会主义初级阶段。改革开放以后，经过努力，我国胜利实现了现代化建设“三步走”战略的第一步、第二步目标，人民生活总体上达到小康水平。但是，这种小康还是低水平的、不全面的、发展很不平衡的小康，人民日益增长的物质文化需要同落后的社会生产之间的矛盾仍然是社会主要矛盾。我国当时有 13 亿人口，决定了改善民生的任务特别繁重。我国虽然地域辽阔，但资源相对不足，经济发展不平衡也是中国国情中客观存在的因素，城乡差距很大，二元经济结构没有根本改变。人口多、底子薄、地区发展不平衡，资源环境与社会发展的矛盾突出等现实问题，决定了我国长期发展的艰巨性和复杂性，决定了中国必须走全面、协调、可持续的发展道路。

科学发展观的提出，也是适应我国经济社会发展阶段性特征的必然选择。中共十六大后，我国进入全面建设小康社会、加快推进社会主义现代化的新的发展阶段。伴随着新阶段的到来，我国经济社会发展也出现一系列引人注目的新特征，出现了阶段性的重大变化。这包括：人均国内生产总值不断提高，但居民收入水平和消费水平总体上还较低；产业结构逐步升级，工业化进程加快，但人口资源环境和经济发展的矛盾日益突出；社会主义市场经济体制初步建立，市场化程度不断提高，但生产力发展仍然面临诸多体制性、机制性障碍；对外开放范围扩大、领域拓宽，国际化趋势明显，但面临的国际竞争日益激烈；科技事业不断发展，科学技术在经济社会发展中的作用越来越大，但自主创新能力亟待提高；区域协调发展取得明显成绩，分工协作、共同发展的格局正在形成，但地区之间发展不平衡现象依然存在；社会事业不断发展，社会结构和社会组织形式发生深刻变化，但社会管理还面临一系列急需解决的新课题。经济社会发展中出现的这些阶段性变化，要求党和国家必须准确把握工业化、城镇化、市场化、国际化进程加速推进的趋势，与时俱进，实现科学发展观上的新飞跃。科学发展观就是立足长远和全局，适应经济社会发展的阶段性特征而提出的，是党中央着眼于解决我国经济社会发展中面临的实际困难和突出问题而进行的重大理论创新。

总之，作为马克思主义中国化的新成果，科学发展观是立足社会主义初级阶段基本国情，总结我国发展实践，借鉴国外发展经验，适应新的发展要求提出来的。它创造性地回答了新形势下实现什么样的发展、怎样发展等重大问题，把中国共产党对中国特色社会主义规律的认识提高到新的水平。科学发展观是马克思主义同当代中国实际和时代特征相结合的产物，是马克思主义关于发展的世界观和方法论的集中体现，开辟了当代中国马克思主义发展新境界，是指导党和国家全部工作的强大思想武器。

2012 年，中共十八大通过的《中国共产党章程（修正案）》把科学发展观同马克思列宁主义、毛泽东思想、邓小平理论、“三个代表”重要思想一道，确立为党的指导思想。

# 第二章

# 完善社会主义
# 市场经济体制

经过20多年的改革开放和发展，到21世纪初，我国社会主义市场经济体制已经初步建立。在此基础上，中共十六大以后，为进一步深化改革，消除阻碍社会生产力发展的深层次体制性障碍，以胡锦涛同志为总书记的党中央根据全面建设小康社会的要求，就完善社会主义市场经济体制进行全面部署，不失时机地稳步推进重点领域和关键环节的改革；同时针对经济运行中的突出矛盾，大力加强和改善国家宏观调控。我国社会主义市场经济体制逐步完善，国民经济保持了平稳较快发展。

## 第一节　中共十六届三中全会关于完善社会主义市场经济体制的部署

中国经济体制改革确定什么样的目标模式，是关系整个现代化建设全局的一个重大问题。这个问题的核心，是正确认识和处理计划与市场的关系。1979 年以后的中国经济体制改革，就其实质和发展趋势考察，可以说一开始就是逐步朝着社会主义市场经济体制的方向前进的。在改革过程中，先后提出和实施的“计划经济为主、市场调节为辅”和“有计划的商品经济”，无论在理论认识上还是在改革实践上，都可以视为从计划经济体制到社会主义市场经济体制的过渡。1992 年，中共十四大明确提出建立社会主义市场经济体制的改革目标；1993 年，中共十四届三中全会《中共中央关于建立社会主义市场经济体制若干问题的决定》勾画出这种新体制的基本框架。这都是中国经济体制改革历史上的重要里程碑。

此后，经过 10 年的努力，到 21 世纪初，我国经济体制改革在理论和实践上都取得重大进展，公有制为主体、多种所有制经济共同发展的基本经济制度已经确立，全方位、宽领域、多层次的对外开放格局基本形成。总的判断，就是社会主义市场经济体制初步建立，市场经济已经成为不可逆转的变革过程，成为人们生活在其中的最重要的制度和整个社会变革的基础。我国之所以能够经受住国际金融动荡和经济低迷的冲击，克服国内通货膨胀和通货紧缩的影响，战胜严重自然灾害和重大疫情，经济保持旺盛活力和快速增长，综合国力显著提升，人民生活不断改善，坚持社会主义市场经济方向的改革是重要的动因。

但与此同时，我国经济也还存在经济结构不合理、分配关系尚未理顺、农民收入增长缓慢、就业矛盾突出、资源环境压力加大、经济整体竞争力不强等问题。究其重要原因，就是经济体制还不完善，旧体制的弊端尚未完全消除，新体制在显示出巨大优越性的同时其固有的矛盾开始暴露出来，生产力发展仍面临诸多体制性障碍。这突出表现在，城乡体制分割，产权制度不健全，国有企业建立现代企业制度和国有经济布局调整的任务还未完成，资本等要素市场发育滞后，市场秩序比较混乱，政府职能转变还不到位，社会管理和公共服务职能薄弱，科技、教育、文化、卫生和社会保障等方面的体制还不完善等。这些体制性问题的存在，不适应全面建设小康社会的新形势，也不适应经济全球化和科技进步加快的国际环境。只有加快推进改革，完善社会主义市场经济体制，才能进一步解放和发展生产力，才能不断增强国际竞争能力和抵御风险能力，也才能完成全面建设小康社会的历史任务。

为此，在社会主义市场经济体制初步建立的情况下，中共十六大提出21世纪头20年“经济建设和改革的主要任务”之一，就是“完善社会主义市场经济体制”[①]。根据这一要求，2003年10月，中共十六届三中全会审议通过《中共中央关于完善社会主义市场经济体制若干问题的决定》（以下简称《决定》）。这个《决定》，对经济体制改革作出了全面规划和部署，在重大理论、方针政策和体制建构方面都有许多创新。

一是首次明确提出“五个统筹”与“五个坚持”相统一的统筹兼顾理论。对于执政党来说，统筹兼顾具有极其重要的意义。《决定》明确提出，要“按照统筹城乡发展、统筹区域发展、统筹经济社会发展、统筹人与自然和谐发展、统筹国内发展和对外开放的要求，更大程度地发挥市场在资源配置中的基础性作用”；要坚持社会主义市场经济的改革方向，坚持尊重群众的首创精神，坚持正确处理改革发展稳定的关系，坚持统筹兼顾，坚持以人为本。[②]多年来，我国经济发展和体制改革进程中取得的成就和存在

① 中共中央文献研究室编《十六大以来重要文献选编》（上），中央文献出版社2011年版，第16页。

② 中共中央文献研究室编《十六大以来重要文献选编》（上），中央文献出版社2011年版，第465页。

的问题，给我们提供了深刻的启示：社会经济发展的战略目标，不是单纯追求国内生产总值的增长，而是在经济发展的基础上增进全体人民的福利；经济体制改革不仅要有利于促进生产力的发展，而且要有利于全面体现社会主义现代化事业的根本宗旨，实现社会全面进步。《决定》提出的“五个统筹”与“五个坚持”，体现了经济、社会和人的全面发展，体现了改革、发展、稳定三者紧密结合、相互统一的战略思想，是新的发展观和改革观的进一步升华，反映了党对发展社会主义市场经济规律的认识不断深化。

二是首次提出要适应经济市场化不断发展的趋势，进一步增强公有制经济的活力，大力发展国有资本、集体资本和非公有资本等参股的混合所有制经济，实现投资主体多元化，使股份制成为公有制的主要实现形式[①]。这是继中共十五大后在公有制问题上的又一次思想大解放，也是十六届三中全会最大的思想解放。早在1993年，中共十四届三中全会就提出，随着产权的流动和重组，财产混合所有的经济单位越来越多，将会形成新的财产所有结构[②]。到1997年，中共十五大提出股份制是现代企业的一种资本组织形式，资本主义可以用，社会主义也可以用[③]。1999年，十五届四中全会提出国有大中型企业尤其是优势企业，宜于实行股份制的，要通过规范上市、中外合资和企业互相参股等形式，改为股份制企业，发展混合所有制经济[④]。到2002年，中共十六大进一步提出，除极少数必须由国家独资经营的企业外，积极推行股份制，发展混合所有制经济[⑤]。由此可见，多年来，中国共产党对公有制实现形式的认识在不断深化。《决定》关于“使股

① 中共中央文献研究室编《十六大以来重要文献选编》（上），中央文献出版社2011年版，第466页。

② 中共中央文献研究室编《十四大以来重要文献选编》（上），中央文献出版社2011年版，第458页。

③ 中共中央文献研究室编《十五大以来重要文献选编》（上），中央文献出版社2011年版，第18—19页

④ 中共中央文献研究室编《十五大以来重要文献选编》（中），中央文献出版社2011年版，第169页

⑤ 中共中央文献研究室编《十六大以来重要文献选编》（上），中央文献出版社2011年版，第20页。

份制成为公有制的主要实现形式”的论述，是对以往改革经验的总结，是探索公有制和市场经济相结合有效形式的成果，也是在继承基础上的重大理论突破。这一变化，意味着国有企业投资主体多元化的速度会大大加快，公有制经济和非公有制经济相互融合、平等竞争成为未来改革和发展的主旋律。

三是首次提出要建立归属清晰、权责明确、保护严格、流转顺畅的现代产权制度。产权是所有制的核心和主要内容，包括物权、债权、股权和知识产权等各类财产权。现代企业制度的根本要求，就是产权清晰。随着改革的深化和多种所有制经济的发展，要求明晰界定各类产权，并依法进行有效保护。建立健全现代产权制度，是完善基本经济制度的内在要求，是构建现代企业制度的重要基础，有利于维护公有财产权，巩固公有制经济的主体地位；有利于保护私有财产权，促进非公有制经济发展；也有利于各类资本的流动和重组，推动混合所有制经济发展。另外，《决定》还明确提出，要大力发展和积极引导非公有制经济，“放宽市场准入，允许非公有资本进入法律法规未禁入的基础设施、公用事业及其他行业和领域。非公有制企业在投融资、税收、土地使用和对外贸易等方面，与其他企业享受同等待遇”[①]。这种对非公有资本“非禁即入”的规定，表明了中国共产党鼓励和支持非公有制经济发展的鲜明态度，在党的正式文件里也是第一次出现。

四是首次提出要建立有利于逐步改变城乡二元经济结构的体制。传统计划经济体制下造成的城乡二元结构，制约和束缚了农村生产力的解放，随着改革开放的深化，这个问题越来越突出。继续推进工业化，逐步改变城乡二元经济结构，是全面建设小康社会直到实现现代化这个长的历史时期内，我国经济社会发展的根本性任务。这个问题的解决，从根本上说，要从“三化”（即工业化、城镇化、市场化）找出路。就是说，用先进技术

---

① 中共中央文献研究室编《十六大以来重要文献选编》（上），中央文献出版社 2011 年版，第 466 页。

改造农业和整个农村经济，促进大量农业人口向非农产业转移，通过完善社会主义市场经济体制把农业和整个农村经济纳入全国统一的市场化、社会化轨道。[①] 按照这个思路，中共十六届三中全会针对农村改革发展中存在的突出问题，从统筹城乡发展的高度，对深化农村改革作出部署。《决定》提出，要完善农村土地制度，健全农业社会化服务体系、农产品市场体系和对农业的支持保护体系，深化农村税费改革，改善农村富余劳动力转移就业的环境，形成城乡劳动者平等就业的制度。这些政策举措，为解决我国“三农”问题展示了光明前景。

此外，《决定》在市场体系建设方面，提出要“加快建设全国统一市场，大力发展要素市场，建立健全社会信用体系”。在宏观调控和转变政府职能方面，提出要“切实把政府经济管理职能转到主要为市场主体服务和创造良好发展环境上来”。在财税和金融改革方面，提出要“分步实施税收制度改革，深化金融企业改革”。在对外开放方面，提出要“加快内外贸一体化进程，形成稳定、透明的涉外经济管理体制”。在发展科技教育文化卫生事业等方面，也有很多新的提法。

总之，中共十六届三中全会《关于完善社会主义市场经济体制若干问题的决定》，总结了我国经济体制改革的经验，比较系统地充实了10年前来不及或者因为条件不成熟而不可能展开的内容，标志着中国共产党对在社会主义条件下发展市场经济的认识进一步深化，把握和运用市场经济规律的能力进一步提高。这是深化改革和促进发展的纲领性文献，是中国经济体制改革历史上的一个重要里程碑。从中国经济体制改革的历史过程来看，这个《决定》对于深化改革和促进发展，对实现全面建设小康社会的宏伟目标，发挥了极其重要的指导和推动作用。

---

① 王梦奎：《经济体制改革面临的形势和任务》，载《〈中共中央关于完善社会主义市场经济体制若干问题的决定〉辅导读本》，人民出版社2003年版，第8—9页。

## 第二节　推进重点领域和关键环节的改革

按照中共十六届三中全会的部署，我国围绕消除影响经济社会发展的体制机制障碍，出台了一些多年想改、难度很大的改革措施。经济体制改革在重点领域和关键环节稳步推进，并取得突破。

### 一、深入推进国有企业改革

改革开放后，国有企业一直是整个经济体制改革的中心环节。随着国有企业改革的不断深化，国有资产多头管理、权责不一致、运营效率低和资产流失等深层次矛盾和问题日益显现，国有企业出资人缺位问题十分突出。1998 年开始的政府机构改革，撤销了直接管理国有企业的专业经济部门，在政企分开方面迈出了一大步，但国有资产多头管理和出资人不到位的问题没有根本解决，对国有企业的监督管理职能还分散在各个政府部门，这种现象被称为“五龙治水”或“九龙治水”。政企不分是阻碍国有企业走向市场、真正成为市场主体的一个根本原因。各级政府既行使社会公共管理职能，又行使国有资产出资人职能，一方面造成出资人缺位，另一方面导致政府对企业进行行政干预，加重了政企不分的问题。由于国有资产出资人不到位和多头管理，缺少有效行使出资人职责的行为主体和责任主体，国有企业真正出了问题，难以追究责任。

在这种情况下，2002 年 11 月，中共十六大提出了深化国有资产管理体制改革的重大任务，明确“国家要制定法律法规，建立中央政府和地方政府分别代表国家履行出资人职责，享有所有者权益，权利、义务和责任相统一，管资产和管人、管事相结合的国有资产管理体制”[①]。之后，十届全国人大一次会议通过国务院机构改革方案，决定设立国务院国有资产监督管

① 中共中央文献研究室编《十六大以来重要文献选编》（上），中央文献出版社 2011 年版，第 19—20 页。

理委员会。

2003 年 3 月 24 日，国务院成立国有资产监督管理委员会。国务院国资委作为代表国家履行出资人职责的机构，主要有两方面职责：一是根据国务院授权，对中央企业履行出资人职责；二是根据国家对国有资产的终极所有权，指导推进国有企业改革和改组，对地方国有资产管理工作进行监督和指导。随后，省、市（地）两级国有资产监管机构也相继成立。成立国资委，由国资委代表国家履行出资人职责，从政府机构设置上实现了“政企分开”“政资分开”，解决了国有资产多头管理和出资人不到位等体制障碍，这是深化国有企业改革的重大举措。以此为标志，国有企业改革进入到以深化国有资产管理体制改革为重点，实行政资分开，推进企业体制、技术和管理创新的新阶段。

国务院国资委成立后，围绕实现国有资产保值增值，认真履行出资人职责，做了一些开创性的工作。比如，以组建机构、健全规章为切入点，建立和完善国有资产监管体制；以经营业绩考核为抓手，层层落实保值增值责任；以财务监督和风险控制为重点，强化出资人监管；以公开招聘中央企业高级经营管理者为突破口，探索建立适应现代企业制度要求的选人用人新机制。通过建立和完善国有资产监管体制，国有资产保值增值的责任得到了有效落实。

股份制改革是国有企业改革的方向，也是建立现代企业制度的重要内容。为此，国务院国资委积极鼓励和支持中央企业在境内外资本市场公开上市，实现投资主体多元化。几年间，中央企业及下属企业公司制股份制比重由 2002 年的 30.4% 提高到 2006 年的 64.2%，石油石化、通信、运输、冶金等大型企业实现主业资产上市。①2006 年，中国交通建设集团有限公司通过联合重组后，99% 以上的资产实现了整体上市。中央企业的整体上市，有利于企业转换经营机制，完善公司法人治理结构；也有利于通过资本市

① 李荣融：《国有资产管理体制改革和国有企业改革发展取得显著成就》，载《科学发展　辉煌成就》，人民出版社 2007 年版，第 93 页。

场加强对企业的监管，保证企业规范运作，促进资本市场的健康发展。

实行国有资本调整和国有企业重组，完善国有资本有进有退、合理流动的机制，是经济体制改革的一项重大任务。2003 年后，针对国有经济分布过宽，产业布局和企业组织结构不尽合理，一些企业主业不够突出，核心竞争力不强等问题，国务院国资委先后分七批核定并公布了 153 家中央企业的主业，推动中央企业的联合重组和主辅分离辅业改制、分离办社会职能。这使中央企业的主业更加突出，管理层级明显压缩，企业组织结构进一步优化。2006 年 12 月，国务院办公厅转发《关于推进国有资本调整和国有企业重组的指导意见》，明确提出要加快形成一批拥有自主知识产权和知名品牌、国际竞争力较强的优势企业。到 2008 年年初，共有 95 家中央企业参与 47 次重组，中央企业户数由 2003 年年初的 196 家调整到 150 家。[①] 一些优势企业强强联合，形成了具有较强综合竞争力的大型企业集团；一些“窗口”公司并入大型骨干企业，增强了企业海外市场的开拓能力和竞争能力；一些产业链相关的企业合并重组，促进了企业业务链整合，发挥了协同互补效应；一些困难企业通过重组，实现了扭亏脱困，焕发出新的生机。通过国有经济布局结构的调整，国有资本进一步向关系国家安全和国民经济命脉的重要行业和关键领域集中。

一段时间以来，由于国有资产出资人不到位、法规规章不健全、产权交易市场建设和管理相对滞后等原因，国有企业改制和产权转让一度出现了国有资产流失的问题，成为社会关注的热点之一。为此，国资委成立后，以建立现代产权制度为核心，先后制定一系列政策规定，加强国有企业改制和国有产权转让的监督检查，同时推进产权交易市场的建设和规范运作。覆盖全国的国有产权交易平台开始初步形成，国有产权交易普遍进入市场公开操作。国有企业改制和国有产权转让逐步走上规范运作的轨道，有效地防止了国有资产流失，维护了职工的合法权益。

---

① 李荣融：《五年来国有企业改革发展取得重大进展》，《人民日报》2008 年 3 月 8 日。

国有资产管理体制的不断完善和国有企业改革的深入推进，使国有企业得到快速发展。国有企业的数量虽然不断减少，但资产规模大幅增加，经济效益和运行质量显著提高，活力和竞争力进一步增强。2002 年至 2007 年，我国国有企业户数每年减少近 1 万户，但销售收入平均每年增加 1.9 万亿元，实现利润平均每年增加 2500 亿元，上缴税金平均每年增加 1800 亿元。2007 年，中央企业主营业务收入超过千亿元的有 26 家，利润超过百亿元的有 19 家，进入世界 500 强的有 16 家，分别比 2002 年增加 20 家、13 家和 10 家。[①] 国有企业的快速发展，为国民经济持续、快速、健康发展发挥了重要作用，为经济社会发展作出了积极贡献。

## 二、进一步改善非公有制经济发展的体制环境

改革开放以后，我国高度重视非公有制经济的发展，逐步形成并不断完善关于非公有制经济的理论、方针、政策和制度。1997 年，中共十五大确立了公有制为主体、多种所有制经济共同发展的基本经济制度。2002 年，中共十六大进一步明确提出，必须毫不动摇地巩固和发展公有制经济，必须毫不动摇地鼓励、支持和引导非公有制经济发展。[②]1999 年和 2004 年的宪法修正案，还以国家最高法律的形式明确了非公有制经济在我国社会制度中的法律地位和作用。在这些方针政策的指导下，我国个体、私营等非公有制经济从无到有，从小到大，从弱到强，不断发展壮大，成为社会主义市场经济的重要组成部分和促进社会生产力发展的重要力量。据统计，个体私营经济占国内生产总值的比重，从 1979 年的不足 1% 增长到 21 世纪初的 1/3 强，显示出勃勃生机。

但与此同时，由于计划体制和传统观念的影响，非公有制经济的发展仍然存在一些体制性、政策性制约因素。这主要体现在，对非公有制经济

---

① 李荣融：《五年来国有企业改革发展取得重大进展》，《人民日报》2008 年 3 月 8 日。

② 中共中央文献研究室编《十六大以来重要文献选编》（上），中央文献出版社 2011 年版，第 19 页。

的限制性政策法规尚未完全消除，政府管理包括服务和监督仍不适应非公有制经济发展的需要，非公有制经济还没有完全获得一个与国有经济和外资经济平等竞争、一视同仁的法治环境、政策环境和市场环境。

针对这种情况，2005年2月，国务院发布《关于鼓励支持和引导个体私营等非公有制经济发展的若干意见》（简称“非公36条”），从7个方面提出了促进非公有制经济发展的重要政策措施。这些政策措施包括：贯彻平等准入、公平待遇原则，允许非公有资本进入法律法规未禁入的行业和领域；拓宽融资渠道，加大财税金融支持；健全服务体系，改善发展环境；维护企业合法权利，保障职工合法权益；提高企业素质，引导健康发展；改进监督管理，规范监管行为；转变政府职能，加强指导协调等。这些措施有的放矢，切合实际，有利于消除非公有制经济在市场准入方面受到的各种限制，有利于缓解“贷款难、融资难”的瓶颈制约，有利于改变非公有制经济和中小企业的社会服务体系较为薄弱的现状，使全国上下形成鼓励、支持和引导非公有制经济发展的良好氛围。

随着各项政策措施的陆续实施，非公有制经济发展的体制环境得到进一步改善，非公有制经济发展呈现出新的特点和趋势。这个时期，非公有资本开始进入信息产业、文化产业以及电力、铁路、民航、石油、城市公共设施等领域。在行业分布上，非公有制经济已经从早期以轻工纺织、机械制造、建筑运输、商贸服务等劳动密集型行业为主，向资本密集、技术密集和知识密集型行业拓展。40个工业行业中，非公有制经济在27个行业中的比例已经超过50%[①]，成为促进增长、扩大就业、繁荣市场的重要力量。

## 三、深化财税体制改革

公共财政是政府履行职能的物质基础、体制保障、政策工具和监管手

① 马凯：《促进科学发展谱写历史新篇——党的十六大以来我国经济社会发展的新成就》，载《科学发展　辉煌成就》，人民出版社2007年版，第93页。

段。1994 年我国实行分税制改革后，规范了中央与地方之间的分配关系，提高了中央政府的收入比重，增强了中央宏观调控能力，但原有的支出结构尚未调整到位。随着社会主义市场经济体制的建立，传统体制模式下财政支出“缺位”与“越位”并存的问题逐渐显露。一方面，财政供给范围过大，几乎覆盖了社会再生产过程的各个领域，特别是向竞争性生产建设领域的过多延伸，远远超出了政府职能范围；另一方面，应由政府承担的一些社会公共需要和国家重点支出项目却难以得到保障，不能满足实现基本公共服务均等化的需要。

针对这种情况，中共十六大以后，我国积极推进财政改革。公共财政不断调整和优化支出结构，减少并逐步退出对一般竞争性、经营性领域的投入，重点保证公共产品与公共服务领域的支出需要。2003 年至 2007 年，公共财政加大了对“三农”的支持力度，加强农村基础设施建设，改善农村生产生活条件。这一时期，财政支农措施之多、力度之大、农民受惠之实在，是多年来少见的。与此同时，按照统筹经济社会协调发展的要求，公共财政覆盖范围不断扩大，进一步向基层倾斜，向社会事业倾斜，向中西部地区倾斜，向困难群众倾斜，努力推进基本公共服务均等化。财政资源更多地用于加强经济社会发展薄弱环节、用于改善民生和发展社会事业，特别是支持解决教育、就业、社会保障、医疗卫生、保障性住房建设、环境保护等方面涉及群众切身利益的问题，有力地支持了社会事业发展和民生问题的解决。

在推进财政体制改革的同时，我国按照“简税制、宽税基、低税率、严征管”的原则，积极稳妥推进税收制度改革，努力建设公平、科学、法制化的税收制度体系，为完善社会主义市场经济体制创造更加良好的税收环境。

一是出口退税机制改革成效明显。随着对外贸易特别是出口规模的扩大，我国的出口退税机制逐渐暴露出矛盾和问题。主要是出口退税机制不利于深化外贸体制改革，出口退税结构不能适应优化产业结构的要求，出口退税的负担机制不尽合理，出口退税缺乏稳定的资金来源等。这些问题的存在，使出口退税资金无法及时得到保证，导致欠退税问题十分严重，而且呈现逐年增长的势头。据统计，截至2003年年底，国家欠各类出口企业的退税资金达到2422亿元人民币，这不仅严重影响企业的正常经营和外贸发展，给财政金融运行带来隐患，也损害了政府的形象和信誉。因此，从改革机制入手，抓紧解决出口欠退税问题已迫在眉睫。

2004年，国务院决定改革出口退税机制，并提出改革的原则是“新账不欠，老账要还，完善机制，共同负担，推动改革，促进发展”。按照这一原则，调整了出口产品退税政策，对以前的积欠退税由中央财政负责偿还，确保改革后不再发生新欠。同时，建立了中央和地方共同负担的出口退税机制，以2003年出口退税实退指标为基数，对超基数部分的应退税额，由中央和地方按75∶25的比例共同负担。这个办法出台后，减轻了中央财政的压力，在一定程度上调动了地方政府参与退税管理的积极性。但也出现了一些新情况和新问题，主要是地区负担不均衡，部分地区特别是以收购外地货源出口为主的地区负担较重。为此，2005年，国务院适时调整部分资源性产品出口退税政策，完善出口退税负担机制，超基数部分中央、地方负担比例由75∶25改为92.5∶7.5，从而降低了地方负担比例。各省（区、市）根据本地实际情况，自行制定省以下出口退税分担办法，但不得将出口退税负担分解到乡镇一级。所属市县出口退税负担不均衡等问题，由省级财政负责统筹解决。

出口退税机制的改革和完善，缓解了出口企业的资金紧张状况，偿还了历史欠账，实现了“新账不欠”，彻底解决了累计欠退税问题。同时，也推进了外贸体制改革，有利于降低出口成本，提升我国商品的国际竞争力，促进对外贸易发展。

二是内外资企业所得税合并改革取得突破性进展。20世纪70年代末实行改革开放以后，为吸引外资、发展经济，我国对外资企业采取了有别于内资企业的税收政策，企业所得税按内资、外资企业分别立法。实践证明，这样做是必要的，对改革开放、吸引外资、促进经济发展发挥了重要作用。然而，随着我国经济社会的发展和社会主义市场经济体制的初步建立，特别是加入世贸组织后，国内市场对外资进一步开放，内资企业也逐渐融入世界经济体系之中，面临越来越大的竞争压力，继续采取内资、外资企业不同的税收政策，必将致使内资企业处于不平等竞争地位，影响统一、规范、公平竞争的市场环境的建立。

为了适应经济发展的新形势新要求，为各类企业创造公平竞争的税收政策平台，2007 年 3 月 16 日，十届全国人大五次会议通过《中华人民共和国企业所得税法》。新的所得税法实现了企业所得税“两法合并”，体现了“四个统一、一个过渡”：结束了内外资企业两套税制并行的状况，适用统一的企业所得税法；统一并适当降低企业所得税税率；统一和规范税前扣除办法和标准；统一税收优惠政策，实行“产业优惠为主，区域优惠为辅”的新税收优惠体系；对新税法公布前已设立的老企业实行一定期限的税收优惠过渡措施。

企业所得税“两法合并”改革，对于中国经济的健康发展具有重要意义。它有利于促进经济结构优化和产业升级，有利于为各类企业创造一个公平竞争的税收法制环境，是适应社会主义市场经济发展新阶段的一项制度创新，也是中国经济制度走向成熟、规范的标志性工作之一。

三是增值税转型改革试点稳步推进。一般来说，根据对外购固定资产所含税金扣除方式的不同，增值税制分为生产型、收入型和消费型三种类型。生产型不允许扣除外购固定资产所含的已征增值税，税基相当于国民生产总值，税基最大，但重复征税也最严重。消费型允许一次性扣除外购固定资产所含的增值税，税基相当于最终消费，税基最小，消除重复征税也最彻底。在世界上 100 多个实行增值税的国家中，绝大多数国家实行的是消费型增值税。1984 年我国正式建立增值税制度时，由于考虑到保持财政收入稳定的重要性，而选择了改革成本相对较小的生产型增值税。随着经济的发展，生产型增值税重复征税的问题逐步突出，改革已成为必然。

2003 年，中共中央、国务院首次明确提出，生产型增值税由生产型改为消费型，将设备投资纳入增值税抵扣范围。自 2004 年 7 月 1 日起，我国在东北地区的装备制造业、石油化工业等八大行业，实行生产型增值税向消费型增值税转型试点，允许企业新购进的机器设备所含的增值税进项税额在企业增值税税额中扣除。通过试点，改革效果逐步显现，降低了企业技术更新改造的成本，促进了东北地区经济发展和产业结构优化升级，增强了企业活力和竞争力。在此基础上，自 2007 年 7 月 1 日起，我国将试点范围扩大到中部六省 26 个老工业基地城市的电力业、采掘业等八大行业。

四是调整个人所得税政策和消费税等政策。分别从 2006 年 1 月 1 日和 7 月 1 日起，将个人所得税工薪所得费用减除标准和内资企业所得税计税工资税前扣除标准由 800 元 /（人・月）提高到 1600 元 /（人・月），增加了居民可支配收入，减轻了企业负担。2006 年 4 月 1 日，对消费税的税目和税率进行 1994 年以来最大规模的有增有减的调整，适当扩大了征税范围，强化税收对资源节约和环境保护的作用，合理引导消费和间接调节收入分配。此外，根据消费税政策的调整情况，2007 年对进境物品进口税的税率及税目也作了相应调整。

## 四、金融关键领域改革迈出重大步伐

金融是现代经济的核心。改革开放以后，经过多年的改革和发展，到 2002 年，我国已初步建立起银行、证券、保险分工合作、功能互补、多种所有制并存的金融机构体系，金融业的服务水平和竞争力得到了一定程度的提高。但是，金融业总体上还比较薄弱，无法很好地满足经济社会发展的客观需要。特别是我国加入世界贸易组织后，金融业不仅承担为全面建设小康社会提供优质金融服务的重任，而且还面临着国际金融竞争的巨大压力。总体上看，制约金融业持续发展的体制机制障碍和深层次矛盾仍然存在。这主要体现在：金融企业特别是国有金融企业没有真正建立起自我约束、自我发展的经营机制，资本充足率很低，国际竞争力和抗风险能力弱。农村金融服务体系不健全，农村政策性金融薄弱。农村金融服务主要由农村信用社承担，但其资金实力不足，资产质量不高，且贷款多以小额信贷为主，难以满足农村产业化经营的需要。解决这些问题的关键，在于坚定不移地推进金融改革，从根本上增强金融业可持续发展的能力。

2003 年 10 月，中共十六届三中全会对深化金融企业改革进行了部署，提出“选择有条件的国有商业银行实行股份制改造，加快处置不良资产，充实资本金，创造条件上市”“完善农村金融服务体系”“完善人民币汇率形成机制，保持人民币汇率在合理、均衡水平上的基本稳定”。[①] 这些都是酝酿多年、涉及全局、难度很大的改革。随之，中共中央、国务院审时度势、果断决策，加快推进金融重点领域和关键环节的改革，并取得了突破性进展。

一是国有商业银行改革取得突破性进展。国有商业银行是我国银行业的主体，在支持经济发展、国有企业改革和维护社会稳定中发挥了巨大作用，但自身也背负、面临着比较严重的包袱和风险。2003 年 9 月，中共中央、国务院决定按照“建立规范的公司治理结构，转换经营机制，成为产权清晰、资本充足、内控严密、运营安全、服务与效益良好、具有国际竞争力的现代商业银行”的目标，对国有商业银行实施股份制改革，并选择中国银行、中国建设银行进行试点。

对于这项改革，国务院高度重视，明确要求国有商业银行实施股份制改革是背水一战，只能成功，不能失败，必须实现国有资本保值增值。在认真总结我国经济与金融体制改革经验的基础上，确定了包括国家注资、处置不良资产、设立股份公司、引进战略投资者、择机上市等改革步骤的总体方案。结合各家银行的实际情况，按“一行一策”的原则制订具体实施方案。在国家注资时，2003 年 12 月，国务院批准设立中央汇金公司，由其代表国家对试点银行履行出资人职能，明确了对国有资本保值增值的责

① 中共中央文献研究室编《十六大以来重要文献选编》(上)，中央文献出版社 2011 年版，第 473 页。

任与措施。在处置不良资产时，严格进行外部审计，采取市场化模式处置不良资产，努力减少损失，防范道德风险。在设立股份有限公司时，按照产权清晰、资本充足、内控严密、运营安全的现代股份制商业银行的要求，制订了公司治理与内控指引。在引进战略投资者过程中，坚持国家绝对控股和公平竞争、择优选择的原则，同时努力发挥战略投资者在完善公司治理、推动技术和业务合作方面的作用。在公开上市时，灵活机动选择发行H股和A股。与此同时，对股份制改革所涉及的财政税收、劳动工资、社会保障、国有土地经营管理、人事管理、工商登记注册、金融监管等方面，均制定了相应的配套政策。

2003年12月，国家向中国银行、中国建设银行分别注资225亿美元。2004年8月和9月，中国银行、中国建设银行先后整体改制为股份有限公司。2005年4月，国家向中国工商银行注资150亿美元。2005年10月，中国工商银行整体改制为股份有限公司。中国建设银行于2005年10月在香港成功上市，中国银行分别于2006年6月和7月在香港H股市场和境内A股市场成功上市，中国工商银行于2006年10月以A+H股的方式在内地和香港同时成功上市。

经过努力，中国工商银行、中国银行和中国建设银行的股份制改革取得明显成效，初步建立了相对规范的公司治理架构，资本充足率显著提高，资产质量和盈利能力逐年改善，风险控制能力明显增强。截至2006年年末，中国工商银行、中国银行和中国建设银行的资本充足率分别为14.05%、13.59%和12.61%，不良贷款比率分别为3.79%、4.04%和3.26%，税前利润分别为715.21亿元、670.09亿元和660.40亿元。[①] 同时，国家注资获得明显收益，实现了国有资本的保值增值。以中国建设银行为例，截至2007年9月底，中国建设银行平均资产回报率和平均股东权益回报率分别达到1.28%和22.86%；截至2007年12月5日，中国建设银行市值达2371亿美

① 周小川：《落实科学发展观 推动金融业健康发展》，载《科学发展 辉煌成就》，人民出版社2007年版，第65页。

元，是 2003 年后国家注资的 10.54 倍。①

二是人民币汇率形成机制改革顺利实施。完善人民币汇率形成机制改革，是建立和完善社会主义市场经济体制、充分发挥市场在资源配置中的基础性作用的内在要求，也是深化经济金融体制改革、健全宏观调控体系的重要内容。1994 年以前，我国先后经历了固定汇率制度和双轨汇率制度。1994 年汇率并轨后，我国实行以市场供求为基础的、有管理的浮动汇率制度。企业和个人按规定向银行买卖外汇，银行进入银行间外汇市场进行交易，形成市场汇率。中央银行设定一定的汇率浮动范围，并通过调控市场保持人民币汇率稳定。实践证明，这一汇率制度符合中国国情，为中国经济的持续快速发展，为维护地区乃至世界经济金融的稳定作出了积极贡献。

1997 年以前，人民币汇率稳中有升，海内外对人民币的信心不断增强。但此后由于亚洲金融危机爆发，为防止亚洲周边国家和地区货币轮番贬值使危机深化，中国作为一个负责任的大国，主动收窄了人民币汇率浮动区间。进入 21 世纪，随着亚洲金融危机的影响逐步减弱，我国经济持续平稳较快发展。与此同时，经济体制改革不断深化，外汇管制进一步放宽，外汇市场建设的深度和广度不断拓展，这些都为完善人民币汇率形成机制创造了条件。

推进人民币汇率形成机制改革，也是缓解对外贸易不平衡、扩大内需以及提升企业国际竞争力、提高对外开放水平的需要。一段时期以来，我国经常项目和资本项目双顺差持续扩大，加剧了国际收支失衡。2005 年 6 月末，我国外汇储备达到 7110 亿美元。对外贸易顺差的迅速扩大，导致贸易摩擦进一步加剧。因此，适当调整人民币汇率水平，改革汇率形成机制，不仅有利于贯彻以内需为主的经济可持续发展战略，优化资源配置；有利于增强货币政策的独立性，提高金融调控的主动性和有效性；也有利于保持进出口基本平衡，改善贸易条件。

---

① 孙杰等：《强国之路谱新篇》，《人民日报》2007 年 12 月 20 日。

人民币汇率改革的总体目标是，建立健全以市场供求为基础的、有管理的浮动汇率体制，保持人民币汇率在合理、均衡水平上的基本稳定。这项改革涉及面广、敏感性强，国内外都非常关注。为此，国家明确提出必须坚持主动性、可控性和渐进性的原则。主动性，就是主要根据我国自身改革和发展的需要，决定汇率改革的方式、内容和时机。汇率改革要充分考虑对宏观经济稳定、经济增长和就业的影响。可控性，就是人民币汇率的变化要在宏观管理上能够控制得住，既要推进改革，又不能失去控制，避免出现金融市场动荡和经济大的波动。渐进性，就是根据市场变化，充分考虑各方面的承受能力，有步骤地推进改革。

经国务院批准，自 2005 年 7 月 21 日起，我国开始实行以市场供求为基础、参考一篮子货币进行调节、有管理的浮动汇率制度。这次人民币汇率形成机制改革的内容是，人民币汇率不再盯住单一美元，而是按照我国对外经济发展的实际情况，选择若干种主要货币，赋予相应的权重，组成一个货币篮子。同时，根据国内外经济金融形势，以市场供求为基础，参考一篮子货币计算人民币多边汇率指数的变化，对人民币汇率进行管理和调节，维护人民币汇率在合理均衡水平上的基本稳定。人民币汇率不再盯住单一美元，形成更富弹性的人民币汇率机制。

汇率形成机制改革后，人民币汇率实现了小幅双向波动，汇率弹性明显增强。截至 2007 年 7 月末，人民币对美元汇率累计升值 9.28%，市场供求在汇率形成中的作用得到初步发挥，企业逐渐适应了人民币汇率的有管理的浮动，新汇率制度在推动我国对外贸易结构调整、优化经济结构、促进产业升级、实现经济可持续发展等方面的积极作用逐步显现。[①]

三是农村信用社改革取得阶段性成果。农村信用社是我国金融体系的重要组成部分，是农村金融的主力军和联系农村千家万户的金融纽带。为进一步增强农村信用社服务“三农”的能力，2003 年 6 月，国务院决定在

---

① 周小川：《落实科学发展观　推动金融业健康发展》，载《科学发展　辉煌成就》，人民出版社 2007 年版，第 65—66 页。

浙江、山东等 8 个省（市）实施农村信用社改革试点，2004 年 8 月扩大到其他 21 个省（市），2006 年年底在全国全面推开（西藏无农村信用社除外）。

这次改革是在管理体制、产权模式和组织形式等方面的一次全面改革，主要内容包括三个方面：一是改革农村信用社的产权制度，明确产权关系，完善法人治理结构，转换经营机制；二是改革农村信用社的管理体制，将农村信用社的管理交由省级政府负责，明确由银行业监管机构依法行使对农村信用社的金融监管职能；三是消化农村信用社的历史包袱，国家在资金、财税、利率等多方面给予农村信用社政策扶持。其中，中国人民银行负责设计和实施资金支持的正向激励机制，即按 2002 年年底实际资不抵债数额的 50% 发放专项再贷款或专项中央银行票据，帮助试点地区农村信用社化解历史包袱。截至 2007 年 6 月末，中国人民银行通过专项票据和专项借款两种方式，共对全国农村信用社安排资金支持近 1661 亿元，占核定资金支持总额的 99% 以上；对浙江等 14 个省（市）辖内的 505 个县（市）农村信用社兑付票据 310 亿元。[①]

随着资金支持政策的逐步落实，农村信用社产权制度改革稳步推进，历史包袱有效化解，资产质量不断改善，支持“三农”的功能明显增强。2006 年末，全国各地农村信用社共组建银行类机构 93 家，以县（市）为单位统一法人机构 1205 家；农村信用社、农村商业银行、农村合作银行的资本充足率分别达到 9.14%、8.62%、13.69%[②]，资本充足率大幅提高，抗风险能力有了质的变化。而在 2002 年，全国农村信用社资不抵债额达 3300 亿元，资本充足率为 -8.45%。[③] 到 2006 年末，农村信用社农业贷款占全国金融机构农业贷款的比例由 2002 年末的 81% 提高到 92%。[④] 全国农村信用社

---

① 周小川：《落实科学发展观　推动金融业健康发展》，载《科学发展　辉煌成就》，人民出版社 2007 年版，第 66 页。

② 周小川：《落实科学发展观　推动金融业健康发展》，载《科学发展　辉煌成就》，人民出版社 2007 年版，第 66 页。

③ 木人：《农村信用社改革的探索与实践》，《人民日报》2005 年 8 月 18 日。

④ 周小川：《落实科学发展观　推动金融业健康发展》，载《科学发展　辉煌成就》，人民出版社 2007 年版，第 66 页。

结束了连续10年亏损，并且自2004年后连续三年实现盈利。可以说，经过艰辛探索和实践，短短三年多的时间，过去被称为“老大难”“马蜂窝”的农村信用社发生了可喜的变化，改革取得了突破性进展和阶段性成效。

除了上述领域的改革，中共十六大以后，我国还积极推进投资管理体制改革，全面实施企业投资项目核准制和备案制，企业的投资自主权逐步得到了落实。在推进资本市场改革方面，顺利实施股权分置改革，健全了资本市场规范运行的制度基础。

这些重点领域和关键环节改革所取得的重要进展，推动了社会主义市场经济体制的完善，为经济持续稳定健康发展提供了体制保障，也为我国进行有效的宏观调控提供了重要手段。

## 第三节　加强和改善宏观调控

在完善社会主义市场经济体制的同时，2003年至2007年，为促进经济平稳快速发展，中共中央、国务院围绕解决我国经济运行中的突出矛盾和问题，大力加强和改善宏观调控。这一轮的宏观调控，大体可以分为两个阶段：第一阶段是2003年至2005年，第二阶段是2006年至2007年。

### 一、宏观调控的主要措施

进入21世纪，在成功抵御亚洲金融危机和克服国内有效需求不足之后，我国经济增长率逐渐回升，工业化和城镇化进程加快。2003年第一季度，经济增长开始明显加速，增长率猛升到9.9%。在第二季度抗击非典取得胜利的基础上，从第三季度起，经济增长又继续升温。第三、四季度直到2004年第一季度，经济增长率继续在9.6%、9.9%和9.8%的高位运行。百分之九点几的经济增长率使经济运行出现了一些值得重视的不稳定、不健康的因素，主要表现为“五过”，即部分行业投资的急速上升，致使整个固定资产投资增长过猛；由此导致煤电油运供求关系绷得过紧；投资猛增又带动货币信贷投放过多；在经济快速增长中，耕地大量减少，粮食产量下降幅度过大；以上原因又导致食品和生产资料价格上涨过快。这些问题是不符合科学发展观要求的。如果不及时采取措施加以解决，任其发展下去，局部性问题就可能演变为全局性问题，部分行业的过热就可能演变为整个经济的大起大落。

历史的经验教训表明，在经济周期的上升阶段，必须十分注意控制经济增长率的过快上升，防止经济增长率过高的“大起”，以及“大起”之后必然导致的“大落”。为此，中共中央、国务院坚持以科学发展观为指导，及时果断地采取一系列加强和改善宏观调控的措施，拉开了新一轮宏观调控的序幕。

第一阶段的宏观调控，主要针对部分行业固定资产投资增长过猛以及粮食供求关系趋紧。

2003 年 7 月，中共中央、国务院以土地管理为切入点，作出治理整顿土地市场秩序的决定，出台了暂停审批和清理整顿各类开发区、加强建设用地管理的措施。严把土地闸门，对于控制盲目新上投资项目来说是一种釜底抽薪的硬措施，对于确保耕地和粮食增产来说则是一项重要的基础保证。2003 年 12 月，中共中央、国务院又出台了制止钢铁、电解铝、水泥行业盲目投资的措施。与此同时，中共中央、国务院连续召开粮食工作、农村工作会议，对促进发展农村经济和增加农民收入进行部署。

进入 2004 年，部分行业固定资产投资继续大幅度攀升。1 月至 2 月，全国城镇固定资产投资累计增速高达 53%。针对这种情况，国家紧紧把住土地和信贷两个闸门，及时加大了宏观调控力度。2004 年 4 月，集中出台一批措施，如：上调存款准备金率；调整部分行业固定资产投资项目资本金比例；查处江苏铁本钢铁有限公司违规建设钢铁项目；深入开展土地市场治理整顿，严格土地管理；加强产业政策和信贷政策协调配合，控制信贷风险等等。通过采取这些措施，部分行业盲目投资的势头得到初步遏制。当年 12 月，全国城镇固定资产投资累计增速由年初的 53% 回落至 27.6%，煤电油运供给紧张局面得到缓解。

为巩固宏观调控成果，2005 年，根据经济形势的发展变化，中央适时将积极的财政政策和稳健的货币政策调整为“双稳健”的财政货币政策，进一步落实已经出台的各项重要措施。此外，针对房地产投资规模过大、住房价格上涨过快、供应结构不合理、房地产市场秩序混乱问题，集中出台了一批新措施，包括加强房地产市场调控、调整商业银行住房信贷政策，提高住房贷款的利率和首付比例等，从需求和供给两方面调控房地产市场。

2006 年至 2007 年，第二阶段的宏观调控主要针对“三过”问题，即固定资产投资增长过快、货币信贷投放过多、外贸顺差过大等问题。有些调控措施是第一阶段所采取措施的延伸、深化和完善；有些调控措施则是针对新出现问题采取的，如外贸顺差过大和相关的银行资金流动性过剩以及物价上涨等。

其一，继续调控固定资产投资过快增长。把抑制部分行业投资增长过猛延伸到对产能过剩行业的结构调整；把重点调控行业由钢铁、电解铝、水泥延伸到电石、铁合金、焦炭、汽车、煤炭、电力、纺织等行业；把对重点行业的投资管理延伸到深化投资体制改革，依法加强和规范新开工项目管理，从源头上把好项目开工建设关。2006 年 3 月，中央出台了一批推进产能过剩行业结构调整的措施。对产能过剩行业进行结构调整，一方面有利于控制这些行业盲目投资和低水平扩张，严格市场准入门槛，保持经济平稳较快发展的好势头；另一方面有利于淘汰落后生产能力，节能降耗，污染减排，推动经济发展方式转变。2006 年 6 月，中央出台了从严控制新开工项目的有关措施。2007 年 11 月，为加强和规范新开工项目管理，建立了新开工项目管理联动机制。

其二，继续严把土地闸门。把清理开发区、整顿土地市场秩序、暂停审批非农建设用地延伸到深入推进土地有偿使用制度改革，提出大力促进节约集约用地，走建设占地少、利用效率高的符合我国国情的土地利用新路子。

其三，继续调控房地产。把控制土地、压缩投资、抑制需求、增加供给、稳定房价延伸到明确区分和正确发挥政府与市场的作用，推进住房制度改革，加强住房保障体系建设。政府的职责是，制定住房规划和政策，搞好土地供应和管理，重点发展面向中低收入家庭的廉租住房、经济适用住房和普通商品住房。2006 年 5 月，中央出台了调整住房供应结构、稳定住房价格的有关措施。2007 年 8 月，中央又出台了解决城市低收入家庭住房困难的重要措施。

其四，调控内外经济平衡。当时，外贸顺差过大，直接导致银行资金流动性过剩，进一步加大了货币信贷投放。在宏观调控中，严把信贷闸门就由前一阶段的调控固定资产投资和房地产延伸到调控流动性过剩。为此，密集出台了一系列措施。两年内，提高金融机构存款准备金率 13 次，其中 2007 年就有 10 次；提高存贷款基准利率 8 次，其中 2007 年就有 6 次。2007 年 6 月，执行了近 10 年的“稳健”的货币政策转换为“稳中适度从紧”，12 月又转换为“从紧”。与此同时，继续完善人民币汇率形成机制，增强汇率弹性，深化外汇管理体制改革，拓展外汇储备使用渠道和方式。综合使用出口退税政策、关税政策、加工贸易政策、进口税收优惠政策，以抑制出口、扩大进口，缓解外贸顺差过大问题。

## 二、宏观调控的成效和主要特点

从 2003 年到 2007 年，宏观调控取得显著成效。五年间，中国经济一直保持着平稳较快增长，国内生产总值年均增长 10.6%。2007 年，我国国内生产总值达到 24.66 万亿元，比 2002 年增长 65.5%，是 2000 年的 1.96 倍，提前三年实现了 21 世纪第一个十年国内生产总值比 2000 年翻一番的目标。

五年中，国内生产总值在国际上的位次，从第六位上升到第四位。经过宏观调控，全社会固定资产投资增速由2003年的27.7%平稳回落至2007年的24.8%，企业效益不断提高，39个工业行业在2007年全部实现盈利。[①]

同以往相比较，五年来的宏观调控具有许多新的特点，突出的有以下几点。

在宏观调控的指导思想上，树立和落实科学发展观。过去，我国经济发展经常出现大起大落的一个重要原因，就是在经济发展的指导思想上急于求成，片面追求高速度。宏观调控都是在经济过热到难以为继时，才不得不被动地进行治理，主要任务都是"治"过热。而本轮宏观调控在科学发展观指导下，一直是"防"过热，即在经济运行出现偏快倾向或过热苗头时，就见微知著、未雨绸缪、主动调控，防止经济增长由偏快转为过热。这样，既控制了经济增长速度不"大起"，又防止了经济增长速度"大起"之后的"大落"，保护好、引导好、发挥好各方面加快发展的积极性，延长了经济的平稳较快增长。

在宏观调控的手段上，更多利用市场化手段和发挥各种组合效应。进入21世纪，社会主义市场经济体制初步建立，宏观调控的对象、经济活动的主体多元化了，经济活动主体的行为自主化和市场化了，市场在资源配置中发挥着基础性作用。这就要求宏观调控更多地利用市场化手段。本轮宏观调控坚持运用经济手段、法律手段，辅之以必要的行政手段，充分发挥货币信贷政策、财政税收政策、土地政策、产业政策、外贸政策、外汇政策等多种政策的组合效应。

在宏观调控的时机和力度的把握上，做到适时适度、有节奏地多次小步微调。过去，当经济已陷于严重过热、出现严重通货膨胀时，为了迅速扭转过热局面，集中性、大力度地出台一系列调控措施，结果往往造成在通货膨胀率下降的同时，经济增长率也大幅度降低。而本轮宏观调控见事

① 刘树成：《五年来宏观调控的历程和经验》，《人民日报》2008年4月2日。

早、动手快，具有预见性、及时性和渐进性，因此表现为适时适度的多次小步微调，以尽可能长地保持经济平稳快速运行。

在宏观调控与政府其他经济职能的协调配合上，做到“四结合”，即宏观调控与结构调整、转变经济发展方式、体制改革、改善民生相结合。在我国目前的发展阶段和体制环境下，宏观调控所要解决的许多经济运行中的问题与长期形成的结构性矛盾、增长方式粗放密切相关，与体制机制障碍密切相关，与提高和改善人民生活密切相关。因此，政府为熨平经济波动而对宏观经济运行进行的调节、控制和管理，就要与政府承担的其他经济职能相结合。比如，为解决农业基础薄弱、社会事业发展滞后等结构性问题，宏观调控坚持了区别对待、有保有压，不搞一刀切、急刹车的原则。为了治标与治本相结合解决经济运行中的问题，一方面，不断总结经验，注重制度建设和创新，把一些适合我国国情、行之有效并具有长期意义的宏观调控措施制度化、规范化和法制化；另一方面，不断推进各项改革，扫除经济发展的体制机制障碍，以形成有利于科学发展的体制机制。

在宏观调控的目标上，注重内外关联。过去，宏观调控主要是考虑实现国内经济目标。而随着我国开放型经济进入新阶段，国内外经济联系更加紧密，宏观调控就要注重统筹实现对内对外经济目标。比如，为缓解银行资金流动性过剩问题，对内政策方面采取了提高存款准备金率、加息等措施；对外政策方面又推出一系列措施，包括取消或降低高耗能、高排放和资源性产品的出口退税，对资源性商品开征或提高出口关税，增强人民币汇率弹性等。这样，既有利于解决货币信贷投放过多，又有利于解决外贸顺差过大，还有利于促进节能减排。

综合来看，五年的宏观调控内容丰富，成效显著，特点突出。宏观调控的实践，丰富了我国社会主义市场经济理论的内容。实践证明，宏观调控是社会主义市场经济体制不可或缺的重要组成部分。在社会主义市场经济条件下，只有在充分发挥市场在资源配置中的基础性作用的同时，注重通过宏观调控克服市场的缺陷和防范可能出现的经济较大波动，保持经济总量的基本平衡，才能实现国民经济持续快速协调健康发展，保持宏观经济平稳运行。

加强和改善宏观调控的过程，实质是加深理解和全面落实科学发展观的过程。2006 年 12 月 5 日，胡锦涛在中央经济工作会议上指出，总结近几年的经验，结合当前经济社会发展面临的新形势，我们在贯彻落实科学发展观方面又有了一些新体会。[①] 他强调，必须深刻认识又好又快发展是全面落实科学发展观的本质要求。又好又快发展是有机统一的整体，既要求保持经济平稳较快增长，防止大起大落，更要求坚持好中求快，注重优化结构，努力提高质量和效益。[②]

改革开放之初，我们一直在强调加速发展，注重经济增长速度；后来又提出“又快又好”发展。中央立足基本国情，不断适应发展要求，把“又快又好”调整为“又好又快”，虽然只是“好”与“快”两个字顺序的变化，但内涵十分深刻。实现国民经济又好又快发展，要求实现总量平衡、结构优化、资源节约、生态良好、民生改善，也就是要走生产发展、生活富裕、生态良好的文明发展道路。因此，从“又快又好”到“又好又快”，体现了科学发展观的内在要求，反映了我国经济建设指导思想的升华，标志着中国共产党对经济社会发展规律的把握更加全面。

## 第四节 “十五”计划的完成和“十一五”规划的制定

世纪之交，西方国家一些人对于中国在经历 20 多年的快速发展之后还能否持续快速发展持怀疑态度，甚至有人鼓噪所谓的“中国经济崩溃论”，预言中国经济即将崩溃。然而，在中国共产党的领导下，全国人民团结一致，锐意进取，我国经济继续保持快速发展势头，用无可争辩的事实证明

① 《中央经济工作会议在北京召开》，《人民日报》2006 年 12 月 8 日。
② 胡锦涛：《胡锦涛文选》第二卷，人民出版社 2016 年版，第 545 页。

中国经济不仅没有崩溃，而且成为全球经济发展的重要力量。

“十五”时期（2001年至2005年）是进入新世纪的第一个五年，也是不平凡的五年。这五年，面对复杂多变的国内外形势，我国摆脱了20世纪末亚洲金融危机带来的冲击，成功战胜非典疫情，不失时机推进改革开放，加强和改善宏观调控，保持了经济平稳较快发展，社会生产力、综合国力都迈上一个新台阶，国际地位显著提高。五年间，国内生产总值增长59.6%，年均增长9.8%，由世界第六位上升到第五位。财政收入增长1.4倍，年均增加3650亿元。[①] 农业特别是粮食生产出现重要转机，农业基础地位得到加强。主要工业品产量大幅增长，高技术产业快速发展，基础产业和基础设施建设取得重要成就，经济社会信息化程度迅速提高。改革开放成果丰硕，农村、国有企业、金融、财税、投资等改革和市场体系、社会保障体系建设都取得重大进展。这一时期，人民生活明显改善，城镇居民人均可支配收入和农村居民人均纯收入分别实际增长57.2%和32.1%，百姓住房条件大为改观，汽车迅速进入普通家庭，旅游消费大大增加，不仅国内黄金周假日消费红红火火，而且越来越多的人走出国门，足迹遍及世界各地。同时，政治建设、文化建设、社会建设也取得了新的进展。

当然，在经济社会取得重要发展成就的同时，我国也面临不少突出问题和严峻挑战。从国际上看，国际环境中的不稳定不确定因素增加，国际竞争更加激烈，贸易保护主义趋于强化。从国内看，我国生产力还不发达，城乡区域发展不平衡；自主创新能力不强，经济结构不合理和粗放型增长方式还没有根本改变，资源、环境和就业的压力加大；收入分配中的矛盾突出，涉及群众切身利益的不少问题亟待解决；特别是制约经济社会发展的体制机制问题还比较多。对于这些矛盾和问题，中共中央高度重视，强调必须居安思危，树立忧患意识，做好克服各种困难和应对风险的充分准备。

---

① 中共中央党史和文献研究院：《中国共产党的一百年》，中共党史出版社2022年版，第894页。

随着“十五”计划的完成，2005年10月11日，中共十六届五中全会通过《关于制定国民经济和社会发展第十一个五年规划的建议》（以下简称《建议》）。《建议》强调，“十一五”是承前启后的重要时期，必须紧紧抓住机遇，应对各种挑战，认真解决长期积累的突出矛盾和问题，突破发展的瓶颈和体制障碍，开创社会主义经济建设、政治建设、文化建设、社会建设的新局面，为后十年顺利发展打下坚实基础。坚持以科学发展观统领经济社会发展全局，是这次《建议》最鲜明的特点。《建议》提出，“十一五”期间要坚持“六个必须”的原则：必须保持经济平稳较快发展，必须加快转变经济增长方式，必须提高自主创新能力，必须促进城乡区域协调发展，必须加强和谐社会建设，必须不断深化改革开放。这“六个必须”，体现了全面贯彻落实科学发展观的基本要求。

在综合分析各方面因素的基础上，《建议》提出了“十一五”时期经济社会发展的主要目标，包括经济增长、资源环境、自主创新、社会发展、改革开放、人民生活和民主法制等方面。其中，有两个重要目标值得注意。一是提出在优化结构、提高效益和降低消耗的基础上，实现2010年人均国内生产总值比2000年翻一番，这个人均指标比中央以前提出的十年国内生产总值翻一番的要求更高了一些。这是综合考虑“十五”期间经济发展状况和未来五年发展的各方面条件提出的，这个目标是积极稳妥的。另一个是提出“十一五”期末单位国内生产总值能源消耗比“十五”期末降低20%左右，这是针对资源环境约束日益加重的问题而提出的，突出体现了建设资源节约型、环境友好型社会和实现可持续发展的要求。

根据中共十六届五中全会《建议》，国务院制定了《中华人民共和国国民经济和社会发展第十一个五年规划纲要（草案）》。2006年3月，十届全国人大四次会议审议通过《中华人民共和国国民经济和社会发展第十一个五年规划纲要》（以下简称《纲要》）。《纲要》明确提出了“十一五”时期经济社会发展和改革开放的主要任务，这就是：建设社会主义新农村、推进工业结构优化升级、加快发展服务业、促进区域协调发展、建设资源节约型环境友好型社会、实施科教兴国战略和人才强国战略、深化体制改革、实施互利共赢的开放战略、推进社会主义和谐社会建设、加强社会主义民主政治建设、加强社会主义文化建设、加强国防和军队建设等。这些任务及政策措施，既与全面建设小康社会的目标相衔接，又反映出经济社会发展的客观要求和阶段性特征，指引人们向着全面建设小康社会目标继续前进。

值得提出的是，“十一五”规划第一次将过去延续了50多年的“计划”改为“规划”。“计划”与“规划”，虽然只有一字之差，内容上却有质的区别。“计划”事无巨细，适用于计划经济时代；而“规划”则反映了发展社会主义市场经济和改革开放新形势的要求，总体上体现了宏观性、战略性和政策性。从“五年计划”到“五年规划”，体现出社会主义市场经济条件下中长期规划的功能定位，反映了我国发展理念、经济体制、政府职能的重大变革。

# 第三章

# 大力推进农村改革<br>统筹城乡协调发展

农业、农村和农民问题，是中国现代化进程中全局性、根本性、长期性的问题。中共十六大以后，以胡锦涛同志为总书记的党中央高度重视农业、农村和农民问题，坚持把解决好“三农”问题作为全党工作的重中之重，不断强化对农业和农村工作的领导；坚持多予少取放活，不断完善农业支持保护体系；坚持市场取向改革，不断解放和发展农村生产力；坚持统筹城乡发展，扎实推进社会主义新农村建设；坚持改善民生，不断解决农民生产生活最迫切的实际问题。我国农业农村面貌发生了巨大变化，亿万农民得到更多实惠。

## 第一节　把解决好“三农”问题作为全党工作的重中之重

中国共产党历来高度重视农业、农村和农民问题。中共十一届三中全会后，中国改革开放的进程就是从农村开始的。经过 20 多年的改革发展，到 2002 年中共十六大召开时，农业和农村的面貌发生了重大而深刻的变化，农业和农村发展进入新阶段。这主要体现在以下几个方面。

一是农产品供求关系发生重大变化。20 世纪末我国经济生活中出现的最重要的变化之一，就是粮食等主要农产品由长期短缺转变为总量基本平衡、丰年有余，由卖方市场转变为买方市场。多少代仁人志士梦寐以求、为之不懈奋斗的“但愿苍生俱饱暖”的目标得以实现。这是一个历史性的跨越，也是新阶段最基本的特征。随着温饱问题的基本解决和人民收入水平的不断提高，农产品供给的增长在受到资源约束的同时，越来越受到市场需求的约束。农业结构问题凸显，农产品价格低迷，增产难以增效，增产难以增收。在这种情况下，经济工作往往容易产生忽视农业、忽视粮食生产、忽视耕地保护等倾向，影响农业和粮食生产稳定发展。

二是农村劳动力就业格局和转移动因发生重大变化。随着农业和农村经济结构的调整、工业化的推进和城镇化的提速，农村劳动力加快由种植业向养殖业转移，由农业向非农产业流动，由农村向城镇集聚。21 世纪初，已有超过 1/3 的农村劳动力转移到非农产业，大批农村劳动力跨地区流动和进入城镇经商务工。这是一个重大的结构性变化。

三是农民收入增长的主要来源发生重大变化。农民收入由主要来自农业转向农业和非农产业并举，农业收入由主要来自种植业转向种植业和养殖业并举，农民增收由主要靠增加产量、提高价格转向主要靠提高效益、扩大就业。来自非农产业和进城务工的收入已成为农民收入增长的主要来源。

四是农村发展对城镇和国民经济的依赖程度发生重大变化。在计划经济体制下，农业商品率低、自给性强，城市和乡村分治，农民和市民分隔，农业和非农产业分离，很大程度上是农业和农村承担着为工业化和城镇化提供积累的重任。随着市场经济体制的建立和完善，城乡发展的互动性、互补性越来越强，农业和农村经济发展越来越受到宏观经济环境的影响。城乡二元经济结构开始有所改变，各种生产要素加速流动，工农之间、城乡之间相互联系、相互依赖、相互补充、相互促进。城市发展离不开农村的促进和支持，农村发展也离不开城市的辐射和带动。

五是我国农业与世界农业的关联程度发生重大变化。2001 年中国加入世界贸易组织，既为农业发展带来了机遇，为引进资金、技术和扩大农产品出口创造了条件，也使我国农业发展更加直接地面临来自国际市场、国外产品和技术的严峻挑战。特别是一些地区、一些品种，与国际市场的关联非常密切，农产品进出口成为一些地区影响农业发展和农民增收的重要因素。

六是农业和农村发展的内涵发生重大变化。在农产品短缺时期，农业发展的主要任务是增加产量、保证供给，往往忽视资源和环境的保护；在农村生产力水平比较低的情况下，主要是发展农村经济，往往很难顾得上农村社会事业发展。随着农业综合生产能力和农民收入水平的提高，人们开始追求生活质量的提高、生态环境的改善和自身的全面发展。全面建设小康社会，对农业和农村发展提出了新的更高的要求。农业和农村发展，不仅要保持数量增长，而且要注重改善结构、提高质量、增加效益；不仅要开发利用资源，而且要重视保护资源和生态环境；不仅要繁荣经济，而且要加快社会事业发展。

农业和农村发生的这些重大变化，既为农村经济和社会的发展带来了许多新气象和新机遇，也带来了不少新课题和新挑战。进入新世纪新阶段，我国工业化、城镇化步伐加快，国民经济持续较快增长，但农业和农村经济运行中反映出的问题也是严峻的。一是耕地面积和粮食播种面积大量减少。据国土资源部和农业部统计，我国耕地面积1996年为19.51亿亩，到2003年减到18.51亿亩，7年间净减少1亿亩；粮食播种面积1998年为17.1亿亩，到2003年减到15亿亩以下，降到了新中国成立后的历史最低水平。二是粮食产量连年下降。1998年我国粮食总产曾达10200亿斤，2002年降到9100亿斤，2003年又降到8600亿斤，降到了14年来的最低水平。[①]三是农民增收缓慢，城乡人均收入差距扩大。从20世纪90年代后半期开始，农民的收入增长幅度持续下降，尤其是来自农业的收入绝对额减少，使农民发展农业生产的积极性受到极大的挫伤。1996年农民人均纯收入的增长幅度为9%，1997年为4.6%，1998年为4.3%，1999年为3.8%，2000年仅为2.1%。尤其是后3年，农民人均纯收入的年均增长速度仅为3.4%，尚不及同期城镇居民可支配收入年均增长速度7.2%的二分之一。[②]而且，农民收入很不平衡，特别是粮食主产区农民收入增长幅度低于全国平均水平，许多纯农户的收入持续徘徊甚至下降。这些问题，既是农业和农村经济结构性矛盾的现实反映，也是国民经济发展长期积累的深层次矛盾的集中体现。不扭转这种趋势，农产品尤其是粮食供求宽松的局面就有可能发生逆转，不仅对农村经济而且对整个国民经济全局，都将产生极大的不利影响。

正是在这种背景下，中共十六大闭幕后不到两个月，2003年1月，中共中央召开农村工作会议，研究部署农业、农村和农民工作。胡锦涛在会上发表讲话，强调必须统筹城乡经济社会发展，更多地关注农村，关心农民，支持农业，把解决好农业、农村和农民问题作为全党工作的重中之重，

---

① 全国人大常委会副委员长盛华仁2004年6月24日向十届全国人大常委会第十次会议报告全国人大常委会执法检查组关于检查土地管理法的实施情况。参见毛磊：《把解决“三农”问题作为重中之重》，《人民日报》2004年7月7日。

② 刘荣刚：《回首农村改革三十年——访陈锡文同志》，《百年潮》2008年第12期。

放在更加突出的位置，努力开创农业和农村工作的新局面。[①]这是中共中央第一次使用“重中之重”来表述“三农”问题在党的全部工作中的极端重要地位。他指出，实现全面建设小康社会的宏伟目标，最繁重、最艰巨的任务在农村。没有农民的小康就没有全国人民的小康，没有农村的现代化就没有国家的现代化。必须从这样的高度来认识问题，更加重视农业、农村和农民问题，自觉把全面建设小康社会的工作重点放在农村。[②]在这次讲话中，胡锦涛第一次明确提出了统筹城乡经济社会发展的重要思想。他指出：统筹城乡经济社会发展，就是要充分发挥城市对农村的带动作用和农村对城市的促进作用，实现城乡经济社会一体化发展。这既是解决“三农”问题的重大战略，又是增强城市发展后劲的有效措施。加大对农业的支持和保护，是统筹城乡经济社会发展的必然要求，随着国力增长，要进一步调整国民收入分配结构和财政支出结构，增加对农业的投入，逐步形成国家支农资金稳定增长机制。[③]随后，2004 年 3 月，温家宝在十届全国人大二次会议上所作的《政府工作报告》中又提出，解决农业、农村和农民问题，是政府全部工作的重中之重，强调要采取更直接、更有力的政策措施，加强农业，支持农业，保护农业，努力增加农民收入。[④]从此，“重中之重”成为党指导“三农”工作的关键词，成为推进“三农”实现跨越性发展的战略思想。

把解决好“三农”问题摆在“重中之重”的位置，这个战略定位体现了中国共产党对中国国情的深刻把握和对“三农”工作的科学定位，意义重大而深远。

首先，进一步解决好“三农”问题，加快农业和农村经济发展，是全

---

① 中共中央文献研究室编《十六大以来重要文献选编》（上），中央文献出版社 2011 年版，第 112 页。

② 中共中央文献研究室编《十六大以来重要文献选编》（上），中央文献出版社 2011 年版，第 113—114 页。

③ 胡锦涛：《胡锦涛文选》第二卷，人民出版社 2016 年版，第 18—20 页。

④ 中共中央文献研究室编《十六大以来重要文献选编》（上），中央文献出版社 2011 年版，第 832 页。

面建设小康社会的必然要求。2002 年中共十六大提出了全面建设小康社会的奋斗目标，全面建设小康社会，重点和难点都在农村。我国 13 亿人口中，9 亿多是农民；没有农村的现代化，就不会有全国的现代化；没有农民的小康，就不会有全国的小康。我国正处于并将长期处于社会主义初级阶段，初级阶段就是不发达阶段，农村尤其不发达。我国农业劳动生产率低，农村生产力落后，不少地方的农业生产仍然主要依靠畜力和手工劳动；农民生活水平明显低于城镇居民，还有几千万人处于贫困状态；农村社会事业发展落后，农村教育、科技、文化和卫生等事业的发展水平也明显落后于城市。农业和农村发展本身也面临着一些有待解决的深层次矛盾和问题。2000 年年底，我国已经总体上实现了小康，但我们达到的小康还是低水平的、不全面的、发展很不平衡的小康，差距主要在农村。我国推进农村小康建设的任务最为繁重、最为艰巨，任重而道远。因此，加快全国建设小康社会的步伐，必须更加重视农业、农村和农民问题，自觉把全面建设小康社会的工作重点放在农村。

其次，进一步解决好“三农”问题，加快农业和农村经济发展，是保持国民经济持续快速健康发展的必然要求。改革开放以后，我国工业化、城镇化进程加快，总体经济实力大幅度提高，农业在国民经济中的比重逐步下降，但是农业的基础地位并没有改变。作为人口众多的发展中大国，确保解决 13 亿人的吃饭问题，始终是头等大事。如果吃饭没有保障，一切发展都无从谈起。在相当一段时间里，粮食问题始终是我国经济社会发展中的头等大事。长期以来，农业一直是我国国民经济发展的薄弱环节，农业基础薄弱，抗灾能力不强，在很大程度上还是“靠天吃饭”。截至 2004 年，在中华人民共和国成立以来的 55 年中，粮食年际增减超过 500 亿斤的就有 11 年，产量波动极为频繁、幅度很大，对粮食供求关系和社会经济生活都产生了重要影响。另一方面，农业在为人们提供必需的生存资料的同时，还为工业和其他产业的发展提供重要原料。随着我国人口的增长和人民生活水平的提高，随着经济的不断发展，全社会对农产品的需求会不断增加，需求结构会发生新的变化，对农产品的质量和品种要求也会越来越高。如果农业的发展不能满足这些要求，整个经济的发展就会受到影响，甚至可能出大问题。

最后，进一步解决好“三农”问题，加快农业和农村经济发展，也是维护社会稳定和国家长治久安的必然要求。对于中国这样一个农村人口占大多数的国家来说，“三农”问题不仅仅是一个经济问题，而且是一个重大的政治问题和社会问题。保持农村稳定是保持全国稳定的基础。没有农村的稳定，就没有整个国家的稳定。只有加快发展农业和农村，增加农民收入，农村基层民主政治和精神文明建设才有保障，广大农村才能形成和谐安定、健康向上的良好局面，广大农民才能安居乐业，农村社会稳定才能有坚实的基础，整个国家的长治久安也才能有可靠的保障。

按照“重中之重”的基本要求，从2003年起，中共中央、国务院就做好“三农”工作提出一系列大政方针，进一步加大对“三农”的支持和保护力度，从而逐步确立了关于解决“三农”问题的新的政策框架。

2003年1月16日，中共中央、国务院发布《关于做好农业和农村工作的意见》(以下简称《意见》)。该《意见》提出了新世纪新阶段我国农业和农村工作的主要任务，这就是：紧紧围绕建设小康社会的战略目标，积极推进农业增长方式的转变，提高农业科技和装备水平，加快建设现代农业；大力推进农业和农村经济结构战略性调整，全面繁荣农村经济，稳定增加农民收入，使广大农民过上比较殷实的生活；坚持党在农村的基本政策，深化农村改革，创新体制和机制，把农民的积极性保护好、调动好、发挥好；加快发展农村各项社会事业，推进农村基层民主政治建设，提高农村人口的思想道德、科学文化和健康素质，实现农村社会全面进步。针对我国农村发展的实际情况，《意见》就做好农业和农村工作提出了19项具体要求。①

① 中共中央文献研究室编《十六大以来重要文献选编》(上)，中央文献出版社2011年版，第129—140页。

当时，我国的整个“三农”问题，突出的是农民增收困难。做好农业和农村工作，直观地看，是要解决好农民增收和粮食等农产品供给这两大问题；本质上看，则是要研究和探索在工业化、城镇化进程中，如何加强对农业、农村发展的支持和保护，加快农业和农村的发展。这是在现代化进程中回避不了的现实问题，也是必须解决好的重大课题。因此，进入新世纪新阶段以后，党中央把增加农民收入作为农村经济工作的中心任务。2003 年 12 月，中央农村工作会议指出，解决农民增收问题，既是当前紧迫而繁重的任务，也是今后长期而艰巨的任务；既是农村工作的基本目标，也是整个经济工作的重大课题。随着新阶段农业和农村经济发展的环境、条件和任务的变化，促进农民增收的思路和方式也要及时做出相应的调整。增加农民收入，必须采取更加直接、更加明确、更加有力的措施。①

随后，2003 年 12 月 31 日，中共中央、国务院发出《关于促进农民增加收入若干政策的意见》(以下简称《意见》)，作为 2004 年的“一号文件”。以中共中央、国务院的名义，专门制定一个促进农民增收的文件，这在新中国成立以来的历史上还是第一次。这也是继 20 世纪 80 年代连续发出 5 个关于“三农”问题的“一号文件”之后，中共中央、国务院再次发出的关于“三农”问题的“一号文件”。该《意见》围绕促进农民增收这个主题，提出了 9 个方面 22 条实实在在促进农民增收的政策措施。其中，最引人注目的是“两减免、三补贴、四保障”，即减免农业税、取消除烟叶外的农业特产税；对种粮农民实行直接补贴、良种补贴和大型农机具购置补贴三项政策；推行严格保护耕地、加大农业投入、严格控制农资价格和实行粮食最低收购价等有利于“三农”发展的四项保障措施。由于这些政策措施的强力推动，以及市场粮食价格回升和气候比较有利等因素的共同作用，农业、农村经济形势出现了明显的转机。2004 年，粮食总产量达到 9389 亿斤，比上年增加 775 亿斤，当年增产的数量为有史以来之最；农民人均纯收入比

---

① 《中央农村工作会议在京召开》,《人民日报》2003 年 12 月 26 日。

上年增加 314 元，达到 2936 元，增长 6.8%，是 1997 年后的最高增幅。[①]

为破解长期以来城乡发展不协调的矛盾，从 2004 年到 2012 年，中共中央、国务院连续发出 9 个关于农村工作的“一号文件”，一年突出一个重点，出台一系列强农惠农富农的政策措施，支农力度之大、强农措施之强、惠农政策覆盖之广，前所未有。这 9 个“一号文件”，主题分别为：促进农民增加收入、提高农业综合生产能力、推进社会主义新农村建设、积极发展现代农业、切实加强农业基础建设、促进农业稳定发展农民持续增收、加大统筹城乡发展力度、加快水利改革发展和加快推进农业科技创新。这些“一号文件”，尽管内容各不相同，但都有一个鲜明特点，就是促进城乡经济社会发展一体化。丰富系统的内容，形成一个比较完整的支农政策体系，彰显出以胡锦涛同志为总书记的党中央对“三农”问题的高度重视和统筹城乡社会发展、开创“三农”工作新局面的坚定决心。

## 第二节 “两个趋向”的重要论断和“多予少取放活”的基本方针

2004 年 9 月 19 日，胡锦涛在中共十六届四中全会第三次全体会议上发表讲话，第一次明确提出并阐述了“两个趋向”的重要论断。他指出：“综观一些工业化国家发展历程，在工业化初始阶段，农业支持工业、为工业提供积累是带有普遍性的趋向；但在工业化达到相当程度以后，工业反哺农业、城市支持农村，实现工业与农业、城市与农村协调发展，也是带有普遍性的趋向……要在国家总体实力不断增强的基础上，在深入挖掘农业和农村发展潜力的同时，不断加大对农业发展的支持力度，发挥城市对农

① 《我国“三农”工作的新成就、新思路和新举措——农业部部长杜青林在中宣部等六部委联合举办的形势报告会上的报告（摘要）》，《人民日报》2005 年 7 月 29 日；陈锡文：《推进社会主义新农村建设》，《人民日报》2005 年 11 月 4 日。

村的辐射和带动作用，发挥工业对农业的支持和反哺作用，走城乡互动、工农互促的协调发展道路。”[①]2004 年 12 月，在中央经济工作会议上，他再次强调：“我国现在总体上已到了以工促农、以城带乡的发展阶段。我们应当顺应这一趋势，更加自觉地调整国民收入分配格局，更加积极地支持‘三农’发展。”[②]

“两个趋向”的重要论断，是对我国经济发展阶段的科学判断。新中国成立后，我国在一穷二白的基础上，主要依靠农业提供的积累，建立起比较完整的工业体系和国民经济体系，农业和农民为国家工业化作出了重大贡献。据测算，1979 年以前的 29 年，农业为国家工业化提供的资金约 4500 亿元。[③]与此同时，也出现了城乡二元结构不断强化、农村发展严重滞后等问题，对经济社会的协调发展产生了不利影响。十一届三中全会以后，党中央深刻总结以往的经验教训，从加强农业、搞活农村入手，推进改革开放，逐步调整工农关系和城乡关系，全面发展城乡经济。经过 20 多年的不懈努力，不仅农业和农村发生了很大变化，工业和城市也得到了很大发展，综合国力大大增强。2004 年，我国国内生产总值达到 13 万亿元，第二、三产业占国内生产总值的比重达到 85%以上，财政收入达到 2.6 万亿元，已经初步具备了工业反哺农业、城市支持农村的经济实力。因此，必须不失时机地转向工业反哺农业、城市支持农村，并迈出实质性的步伐，努力形成工业与农业相互促进、城市与农村共同繁荣的新局面。

“两个趋向”的重要论断，也是对国际发展经验的精辟概括。发达国家的实践表明，在工业化初始阶段，农业在国民经济中占较大比重，劳动力大部分在农业中就业，农业客观上承担了为工业化提供积累的任务。当工业化达到相当程度后，工业自身积累和发展能力不断增强，具备了反哺农业的能力，又适时调整发展政策，加大工业对农业、城市对农村的支持力

---

① 胡锦涛：《胡锦涛文选》第二卷，人民出版社 2016 年版，第 247 页。

② 《中央经济工作会议在北京召开》，《人民日报》2004 年 12 月 6 日。

③ 韩俊：《工业反哺农业城市支持农村——如何在新形势下更多地支持农业和农村发展》，《人民日报》2005 年 11 月 18 日。

度，促进工农、城乡协调发展。在工业化进程中，适时推进由农业为工业提供积累向工业反哺农业的转换，是经济社会发展的必然要求，是工业化国家的普遍做法，也是加快推进现代化建设的成功之道。从工业化的发展阶段来看，我国已进入工业化中期阶段，正处在从人均国内生产总值 1000 美元向 3000 美元迈进的关键时期。许多国家的发展进程表明，这个阶段既是经济社会结构快速调整的时期，也是各种利益关系复杂、社会矛盾凸显的时期。如果发展战略和政策把握得当，工农关系和城乡关系处理得好，就能保持经济快速发展和社会长期稳定；反之，就会造成收入差距和社会矛盾扩大，甚至出现经济发展徘徊不前和社会动荡。我国是一个城乡二元结构特征比较明显的发展中大国，农业基础薄弱、农民收入水平低、农村发展滞后的问题十分突出，特别是农村教育、卫生、文化等社会事业和基础设施严重落后于城市，更要处理好工农关系和城乡关系。因此，我们要深刻汲取国际国内正反两方面的经验教训，通过进一步实施统筹城乡发展的方略，建立新型的工农关系和城乡关系，实现工业化、城镇化和农业现代化同步推进。

总之，“两个趋向”的重要论断，是从全局和战略高度提出的解决“三农”问题的指导思想，是党对工农关系、城乡关系在思想认识和政策取向上的一次升华，为我国在新形势下制定和实施“三农”政策提供了基本依据。

实现由农业哺育工业到工业反哺农业的转变，实质是要处理好对农民“取”与“予”的关系，改变农业和农村经济在资源配置与国民收入分配中的不利地位，加大公共财政的支农力度，让公共服务更多地深入农村、惠及农民。长期以来，我国公共品供给偏向城市。国家用于农业的财政支出没有达到应有的投入水平，导致农业基础仍非常脆弱。由于历史欠账多，农村基础设施落后和公共服务供给不足的状况没有大的改观。这主要表现在：农村行路难、饮水不安全、供水难、环境污染治理难等问题仍然突出；广大农村地区尤其是中西部地区电力设施落后，相当一部分农村未实现城乡同网同价；城乡教育资源差距大，农村孩子上学难问题突出；农村公共卫生服务体系不健全，农民看病难，农村社会保障体系不健全，等等。

为此，2002 年 1 月，中央农村工作会议首次提出了“多予少取放活”的方针。会议明确指出：“增加农民收入，总的指导思想是‘多予、少取、放活’。多予，就是要增加对农业和农村的投入，加快农村基础设施建设，加大扶贫开发力度，扩大退耕还林规模，直接增加农民收入……少取，就是要推进农村税费改革，切实减轻农民负担，让农民休养生息……放活，就是要认真落实党在农村的各项政策，把农民群众的积极性、主动性、创造性充分发挥出来，进一步活跃农村经济，拓宽农民增收渠道。”①

按照工业反哺农业、城市支持农村和“多予少取放活”的指导方针，中共十六大以后，党对国家与农民之间的关系进行了重大调整。在“多予”方面，国家坚持公共财政覆盖农村，加大对“三农”的扶持力度。在“少取”方面，从推进农村税费改革试点到最终全面取消农业税，广大农民开始了休养生息的时代。在“放活”方面，则是坚持市场化改革和改善国家调控并重的原则，加快农村改革步伐，进一步推进粮食流通体制和集体林权制度等改革。

鉴于本章第三节将对“少取”和“放活”的各项农村改革进行专门阐述，这里对“多予”政策进行简要叙述。2003 年以后，中央积极调整国民收入分配格局，把支持和保护农业作为公共财政的重点，不断扩大公共财政覆盖农村的范围，逐步建立了“以工促农、以城带乡”的稳定的反哺农业投入机制。

为了支持主产区粮食生产和调动农民种粮积极性，中央建立了财政支农专项补贴制度。从 2004 年开始，国家实行对种粮农民直接补贴、良种补贴、农机具购置补贴的“三补贴”政策，把财政对农业的补贴发放到农民

① 中共中央文献研究室编《十五大以来重要文献选编》(下)，中央文献出版社 2011 年版，第 2168 页。

手中，开创了直接补贴农民的先河。2006 年，在“三补贴”的基础上又增加了农业生产资料综合补贴，发展成为“四补贴”。2005 年起，中央财政开始对产粮大县实施奖励补助。此后，中央财政不断加大对农民“多予”的力度，补贴资金连年大幅度增长。从 2002 年至 2012 年，补贴资金从 1 亿元增加到 1653 亿元，10 年累计安排 7631 亿元。[①]

为了改变农村基础设施薄弱的状况，国家加大对农村基础设施建设的投入，大规模开展与农民生产生活直接相关的饮水安全、农村电网、农村公路、农村沼气、危房改造等基础设施建设，让农民喝上干净水、走上平坦路、用上便宜电、使上清洁沼气，住上安全房子。以农村公路为例，从 2003 年到 2005 年，仅仅 3 年时间，国家投资建成的农村水泥路、柏油路总里程就超过了从新中国成立到农村税费改革前的建成总量，使全国 99.6% 的乡镇、92% 的行政村通上了公路。[②] 随着财政投入的不断增加，农村基础设施建设有了很大改善，村庄面貌发生了可喜的变化，为农民生产生活创造了便利条件，切实提高了他们的生活质量。

为了改变农村社会事业发展滞后的状况，国家打破长期以来农村事情农民办的传统理念和制度安排，将农村基本公共服务纳入财政支出范畴，加大农村社会事业的投入，让公共财政的阳光更多地照耀到农村。中共十六大以后，中央财政更多地向农村社会事业倾斜，有力地支持了农村义务教育、医疗卫生、社会保障、文化事业的发展和民生问题的解决。这一时期，党和国家推动城乡基本公共服务均等化，实行农村义务教育，建立新型农村合作医疗制度和农村最低生活保障制度，启动新型农村社会养老保险试点，推动城乡平等就业进程，努力实现城乡居民共沐公共财政阳光、共享改革发展成果。

可以说，经过几年的艰辛探索和不懈努力，我国已经鲜明确立起统筹城乡发展的基本方略，基本构建起统筹城乡发展的政策体系，初步搭建起

---

① 陈仁泽：《新农村，开启农民新生活》，《人民日报》2012 年 11 月 1 日。

② 陈锡文、赵阳、罗丹：《中国农村改革 30 年回顾与展望》，人民出版社 2008 年版，第 257 页。

统筹城乡发展的制度框架，在统筹城乡发展的道路上迈出了重大而坚实的步伐。

## 第三节　取消农业税和深化农村改革

为解决好农业、农村、农民问题，中共十六大以后，中共中央坚持不懈推进农村改革，出台一系列具有里程碑和划时代意义的新政策新举措。这一时期，我国积极推进农村税费改革，全面取消农业税，切实减轻了农民负担；不失时机推进综合改革，带动了农村上层建筑的变革与进步；进行集体林权制度改革，将家庭承包经营从耕地向林地拓展；全面放开粮食购销，实行最低收购价政策，迈出了农产品市场化改革的决定性步伐。

### 一、从“治乱减负”到农村税费改革

农业税的起源很早，作为一种来源于农业、在农村征收并由农民直接承担的古老税赋，在中国延续了 2600 年之久。新中国成立后，1958 年 6 月 3 日，第一届全国人大常委会第九十六次会议通过《中华人民共和国农业税条例》，统一了全国农业税制度。此后，农业税一直延续下来，并在相当一段时期内成为国家财政的重要来源。农业税条例的实施，对于正确处理国家与农民的分配关系、发展农业生产、保证国家掌握必要的粮源、保证基层政权运转等发挥了积极作用。

20 世纪 80 年代中后期，在农村已经基本确立新的经营体制、城市不断深化改革的背景下，我国经济社会发展出现了空前活跃的局面。但在经济快速增长的同时，城乡二元结构的体制性障碍仍很突出，农民收入增长仍有很大的制约。1989 年，农民人均纯收入比上年减少 1.6%，出现了负增长。1989 年、1990 年、1991 年这三年，农民人均纯收入平均每年仅增长 0.7%。

在农民增收困难的情况下，一些部门和地方不能正确估计农民的承受能力，出现各种乱收费、乱罚款、乱集资的情况，农民负担过重引起的恶性案件和干群冲突时有发生。

农民负担问题的逐步突出，引起中共中央的高度重视。从1990年起，中央开始抓减轻农民负担工作，从而揭开了我国农村税费改革的序幕。我国的农业税，实际上包括农业税、农业特产税和牧业税。当时讲的农民负担，主要是指国家税收之外对农民的各种收费、罚款和摊派。1990年年初，在广泛调查研究的基础上，国务院发出《关于切实减轻农民负担的通知》，明确提出向农民收取的“三提五统”①不得超过上年人均纯收入5%的规定。②同年9月，中共中央、国务院作出《关于坚决制止乱收费、乱罚款和各种摊派的决定》，把减轻农民负担工作纳入全国治理“三乱”的总体部署。1991年12月，国务院公布《农民承担费用和劳务管理条例》。1993年，又取消或暂停了上百项达标升级活动和对农民的不合理收费及负担项目。1996年，在总结前几年农民减负工作经验的基础上，中共中央、国务院发出《关于切实做好减轻农民负担工作的决定》。这个文件提出，要坚决把农民承担的村提留乡统筹费和劳务全面控制在国家规定的限额之内，严禁面向农村的乱收费、乱集资、乱涨价、乱罚款和各种摊派，取消一切加重农民负担的达标升级活动，杜绝因农民负担过重引发的严重事件和恶性案件，切实把不合理的农民负担减下来，并长期稳定在政策规定的范围之内；同时作出了治乱减负的13条具体规定，明确了减轻农民负担工作的党政主要领导责任制，加大了对加重农民负担违法案件的查处力度。③但实际情况仍不理想，在表面看来农民负担暂时稳定的背后，加重农民负担的机制和动力并没有

① “三提五统”是专门向农民征收的行政事业性收费和政府性基金、集资。其中，“三提五统”中的“提”指的是村提留，“统”指的是乡统筹。所谓“三提”，是指农户上交给村级行政单位的三种提留费用，包括公积金、公益金和管理费。“五统”是指农民上交给乡镇一级政府的五项统筹，包括教育费附加、计划生育费、民兵训练费、乡村道路建设费和优抚费。

② 中共中央文献研究室、国务院发展研究中心编《新时期农业和农村工作重要文献选编》，中央文献出版社1992年版，第582页。

③ 中共中央文献研究室编《十四大以来重要文献选编》（下），中央文献出版社2011年版，第236—244页。

消除。

这种情况说明，减轻农民负担，必须寻求治本之策。农民负担重的问题之所以成为顽症，症结主要在于两方面：一方面是税制问题，税费不分，费出多门，费重于税，还有乱罚款、乱摊派；另一方面是行政体制和财政体制方面的问题，机构臃肿、人员膨胀，一些应由财政负担的公共服务转由农民负担。因此，对农民负担问题，光抓治乱减负是不够的，还必须进一步推进税制和机构的改革。但这两个问题解决起来都非易事，税制改革涉及调整各方面利益关系，机构改革涉及政府职能转变和精简机构人员，不仅需要有相应的经济条件，而且要有各方面的共识和支持。这段时间，不少地方也在研究减轻农民负担的治本之策，一些地方还进行了积极的探索。党中央高度关注这些地方改革试验的情况。1998 年 10 月，国务院成立了由财政部、农业部和中农办三个部门主要负责同志组成的农村税费改革工作小组，开始着手研究和制订新的改革方案，为减轻农民负担工作由治乱减负适时地转向税费改革做准备。

农村税费改革，是减轻农民负担的治本之策。通过税费改革，合理确定农民的税赋水平，取消一切面向农民的乱收费，把农村分配关系纳入法制化轨道，使农民负担总水平保持长期稳定，从而可以达到切实减轻农民负担的目的。因此，农村税费改革，不仅是解决多收一点少收一点的问题，而是用法治的办法，通过规范农村分配关系，实现农民增收、农业发展、农村稳定，这是一项保持农村长治久安的根本大计。

基于这种认识，2000 年 3 月，中共中央、国务院下发《关于进行农村税费改革试点工作的通知》，提出以“三取消、两调整、一改革”[①]为主要内容的总体改革思路，并在自愿的前提下，在安徽全省进行改革试点，正式启动了农村税费改革。安徽改革试点的主要内容是，乡镇“五统筹”纳入

① “三取消、两调整、一改革”，指取消乡统筹费、农村教育集资等专门面向农民征收的行政事业性收费和政府性基金、集资；取消屠宰税；取消统一规定的劳动积累工和义务工；调整农业税和农业特产税政策；改革村提留征收使用办法。

农业税，村的“三提留”成为农业税附加，农民除缴纳7%的农业税和1.4%的农业税附加之外，不再承担其他任何收费。安徽的改革试点当年就见到成效，基本实现了“减轻负担”和“规范税制”这两个目标。

2001年，在全国农村税费改革试点工作会议上，中央提出了“减轻、规范、稳定”的指导思想。所谓“减轻”，就是合理确定农民的税赋水平，从根本上治理对农民的各种乱收费，切实减轻农民负担，这是改革的第一位目标，在改革中必须把减轻农民负担作为基本出发点。所谓“规范”，就是从制度上规范国家、集体和农民之间的分配关系、分配方式，这是将农村分配关系纳入法制化轨道，从根本上遏制向农民乱收费的制度保障。实行税费改革后，农民照章纳税，政府依法收税，双方的权利和义务都有了明确的界定，再也不能巧立名目、搞没有法律依据的乱收费。所谓“稳定”，就是在减轻和规范的基础上，使农民的税赋水平在一个较长时期内保持不变，让农民休养生息。不仅税赋制度要长期稳定，不能朝令夕改，而且农民负担总水平也要保持长期稳定，不能随意增加。[①] 这一年，继安徽改革试点之后，江苏省成为第二个开展农村税费改革试点的省份。

2002年，在总结安徽、江苏等地试点经验的基础上，改革的试点范围扩大到20个省区市，进行试点的地区主要是农业大省和粮食主产省，农业人口约有6.2亿，占全国农业人口的3/4以上。针对一些地方出现的农村基层组织运转和中小学经费保障困难的问题，党中央及时明确了要努力实现“三个确保”的目标要求，即确保农民负担明显减轻，不反弹；确保农村义务教育经费正常需要；确保乡镇机构和村级组织正常运转。这也是衡量农村税费改革是否成功的重要标志。

总的来看，从2000年安徽率先进行农村税费改革试点，到2002年范围扩大到全国20个省区市，试点工作总体进展顺利，取得了明显成效。通过清费正税的一系列改革措施，从制度上规范了农村分配关系，确立了农

---

① 李建兴：《国务院召开全国农村税费改革试点工作会议》，《人民日报》2001年2月22日。

业税在农村分配中的主体地位，有效遏制了农村“三乱”现象。

## 二、全面取消农业税

中共十六大以后，农村税费改革掀开了新的一页。

2003 年 3 月 27 日，国务院发出《国务院关于全面推进农村税费改革试点工作的意见》，决定在全国范围内全面推开农村税费改革试点。4 月 3 日，国务院召开全国农村税费改革试点工作电视电话会议。温家宝在会上强调，农村税费改革是涉及全局的一项重大改革，进一步减轻粮食主产区和种地农民的负担，是农村税费改革的一个基本政策取向；取消农业特产税，应该成为推进农村税费改革的又一项重要措施；要严格把握政策界限，确保改革后每个农户的负担水平都有所减轻。① 这一年，中央财政用于支持农村税费改革的转移支付达到 305 亿元。②

从 2004 年开始，我国农村税费改革进入一个新的阶段。为了切实加强农业、进一步调动农民的积极性，2004 年 3 月，温家宝在十届全国人大二次会议所作的《政府工作报告》中，宣布从 2004 年起，逐步降低农业税税率，平均每年降低一个百分点以上，五年内取消农业税。③ 由此，农村税费改革由“减轻、规范、稳定”的目标转向逐步降低直至最终取消农业税。

2004 年，全国开始降低农业税的税率，黑龙江和吉林两省率先进行全部免除农业税的试点，并取消除烟叶外的农业特产税。在其他省份，进行了降低农业税税率的试点，其中北京、天津、上海、浙江、福建和西藏自主决定免征了农业税。与此同时，国家对种粮农民实行直接补贴、对部分

---

① 王彦田：《温家宝在全国农村税费改革试点工作电视电话会议上强调 提高认识完善政策加强领导全面推进农村税费改革试点工作》，《人民日报》2003 年 4 月 4 日。

② 中共中央文献研究室编《十六大以来重要文献选编》（中），中央文献出版社 2011 年版，第 918 页。

③ 中共中央文献研究室编《十六大以来重要文献选编》（上），中央文献出版社 2011 年版，第 833 页。

地区农民进行良种补贴和购置农机具的补贴。“两减免、三补贴”这两项重大措施，贯彻了国家对农民“多予”“少取”的方针，体现了统筹城乡发展和工业反哺农业、城市支持农村的方向。这些支农惠农的新政策新措施，力度之大，使农民得到实惠之多，是多年来少有的。据统计，2004 年，仅减免农业税和农业特产税，就减轻农民人均负担 302 元，税费下降 44.3%；农民人均纯收入比上年增加 314 元，实际增长 6.8%，是 1997 年以后增幅最高的一年。[①] 从全国层面上，“两减免、三补贴”政策的实施，使农民直接得到实惠 450 亿元。[②]

进入 2005 年，中共中央又决定全面取消牧业税，同时加快降低农业税税率的步伐，并鼓励有条件的省区市自主进行免征农业税的试点。这一年，有 28 个省区市全部免征农业税，另外 3 个省区中的多数市县也免除了农业税。就全国而言，原定到 2008 年取消农业税的目标，将提前两年实现。据此，中央明确提出，“原定五年取消农业税的目标，三年就可以实现”，2006 年“在全国全部免征农业税”。[③]2005 年 12 月 29 日，十届全国人大常委会第十九次会议决定，自 2006 年 1 月 1 日起，废止第一届全国人大常委会第九十六次会议通过的《中华人民共和国农业税条例》。至此，农业税这个在中国实行了长达 2600 年的古老税种正式退出历史舞台，农村税费改革完成了阶段性历史任务。

回顾农村税费改革的历程，从开始的“治乱减负”到形成比较规范的农业税及其附加，再到逐步减免直至最终取消农业税，农村税费改革历时 6 年，取得了显著成效。这主要体现在四个方面：一是明显减轻了农民负担。农村税费改革不仅取消了原先 336 亿元的农业税赋，而且取消了 700 多亿

① 回良玉：《加强农业综合生产能力建设推进农村经济社会全面发展——在中央农村工作会议上的讲话》，《人民日报》2005 年 2 月 28 日。

② 中共中央文献研究室编《十六大以来重要文献选编》（中），中央文献出版社 2011 年版，第 918 页。

③ 中共中央文献研究室编《十六大以来重要文献选编》（中），中央文献出版社 2011 年版，第 777 页。

元的“三提五统”和农村教育集资等，还取消了各种不合理收费。农业税取消后，与农村税费改革前的1999年相比，全国农民每年减轻负担1335亿元，人均减负增收140元，开启了农民休养生息的时代。二是延续了几千年的农业税全部取消，终结了由传统的农业社会所遗留的税赋制度，消除了农民承担不合理税赋的制度性缺陷。三是为全面深化农村改革奠定了基础。农村税费改革不可避免地要求进行乡镇机构、农村义务教育和县乡财政体制等方面的综合改革，带动农村上层建筑的变革与进步。四是干群关系出现积极变化。农村税费改革顺民心、合民意，使农民普遍得实惠，是农民情绪明显好转、积极性得到调动、农村社会保持稳定的最重要政策原因。

农村税费改革之所以进行得比较顺利，取得比较明显的效果，最重要的是：在改革过程中，始终坚持把减轻农民负担作为改革的第一位的目标，把维护农民的物质利益和民主权利，保护和调动广大农民群众的积极性作为基本出发点；始终坚持尊重实践、尊重群众，从实际出发，与时俱进地不断完善改革政策；始终坚持加强对农村税费改革的领导，中央把握改革的大方向、大原则、大政策，依靠地方和基层，有关部门协调配合；始终坚持处理好改革发展稳定的关系，兼顾到各方面的利益和对改革的承受能力，确保农村税费改革顺利平稳地推进。

中共中央作出取消农业税的重大决策，既是着眼于增加农民收入和增强农业的国际竞争力，也是着眼于建立完善的社会主义市场经济体制，着眼于逐步消除城乡二元经济结构的体制性障碍，着眼于统筹城乡经济社会的协调发展。最终，经过六年的努力，进一步理顺了农村分配关系，扭转了长期以来农民负担过重的局面，迈出了统筹城乡发展的新步伐。

在全国彻底取消农业税，这是具有划时代意义的重大变革。早在春秋时期，孔子就提出过“薄税敛则民富”的思想，但真要做到谈何容易？汉代“文景之治”和清代“康雍乾盛世”期间的所谓减免田赋和丁银，也是人们常讲起的话题。但实际上，文景时期对田赋都是一时一地的临时性减免，当时叫“时赦”，最长的时间是11年。康雍乾时期的“摊丁入亩，新增人丁永不加赋”，也只是把原来征收的所谓“丁银”纳入了“田赋”，而田赋却始终在增加。在21世纪我国加速推进工业化、城镇化和现代化的关键时期，在完善社会主义市场经济体制的关键时期，党中央统揽全局、与时俱进，作出彻底取消农业税这一关系亿万农民切身利益的重大战略性举措，经历了艰难的历程，也有着深远的考虑，充分体现了加快解决“三农”问题的坚定决心和长远谋划。只有把取消农业税放在这样的历史背景下来审视，才能充分理解这场变革的重大现实意义和深远历史影响。

取消农业税，让中国农民永远告别了种田缴“皇粮国税”的历史，给他们带来了实实在在看得见的物质利益，得到广大农民的衷心拥护。为纪念国家取消农业税，2006年，河北省灵寿县的一位农民自费铸造一尊“告别田赋鼎”，该鼎上书铭文560字，文中历数田赋的变迁以及农民生活的变化。其中，有这样几句话：“我是农民的儿子，祖上几代耕织辈辈纳税。今朝告别了田赋，我要代表农民铸鼎刻铭，告知后人，万代歌颂，永世不忘。”农民以这种最古老、最庄重的方式，感念党的这项好政策。

## 三、不失时机推进农村综合改革

十一届三中全会以后，我国农村改革沿着社会主义市场经济方向，在理论和实践上进行一系列重大探索和创新，取得了令人瞩目的成就。然而，在近30年的农村改革中，上层建筑方面的改革却相对滞后，与经济基础不相适应的矛盾日益突出。这突出表现为两个问题：一是基层行政管理体制不适应农村生产力发展的要求。取消人民公社、设立乡镇以后，乡镇政府职能转变一直没有到位。表现在政企不分、政社不分，乡镇政府仍然把主要精力放在兴办企业、招商引资上，社会管理和公共服务薄弱。在市场经济条件下，按照公共行政的原则，乡镇政府应该履行哪些职责，如何有效地发挥作用，成为一个重大课题。二是农村公共产品供给体制不适应保障公共服务的要求。由于长期实行城乡分割的二元体制，农村公共事业发展缓慢，城乡基础设施和社会事业发展差距扩大。农村税费改革之后，公共财政如何有效覆盖农村，是一个迫切需要研究解决的问题。因此，随着改革的进展，不可避免地要求进行综合改革，以带动农村上层建筑的变革与进步。

从当时农村的现实情况看，取消农业税减轻了农民负担，但造成农民负担重的一些深层次问题还没有根本解决，而且陆续出现了一些新情况和新问题。农业税取消后，多数地方县乡财力紧张，农村基层政府和村级组织运转困难，农村公益事业发展缺乏资金。同时，乡镇机构多、人员多的状况没有根本改变。在这种情况下，农村一些地方乱收费有所抬头并有新的表现：农村乱收费的主体开始由基层政府转向职能部门，收费的名目开始由行政事业性收费转向经营服务性收费，收费的对象开始由农民转向中小学生。在农民建房、外出务工、计划生育以及殡葬等方面乱收费仍然比较严重，生产性收费名目多、标准高、不规范，一些村级组织也向农民乱收费、乱集资。这表明，农业税虽然取消了，但农民负担反弹的压力依然很大。农村税费改革要跳出“积累莫返之害”的所谓“黄宗羲定律”的怪圈，摆脱“加重—减轻—再加重”的恶性循环，必须不失时机地推进农村综合改革，从根本上消除农民负担反弹的隐患。

在中国历史上，几次大的赋税制度改革，从隋唐的“租庸调”“两税法”，到明清的“一条鞭法”“摊丁入亩”，都没能跳出周而复始的“黄宗羲定律”。重要原因之一，就在于税制改革之后，缺乏更深层次的经济和社会管理体制方面的改革，保障机制没有建立起来。所以，在开始进行税费改革的同时，中共中央就始终在考虑和探索一系列相关的综合改革。

2005 年 6 月，全国农村税费改革试点工作会议首次明确提出，农村税费改革将进入新的阶段，巩固农村税费改革成果，要积极稳妥地推进以乡镇机构、农村义务教育和县乡财政体制为主要内容的农村综合改革试点。同年 8 月，安徽在全省 18 个县开展农村综合改革试点。安徽改革的主要内容是“一个转变、三个建立、一个改进”，即转变乡镇政府职能，建立农村基层管理新体制、建立农村公共产品供给新机制、建立“三农”社会化服务新体系，改进农村工作考核评价办法。[①] 这是继农村税费改革后，安徽在全国又一次率先进行的深层次改革。之后，北京、内蒙古、吉林等8个省区市和部分市县也开展了农村综合改革试点。2005年12月，中央经济工作会议进一步提出："要全面推进农村综合改革，全面取消农业税，着力推进乡镇机构、农村义务教育和县乡财政体制改革，巩固农村税费改革成果。"[②]

为了推动和统一部署农村综合改革，2006年9月，国务院召开全国农村综合改革工作会议。会议强调，农村综合改革不仅涉及经济领域的改革，而且涉及政治、社会、文化等领域的改革，是一次重大的制度创新和社会变革。要按照巩固农村税费改革成果和完善社会主义市场经济体制的要求，力争5年期间或更长一点时间基本完成乡镇机构、农村义务教育、县乡财政管理体制改革任务，建立精干高效的农村行政管理体制和运行机制、覆盖城乡的公共财政制度、政府保障的农村义务教育体制，促进农民减负增收和农村公益事业发展，全面推动社会主义新农村建设。[③]

乡镇机构、农村义务教育和县乡财政管理体制，是农村综合改革的三项改革任务。之所以把这三项改革作为农村综合改革的主要任务，是因为抓好这三项改革有利于从根本上巩固农村税费改革成果；这三项改革都涉及农村经济体制和上层建筑的一些关键问题；这三项改革的内容相对集中，有利于重点突破，带动农村的各项改革。

在农村综合改革中，乡镇机构改革处于关键地位。乡镇机构改革的核心是转变政府职能。改革开放以后，全国范围的乡镇机构改革先后进行过三次。从2004年开始，作为农村税费改革的配套内容，又在安徽、吉林、黑龙江、湖北等部分地区进行试点。但是，由于多年来对乡镇政府转变职能的认识跟不上形势的发展，乡镇政府存在职能越位、错位和缺位的情况。

---

① 刘杰：《一个转变三个建立一个改进　安徽十八个县试行农村综合改革》，《人民日报》2005年9月8日。

② 《中央经济工作会议在北京召开》，《人民日报》2005年12月2日。

③ 《国务院召开全国农村综合改革工作会议》，《人民日报》2006年9月4日。

税费改革后，为了解决财政收支矛盾，一些乡镇出现大搞招商引资和以举债来弥补经费缺口的现象。同时，各地在试点中也普遍感到减人、减支比较难。其中的深层次原因，是对乡镇政府的职能界定不清。为此，中央明确指出，乡镇政府应重点强化“为农村经济发展创造环境、为农民提供更多的公共服务、为农村构建和谐社会创造条件”三个方面的职能，把不应该由政府承担的经济活动和社会事务交给市场、中介组织和村民自治组织。为促使乡镇机构职能转变，中央提出了“约法三章”：一是各地一律不得对乡镇下达招商引资的指标；二是乡镇政府一律不得举债搞建设；三是乡镇政府一律不得为经济活动提供担保。[①]中央还特别强调，要坚守一条底线，即五年内乡镇机构编制只减不增。要合理调整乡镇政府机构，改革和整合乡镇事业站所，精简富余人员，妥善安置分流人员。

义务教育是农村最大的公共事业。由于历史原因，农村义务教育发展水平远远落后于城市，义务教育管理体制中存在的突出问题是，投入保障水平偏低，资源配置不合理，县级以上政府农村义务教育的责任不明确。为此，中央强调，要把义务教育的重点放在农村，建立和完善“政府投入办学、各级责任明确、财政分级负担、经费稳定增长”的农村义务教育经费保障机制，让每一个农村孩子都有学上、都能上得起学。为保障农村义务教育经费，中央特别提出“约法三章”：不准减少本级政府对农村义务教育应承担的经费投入；不准挪用学校公用经费发放教师津贴；不准再乱收费加重学生的经济负担。[②]

农业税取消后，相当部分县乡失去了一个主体税种，一些乡只能主要依靠上级财政的转移支付来维持机构的运转，这不仅制约其职能的有效发挥，而且还会影响一级政府工作的主动性和积极性。因此，必须进一步改革县乡财政管理体制。县乡财政管理体制的改革相当复杂，除了钱的问题，

---

① 中共中央文献研究室编《十六大以来重要文献选编》（中），中央文献出版社 2011 年版，第 928 页。

② 中共中央文献研究室编《十六大以来重要文献选编》（下），中央文献出版社 2011 年版，第 634 页。

还与上下级政府之间财权、事权的划分有着直接的联系。为此，中央提出，县乡财政管理体制改革，一是要根据目前县乡财政的实际状况，进一步完善省以下财政体制，提高县乡财政的自我保障能力。二是要进一步规范财政转移支付制度，完善中央对地方缓解县乡财政困难的奖补办法，继续加大对困难地区的转移支付力度，力争用几年时间较为明显地缓解县乡财政的困难。三是要改革县乡财政的管理方式，具备条件的地方，可以推进“省直管县”和“乡财县管”的改革试点。四是要按照公共财政的原则，进一步调整财政支出结构，增加公共产品和服务的支出比重。中央特别强调，在取消农业税后，必须确保财政困难县工资的及时足额发放和基层政权的正常运转。

经过五年的改革探索，农村综合改革取得显著成效。主要体现在：

一是乡镇机构改革不断深入。截至 2011 年年底，全国共有 33631 个乡镇已经完成改革，占乡镇总数的 98%。[①] 在乡镇机构改革中，各地把加强农村公共服务作为出发点和落脚点，着力转变政府职能，精简人员编制，对基层政权的组织结构、运行方式等进行大胆探索，积累了不少经验。改革后的乡镇机构人员更加精干，效率不断提高，大大降低了行政成本。经过改革，乡镇机构的角色从“管理”为主转向“服务”为主，履行职能的能力得到增强，为农民服务的水平得到提高。各地通过建立“一站式”服务、“办事代理制”、服务热线等便民服务措施，将面向农民群众的审批、服务、咨询事项集中统一到服务大厅办理。有的地区还鼓励县直部门和乡镇干部深入基层，现场为农民服务，变“坐堂办公”为“上门服务”。农民形象地说：“如今乡下村子变大了，乡里牌子减少了；帽子不多了，事情好办了，增收有路了；百姓动动嘴，干部就跑腿。”

二是农村义务教育改革稳步推进。为保障农村义务教育经费投入需要，2006 年以后，国家实行农村义务教育经费保障机制改革。到 2009 年年底，

① 高云才、陈仁泽：《农业免税，田野劲吹反哺风》，《人民日报》2012 年 8 月 17 日。

农村义务教育全面纳入公共财政保障范围，形成了“在国务院领导下，由地方政府分级负责、分级管理、以县为主”的办学体制和以政府投入为主、多渠道筹措资金的投入体制，实现了真正意义上的全国统一普及性的农村义务教育。同时，通过开展农村教师、教育资源配置等相关改革，推动义务教育均衡发展，农村孩子都有学上、都能上得起学的目标基本实现。

三是县乡财政管理体制不断完善。为缓解县乡财政困难，从2005年开始，中央财政实施“三奖一补”政策①，到2010年全面建立了县级基本财力保障机制，不断加大对地方的支持力度。同时，省以下财政体制进一步完善，“省直管县”和“乡财县管”稳步推进。截至2011年年底，全国有27个省份对1080个县实行了财政直接管理，2.93万个乡镇实行了“乡财县管”。② 基层财政的自我保障能力得到提高，基层政府提供基本公共服务的能力明显增强。

总体上看，通过农村综合改革，解决了农村税费改革的一些遗留问题，消除了一些加重农民负担的体制性因素，调整完善了农村生产关系和上层建筑，为新农村建设提供了体制保障。通过农村综合改革，扩大了公共财政覆盖农村的范围，为新农村建设提供了必要的财力支持。通过农村综合改革，基层政府的职能开始转变，农村公共服务不断完善，农村社会管理得到加强，为新农村建设提供了动力源泉。

## 四、全面推进集体林权制度改革

我国是一个多山的国家，山区占全国国土面积的69%。“七山一水一分田，半分道路和庄园”，是我国众多山区的真实写照。全国林地面积43亿

---

① “三奖一补”政策，是指为调动地方政府共同缓解县乡财政困难的积极性，中央财政根据地方工作实绩给予奖励和补助的激励约束机制。主要内容包括：对财政困难县新增财政收入以及所在省市级财政增加对这些县的财力性转移支付给予奖励；对县乡精简机构、人员以及增加重点支出给予奖励；对产粮大县给予奖励；对以前缓解县乡财政困难工作做得好的地区给予补助。

② 杨亮：《近3万个乡镇实现“乡财县管”》，《光明日报》2012年9月1日。

亩，是耕地面积的2.4倍。林地是国家重要的土地资源，是林业重要的生产要素，是农民重要的生活保障。加快发展林业，对于维护国家的生态安全、能源安全、经济安全具有重要战略意义，利在当代、荫及后世。

中共十一届三中全会以后，随着耕地承包经营制的普遍推行，林地的家庭承包经营制也曾开始得到推行。1981年7月21日，国务院办公厅转发林业部《关于稳定山权林权，落实林业生产责任制情况简报》，要求各地尽快稳定山权林权、划定自留山、确定林业生产责任制。然而始料不及的是，一些地方在实行林地承包经营后，出现了“砍多种少”的局面。此后，关于林权制度的改革，沉寂了20余年。长期以来，由于林权制度和配套管理体制不完善等方面的原因，林地蕴藏的巨大潜力和林农的生产积极性一直没有得到充分发挥，广大林农“守着金山受穷”。我国用18亿亩耕地解决了13亿人的吃饭问题，43亿亩林地却没有解决13亿人的木材需求问题。

至于当时为什么承包后会出现“砍多种少”的情况，原因是多方面的，包括税费负担过重、经营林地收益很低、森林砍伐管理制度不健全、林业经营周期长等客观原因，但根本原因还是林地的产权不明晰、经营主体不落实、经营机制不灵活、利益分配不合理等问题普遍存在。同时，由于长期受人民公社管理体制的影响，林农对政策的稳定性缺乏信心，林农的物质利益没有得到落实，积极性也就难以充分发挥出来。

随着耕地家庭联产承包责任制长期实施，林农对中央政策稳定的信心明显增强，加上经营林业收益的日益增加，一些地方创新林地经营制度的积极性明显提高。在20世纪末期，这一方面的探索就开始产生。1998年，福建三明永安市洪田镇洪田村率先进行了“分山到户，联户经营”的集体林权制度改革。当年10月开始，洪田村陆续将通过林业站评估的所有山林按当时在册的合法人口均分，每人分得山地6.2亩。该村当时的利益分配方案是原有山林材积的70%归承包户，30%上缴村集体；新增材积80%归承包户，20%上缴村集体。与此同时，对生态公益林按照就近管护的原则，采取与用材林捆绑方式承包给16个联合体管护，严格实行“砍一罚十”的办法。分山以后，林农的种树积极性和护林意识明显提高，林地面积不仅没有减少反而明显增加，全村未发生一起林木盗窃案件，也未发生一起火灾。此后，农民自发开展“分山”的探索逐渐多了起来。

随着各地探索实践的增多及其成效的显现，中央对林改问题日益重视。2003年6月25日，中共中央、国务院作出《关于加快林业发展的决定》，提出要进一步完善林业产权制度，对目前仍由集体统一经营管理的山林，要区别对待，分类指导，积极探索有效的经营形式。[①] 此后，以明晰产权、减轻税费、放活经营、规范流转为主要内容的集体林权制度改革试点在福建、江西、辽宁、浙江等省启动，林权制度改革进入以建立家庭承包经营为主的产权制度改革新阶段。截至2008年8月底，全国承包到户的林地超过8亿亩，占全国集体林业用地的30%。[②]

为进一步解放和发展林业生产力，2008年6月8日，中共中央、国务院发出《关于全面推进集体林权制度改革的意见》[③]（以下简称《意见》），决定用5年时间，在全国基本完成集体林权制度改革。集体林权制度改革的主要内容是，确立集体林业的经营主体，明晰林地使用权和林木所有权，放活经营权，落实处置权，保障收益权，实现“山有其主，主有其权，权有其责，责有其利”，建立起以农村集体经济组织内部家庭承包经营为基础、多种经营形式并存、责权利相统一的集体林业经营体制。

在明晰产权方面，与耕地实行家庭承包经营一样，此次改革的核心问题，就是在坚持集体林地所有权不变的前提下，通过采取家庭承包经营方式，将林地承包经营权和林木所有权落实到本集体经济组织的农户，从而把林地真正变成农户的生产资料。这是新一轮集体林权制度改革区别于历次集体林权制度改革的根本不同和重大突破。《意见》明确规定：“林地的

---

① 中共中央文献研究室编《十六大以来重要文献选编》（上），中央文献出版社2011年版，第329—330页。

② 陈锡文、赵阳、罗丹：《中国农村改革30年回顾与展望》，人民出版社2008年版，第275页。

③ 中共中央文献研究室编《十七大以来重要文献选编》（上），中央文献出版社2009年版，第470—476页。

承包期为70年。承包期届满，可以按照国家有关规定继续承包。”这是目前我国土地承包政策的最长年限，充分表明党在农村的基本政策不会动摇，给农民吃下“定心丸”。这一政策，符合林业生产周期长的特点，进一步发出党的农村政策长久不变、永久不变的强烈信号，让农民对林地敢于投入、舍得投入，有利于促进农民持续增收，推进现代林业建设。

在放活经营权方面，按照森林的用途和生产经营目的，将森林划分为公益林和商品林，把立地条件好、采伐和经营利用不会对生态平衡和生物多样性造成危险的森林和林木，划定为商品林；把生态区位重要或生态脆弱区域的森林和林木，划定为公益林。放活经营的对象主要是商品林。《意见》明确规定：“对商品林，农民可依法自主决定经营方向和经营模式，生产的木材自主销售。”对生态公益林，也在一定程度上进行了放活。《意见》规定：“对公益林，在不破坏生态功能的前提下，可依法合理利用林地资源，开发林下种养业，利用森林景观发展森林旅游业等。”这项政策，有助于进一步提高公益林经营者的收益。

在落实处置权方面，与耕地承包经营一样，处置权的核心是流转的权利。《意见》明确规定：“在不改变林地用途的前提下，林地承包经营权人可以依法对拥有的林地承包经营权和林木所有权进行转包、出租、转让、入股、抵押或作为出资、合作条件，对其承包的林地、林木可依法开发利用。”这项政策，赋予了林地承包经营权人依法对森林、林木和林地使用权的流转权利。

在保障收益权方面，《意见》明确了要保障林农三个方面的收益权，即农户承包经营林地的收益权、林地征收补偿权和森林生态效益补偿权。

集体林权制度改革，一手牵着国家生态，一手牵着群众实惠，涉及面广、政策性强、操作难度大，是一项非常复杂的系统工程。为此，中央强调，在改革中要切实维护农民的根本利益，该给的利益要给足，该减的负担要减够，该搞的服务要搞好，真正使集体林权制度改革成为惠及千家万户的德政之举、民心工程。集体林权制度改革，决不能牺牲生态，更不能以破坏生态为代价，这是必须坚守的一条底线。要坚持让利于民的原则，确保农民多得利、得“大头”，同时引导集体通过搞好社会化服务、多渠道盘活林产资源，分享林业发展收益，壮大集体经济实力。要保障农民群众对改革的知情权、参与权、决策权和监督权，不能包办代替、强制推行。同时，还要因地制宜推进各项配套改革，为林业的改革与发展创造良好的外部环境。①

总体上看，集体林权制度改革进行得比较顺利。到 2012 年年底，完成确权集体林地面积 27 亿亩、发林权证面积 25.78 亿亩，分别占全国集体林地总面积的 98.6% 和 94.2%。②

集体林权制度改革，将林地使用权和林木所有权确权到户，使林农有了属于自己的生产资料，真正成为山林的主人。山林从“我们的”变成了“我的”，一字之差，天壤之别；农民从“要我干”变为“我要干”，顺序一变，大不相同。山林承包到户后，如同 20 世纪 80 年代家庭联产承包责任制的推广一样，广大林农造林育林护林的积极性空前高涨，“管好自家山，看好自家林”成为自觉行动，他们舍得投入，精心经营，把山当田耕，把树当菜种，山林产出率明显提高，森林资源明显增加。据统计，2008 年、2009 年，全国完成造林 7157 万亩和 8827 万亩，分别比上一年增长 22.1% 和 23.3%。③ 以重庆为例，仅 2009 年一年，重庆市就造林 798 万亩，超过前 10 年的总和。④ 森林资源如此快速增长，很大程度上归功于集体林权制度改革。分林到户后，林业成为新的投资热点，林农把林子当成摇钱树，

① 《回良玉在全国集体林权制度改革现场经验交流会上强调　紧紧围绕发展林业振兴林区富裕林农的目标　积极稳妥地推进集体林权制度改革》，《人民日报》2006 年 8 月 27 日。

② 张顺喜：《农业基础进一步巩固和加强》，载国务院研究室编《十二届全国人大一次会议〈政府工作报告〉辅导读本》，人民出版社、中国言实出版社 2013 年版，第 43 页。

③ 顾仲阳：《集体林权制度改革，从深层次激发了广大林农造林育林护林的积极性——林改吹绿万重山》，《人民日报》2010 年 2 月 23 日。

④ 黄庆畅：《我国集体林权制度改革成效初显　林业总产值五年翻一番》，《人民日报》2011 年 4 月 22 日。

把林地当作聚宝盆，积极发展林下产业，在山林中拓展致富空间，挖掘发展潜力，农民有了稳定收入。全国林业总产值由2006年的1.07万亿元增加到2010年的2.09万亿元，五年翻了一番。[①]同时，集体林权制度改革和林业产业的快速发展，还创造了大量就业岗位，大大拓展了农民就业增收的空间。2008年全球金融危机爆发后，造成很多农民外出务工困难，林改为这些返乡农民工提供了就业和致富的平台，一些省份有几十万甚至上百万农民工返乡务林，出现“城里下岗、山上创业”，“一户承包、全家就业”的局面。此外，在集体林权制度改革中，各地坚持把重大问题的决策权交给农民，做到政策、程序、方法、内容、结果“五公开”，有利于解决农民最关心的林地权属和利益分配问题，化解长期存在的历史遗留问题和矛盾纠纷，农村基层民主政治建设和党群干群关系大为改善。

因此，通过集体林权制度改革，尽管山还是那些山，人还是那些人，但由于体制的改变，实现了“山定权，树定根，人定心”，山迸发出活力，人释放出激情，广大林区呈现山清水秀人和谐的良好局面。“越采越多，越采越好，青山常在，永续利用”[②]的美好图景在神州大地逐步展现。

集体林权制度改革是农村家庭承包经营从耕地向林地的拓展和延伸，是对农村基本经营制度的丰富和完善，是调动亿万农民积极性、构建绿色生态屏障的重大举措。这一改革，从根本上解决了过去长期存在的产权不明晰、经营主体不落实、经营机制不灵活、利益分配不合理等问题。由于我国集体林地面积远远大于耕地，林地及林木财产价值较高，林权的物权性质更强，从这个意义上说，集体林权制度改革的意义不亚于改革开放初期的耕地承包。这是对生产关系的又一次重大调整，是遵循发展规律、顺乎农民意愿、符合农村实际的改革与创新。

---

① 黄庆畅：《我国集体林权制度改革成效初显　林业总产值五年翻一番》，《人民日报》2011年4月22日。

② “越采越多，越采越好，青山常在，永续利用”，是周恩来的林业建设思想。参见中共中央文献研究室、国家林业局编《周恩来论林业》，中央文献出版社1999年版，第112页。

除了上述改革，在“三农”领域，我国还全面放开粮食购销，迈出农产品市场化改革的决定性步伐。2004 年，中央果断决定全部放开粮食购销，实行最低收购价政策。这项改革，使所有农产品流通纳入市场化运行的轨道，是社会主义市场经济体制改革的重大成果，为充分发挥市场在农业资源配置中的基础性作用、促进农业发展提供了制度保障。

## 第四节　建设社会主义新农村

中共十六大以后，以胡锦涛同志为总书记的党中央深刻总结新中国成立以来特别是改革开放以来农村改革发展的经验，从中国实际出发，提出了建设社会主义新农村的历史任务。

### 一、建设社会主义新农村历史任务的提出

2005 年 10 月，中共十六届五中全会通过的《中共中央关于制定国民经济和社会发展第十一个五年规划的建议》，明确提出：“建设社会主义新农村是我国现代化进程中的重大历史任务。要按照生产发展、生活宽裕、乡风文明、村容整洁、管理民主的要求，坚持从各地实际出发，尊重农民意愿，扎实稳步推进新农村建设。”[①]这是十六大之后，党的正式文件中关于建设社会主义新农村的最早论述，是党中央统揽全局作出的重大决策。

21 世纪之初，中共中央为什么提出建设社会主义新农村的历史任务？这就需要从我国当时农村发展的实际情况来分析。改革开放后，我国农业和农村发生了深刻变化，农村经济社会发展取得了伟大成就。但是，农业和农村发展仍然处在艰难的爬坡阶段，制约农业和农村发展的深层次矛盾

① 中共中央文献研究室编《十六大以来重要文献选编》（中），中央文献出版社 2011 年版，第 1066 页。

尚未消除，促进农民持续稳定增收的长效机制尚未形成，农村经济社会发展滞后的局面也还没有根本改变。当时的突出问题主要有：一是农业基础薄弱，生产力水平较低。我国农业总体上仍然是靠天吃饭，手工劳动仍占不小比重。农业抵御自然灾害的能力不强，农业综合生产能力不高，农产品特别是粮食稳定增产的长效机制还没有形成。科技对农业增长的贡献率还不高。平均每个农业劳动力一年生产的粮食、肉类、水果等农产品的数量仅相当于发达国家的几十分之一。人均占有的粮食、肉类等主要农产品数量还不到发达国家的一半。农产品市场面临着国际竞争的巨大挑战。二是农民收入水平低，城乡居民收入差距拉大，农村消费不旺。改革开放以来，尽管做了很大努力，但长期形成的工农失调、城乡失衡状况还没有根本改观，有些方面还有所加剧。1984 年城乡居民收入比为 1.81∶1，1994 年扩大为 2.86∶1，2005 年进一步扩大为 3.22∶1。农村消费品零售额占全社会消费品零售额的比重，由 1980 年的 65.7% 下降到 2005 年的 32.9%。2004 年、2005 年两年，农民收入虽然实现了较快增长，但农民增收的基础并不稳固，农民增收的难度仍然很大。三是农村公共事业发展滞后，城乡面貌反差较大。城乡基础设施和社会事业发展差距是我国城乡差距的主要表现之一。农村生产生活基础设施落后的问题突出，全国仍有近 4 万个村不通公路；一半的行政村没有通自来水；3 亿多农村人口的饮用水没有达到卫生安全标准；60% 以上的农户还没有用上卫生厕所；2% 的村庄还没有通电。农村教育、卫生、文化等社会事业发展滞后，上学难、看病难等问题还相当突出。农村还有不少不识字或识字很少的人口；全国有 30 万个 20 户以上的自然村、约 4600 万农民群众看不到电视；农村人口中还有相当一部分人看不起病或因病致贫。四是农村安定和谐面临许多压力，存在不少不稳定因素。农村富余劳动力转移压力加大，农民养老等社会保障不健全，农村贫困人口基本生活保障还不普遍。农村基层民主政治和政权建设还需要进一步加强。一些乡村因征地、环境污染、干群关系等问题引发的人民内部矛盾相当突出，有的地区农村社会治安状况不好，有的地方宗族、宗派势力问题突出。五是农村体制机制不健全，发展的内在活力不强。适应社会主义市场经济体制和现代农业发展要求的体制机制没有完全形成，农业社会化服务体系、农产品市场体系和对农业的支持保护体系不健全，统筹城乡发展的体制机制没有完全建立起来，深化农村改革的任务还很繁重。

这些矛盾和问题，有的是在长期历史发展中积累下来的，有的是在现实发展中形成的，而且它们相互交织，解决起来难度很大。因此，在推进工业化、城镇化的过程中，必须更加注重城乡区域的协调发展，切实加快农村发展步伐，尽快遏止城乡差距扩大的趋势，努力形成工业与农业相互促进、城市与农村共同繁荣的新局面。

建设社会主义新农村，是贯彻落实科学发展观的重大举措。建设社会主义新农村，促进城乡协调发展，是科学发展观的题中应有之义。坚持以人为本，必须立足于城乡全体居民，让占人口大多数的农民群众参与发展进程、共享发展成果。实现全面协调可持续发展，必须着眼于所有城镇乡村，重视把农村的事情办好。如果脱离农民群众的愿望，忽视农民群众的利益，发展就没有真正体现以人为本；如果农村经济社会发展滞后，农村生态环境没有明显改善，发展就不可能真正做到全面协调可持续。

建设社会主义新农村，是确保现代化建设顺利推进的必然要求。国际经验表明，能否保持工农城乡之间的协调发展，是现代化建设成败的重要前提。一些国家较好地处理了工农城乡关系，经济社会得到迅速发展，较快地迈进了现代化国家的行列。但也有一些国家没有处理好工农城乡关系，导致农村长期落后、人口过分向城市集中，形成了数量庞大的城市贫困阶层，致使经济停滞甚至倒退，现代化进程严重受阻。我国是一个人口众多、二元结构明显的发展中大国，在推进工业化、城镇化过程中，必须深刻汲取国外正反两方面的经验教训，走具有中国特色的工业与农业协调发展、城市与农村共同繁荣的现代化道路。如果城乡差距进一步扩大，农村不能摆脱落后面貌，我国就不可能成为真正意义上的现代化国家。

建设社会主义新农村，是全面建设小康社会的重点任务。我们全面建设的小康社会，是惠及十几亿人口的更高水平的小康社会。改革开放以来，我国城市面貌发生了巨大变化，不少城市的发展水平已经接近或达到一些发达国家水平，但农村却还有一些地方通不了路、看不起病、上不起学、喝不上干净水。2005 年，我国的城镇化率为 43%，大部分人口生活在农村。即使将来城镇化率达到 60% 以上，全国也还有 6 亿左右人口生活在农村，农民依然是一个十分庞大的社会群体。如果农业问题解决不好，农村面貌得不到有效改变，农民生活得不到明显改善，全面建设小康社会就会成为空话。因此，实现全面建设小康社会的宏伟目标，重点在农村，难点也在农村，要通过推进社会主义新农村建设，加快农村全面建设小康的进程。

建设社会主义新农村，也是保持国民经济平稳较快发展的持久动力。对于中国这样一个拥有 13 亿人口的大国来说，扩大国内需求是经济发展的长期战略方针和基本立足点。农村人口占大多数，集中着我国数量最多、潜力最大的消费群体，是我国经济增长最可靠、最持久的动力源泉。通过推进社会主义新农村建设，可以加快农村经济发展，增加农民收入，使亿万农民的潜在购买意愿转化为巨大的现实消费需求，拉动整个经济的持续增长。特别是通过加强农村道路、住房、能源、水利、通信等建设，既可以改善农村的生产生活条件和农民的消费环境，大大释放消费潜力，又可以消化部分行业的过剩生产能力，促进相关产业发展。

总之，我国农业和农村发展的客观情况，对党的农村工作提出了新任务、新要求：既要发展农村生产力，又要调整农村生产关系；既要加强农村经济建设，又要加强农村政治建设、文化建设、社会建设和党的建设；既要促进农村经济社会发展，又要促进农民的自身发展。正是在这样一个历史背景下，中共中央审时度势地提出建设社会主义新农村的历史任务。它涵盖了农村发展的各个方面，为进一步做好“三农”工作提供了一个总抓手，为促进农村经济社会全面进步确立了一个新目标。

实际上，建设社会主义新农村不是一个新概念。新中国成立以后，中国共产党对建设社会主义新农村进行不懈探索，在不同时期曾多次提出过建设社会主义新农村的任务和要求。20 世纪 50 年代，中共中央文件中就曾多次使用过这个提法。但由于受经济社会发展水平的限制，以前提出这个目标，主要是把它作为一种憧憬和发展的方向。进入 20 世纪 80 年代后，伴随着农村改革推进，党中央再次提出建设社会主义新农村，并不断丰富其内涵。中共十六届五中全会进一步明确提出建设社会主义新农村，同改革开放以来提出的农村改革发展目标在战略思想上是一脉相承的，都是为了促进农业和农村发展、改善农民生活，促进国家经济社会发展、保持社会稳定，同时又有着鲜明的时代特征。第一，从思路看，这次强调建设社会主义新农村，是要贯彻科学发展观，统筹城乡发展，推动农村全面建设小康社会进程，指导方针更明确。第二，从背景看，这次强调建设社会主义新农村，是在我国经济实力不断增强、农村生产力持续发展、农村经营体制日趋完善的新形势下提出的，发展起点更高。第三，从目标看，这次强调建设社会主义新农村，提出了生产发展、生活宽裕、乡风文明、村容整洁、管理民主的总体要求，体现了经济建设、政治建设、文化建设、社会建设和党的建设协调统一的发展要求，工作布局更全。第四，从方式看，这次强调建设社会主义新农村，明确要加大国家投入力度，实行工业反哺农业、城市支持农村，并动员全社会广泛参与，扶持力度更大。

因此，在全面建设小康社会的历史进程中，中共中央提出建设社会主义新农村，不是权宜之计，也不是一般性的工作部署，而是从党和国家事业发展的全局出发确定的一项重大历史任务。这是对中国共产党长期以来特别是改革开放以来重视“三农”问题的战略思想的继承和发展，是在新形势下加强“三农”工作、更好推进全面建设小康社会进程和社会主义现代化建设的战略举措。

## 二、推动社会主义新农村建设

为了从党和国家工作全局上推进社会主义新农村建设，2005 年 12 月 31 日，中共中央、国务院发出《关于推进社会主义新农村建设的若干意见》

（以下简称《意见》）。这是2006年的中央“一号文件”，也是21世纪中央发出的第三个关于“三农”问题的“一号文件”。《意见》依据我国总体上已进入以工促农、以城带乡发展阶段的新情况，明确提出了“十一五”时期推进社会主义新农村建设的总体要求和方针政策。《意见》指出：要全面贯彻落实科学发展观，统筹城乡经济社会发展，实行工业反哺农业、城市支持农村和“多予少取放活”的方针，按照“生产发展、生活宽裕、乡风文明、村容整洁、管理民主”的要求，协调推进农村经济建设、政治建设、文化建设、社会建设和党的建设。《意见》强调，推进新农村建设是一项长期而繁重的历史任务，必须坚持以发展农村经济为中心，进一步解放和发展农村生产力，促进粮食稳定发展、农民持续增收；必须坚持农村基本经营制度，尊重农民的主体地位，不断创新农村体制机制；必须坚持以人为本，着力解决农民生产生活中最迫切的实际问题，切实让农民得到实惠；必须坚持科学规划，实行因地制宜、分类指导，有计划有步骤有重点地逐步推进；必须坚持发挥各方面积极性，依靠农民辛勤劳动、国家扶持和社会力量的广泛参与，使新农村建设成为全党全社会的共同行动。在推进新农村建设工作中，要注重实效，不搞形式主义；要量力而行，不盲目攀比；要民主商议，不强迫命令；要突出特色，不强求一律；要引导扶持，不包办代替。①

为进一步统一认识，在实践中推动社会主义新农村建设工作的贯彻落实，2006年2月，中共中央举办省部级主要领导干部建设社会主义新农村专题研讨班。2月14日，胡锦涛在专题研讨班开班式上讲话，深刻论述了建设社会主义新农村的重大意义。他强调：“‘三农’问题始终是关系党和人民事业发展的全局性和根本性问题，农业丰则基础强，农民富则国家盛，农村稳则社会安。建设社会主义新农村是一项长期的历史任务。从本世纪头20年实现全面建设小康社会的目标，到本世纪中叶我国基本实现现代化，建设社会主义新农村需要经过几十年的艰苦努力。从更长远的时间看，即

① 中共中央文献研究室编《十六大以来重要文献选编》（下），中央文献出版社2011年版，第139—141页。

使将来基本实现现代化了，‘三农’问题依然是关系我国发展全局的重大问题，一定要树立长期作战的思想，坚持不懈地做好‘三农’工作。”对于当前和今后一个时期建设社会主义新农村的主要任务，胡锦涛明确指出，要发展农村生产力，促进农村经济繁荣；着力促进农民增收，提高农民生活水平；加强民主法制建设，保障农民民主权利；加强精神文明建设，培育造就新型农民；推进和谐社会建设，保持农村社会稳定；全面深化农村改革，增强农村发展活力。①

2月20日，温家宝在专题研讨班结业式上讲话，强调了推进社会主义新农村建设需要把握的一些重大问题，提出了社会主义新农村建设的原则要求和政策措施。他指出，建设新农村是一个与现代化建设同步的过程，要充分认识其长期性、艰巨性和复杂性，树立长期奋斗的思想，锲而不舍地推进，不断加快农村发展。温家宝强调，建设社会主义新农村必须坚持以经济建设为中心，推动农村全面进步；必须落实好党的农村政策，深化农村改革；必须实行城乡统筹，加大对农业和农村发展的支持力度，扩大公共财政覆盖农村的范围，将国家基础设施建设的重点转向农村；必须坚持尊重实际、尊重群众，让农民得到实实在在的利益；必须立足当前、着眼长远，注重解决农民最关心、最迫切的问题，抓好农村基础设施建设，加快发展农村教育、卫生和文化事业，着力解决农村基础设施滞后和农民上学难、看病难等突出问题。针对新农村建设中出现的新情况新问题，他强调，改变农村面貌需要进行村庄建设和环境治理，但不能把社会主义新农村建设简单理解为就是村庄建设。村庄建设必须建立在经济社会发展的基础上。要防止搞不切实际的大拆大建，搞劳民伤财的形象工程，也要防止违背群众意愿随意并村。要坚持从实际出发，因地制宜，分类指导，不搞一刀切。要量力而行，充分考虑当地财力和群众的承受能力，不能盲

① 中共中央文献研究室编《十六大以来重要文献选编》（下），中央文献出版社2011年版，第273—288页。

目攀比、急于求成，更不能通过加重农民负担和增加乡村负债搞建设。[①]

建设社会主义新农村、解决好“三农”问题，县一级是关键。为此，按照中央部署，从 2006 年 4 月至 2007 年 1 月，中共中央党校（国家行政学院）、中国浦东干部学院、中国井冈山干部学院和中国延安干部学院，连续举办 50 期全国县委书记县长“建设社会主义新农村”专题培训班，对全国 5474 名县（市、区、旗）委书记、县（市、区、旗）长进行培训。中央直接组织全国县委书记、县长到国家级干部院校进行集中统一的专题培训，这在党的历史上是少有的，充分体现了中共中央对建设社会主义新农村的高度重视。通过专题培训，学员们增强了在推进新农村建设的实践中建功立业的责任感和使命感，积极运用学到的理论知识指导新农村建设各项工作，在推进新农村建设中迈出了坚实步伐。

中央的决策部署，也激发了亿万农民建设美好家园的积极性。他们投身建设社会主义新农村的火热实践，广袤的田野上再次孕育出新的希望。

建设社会主义新农村，充分表明了中国共产党统筹城乡发展、解决“三农”问题的坚定决心，深刻体现了贯彻落实科学发展观的时代要求，集中代表了亿万农民的愿望和根本利益。实践表明，这是一条适合中国国情的农村发展道路，对于解决“三农”问题，全面建设小康社会，具有重大的现实意义和深远的历史意义。

① 《温家宝在省部级主要领导干部建设社会主义新农村专题研讨班结业式上强调　统筹城乡发展　加大对三农支持力度　扎实推进社会主义新农村建设》，《人民日报》2006 年 2 月 21 日。

# 第四章

# 实施总体发展战略
# 统筹区域协调发展

我国地域辽阔、人口众多，各地区自然条件、社会人文、资源禀赋和经济社会发展水平差异很大，区域发展不平衡是一个基本国情。促进区域协调发展，是改革开放和社会主义现代化建设的战略任务，也是全面建设小康社会的必然要求。针对改革开放以来区域发展出现的新情况新问题，2002年中共十六大对我国区域发展战略格局作出新的调整和完善，在1986年“七五”计划关于东、中、西部三大经济地带划分的基础上，首次将我国区域发展布局划分为东部、中部、西部和东北四大板块。十六大以后，以胡锦涛同志为总书记的党中央以科学发展观为指导，大力实施区域发展总体战略，深入推进西部大开发，全面振兴东北地区等老工业基地，大力促进中部地区崛起，积极支持东部地区率先发展，推动形成“东中西互动、优势互补、相互促进、共同发展”的战略新格局，有力地促进了区域协调和平衡发展。

## 第一节　深入推进西部大开发

西部地区包括重庆、四川、贵州、云南、西藏、陕西、甘肃、青海、宁夏、新疆、内蒙古、广西12个省区市，占全国国土面积逾七成，人口约占全国人口三成。西部地区山河壮美，资源富集，发展潜力巨大。1999年，中央作出了西部大开发的重大战略决策。到2002年中共十六大召开时，西部大开发战略已经实施近三年，各项工作取得明显进展。然而，实施西部大开发是一项长期艰巨的历史任务，需要进行持续不懈的努力。十六大以后，以胡锦涛同志为总书记的党中央把西部大开发摆在区域协调发展总体战略的优先地位，不断提高西部大开发水平，使西部大开发沿着科学发展的轨道顺利前进。

2004年3月11日，国务院印发《关于进一步推进西部大开发的若干意见》（以下简称《意见》），指出没有西部地区的小康，就没有全国的小康；没有西部地区的现代化，就不能说实现了全国的现代化；要以更大的决心、更有力的措施、更扎实的工作，推动西部地区经济持续快速协调健康发展和社会全面进步。[①]《意见》明确了进一步推进西部大开发的指导思想和基本原则，提出9个方面的重点任务，即扎实推进生态建设和环境保护，继续加快基础设施重点工程建设，大力调整产业结构，积极推进重点地带开发，大力加强科技教育卫生文化等社会事业，深化经济体制改革，拓宽资金渠道，加强西部地区人才队伍建设，加快法制建设步伐。随后，3月19日至20日，国务院召开西部开发工作会议，强调中央继续推进西部大开发的战略不会动摇，国家对西部大开发的支持力度不会减弱，西部地区经济社会

① 中共中央文献研究室编《十六大以来重要文献选编》（上），中央文献出版社2011年版，第879—880页。

发展步伐不会放慢。[①]

西部大开发是一项宏大的系统工程，内容纷繁复杂，各项任务不可能齐头并进，必须分清先后主次，抓住关键环节和瓶颈予以突破。因此，国家确定了“以线串点、以点带面”的发展战略，针对交通不便、水土流失严重、人才不足、科教落后等问题，把工作重点放在具有基础性、公共性的领域，包括基础设施建设、生态环境保护、科技教育、人才培养和民生问题。

西部大开发战略启动时，党中央就提出要重点抓好交通、通信、能源等基础设施建设。为此，西部大开发按照重点先行、适当超前的方针，每年开工一批重大基础设施建设项目。特别是抓住关系全局的骨干工程，办成了一些多年来想办而没办成的大事，开展了青藏铁路、西电东送、西气东输等标志性工程建设，带动西部开发的全局。

建设青藏铁路是几代中国人梦寐以求的愿望。1958 年，中央决定建设青藏铁路西宁至格尔木段，1984 年 5 月这段铁路建成通车。进入 21 世纪，从推进西部大开发、实现各民族共同发展繁荣大局出发，中央作出了修建青藏铁路格尔木至拉萨段的重大决策。格尔木至拉萨段全长 1142 公里，作为世界上海拔最高、线路最长的高原铁路，工程建设面临多年冻土、高寒缺氧、生态脆弱三大世界性工程难题，施工难度之大、设备可靠性和安全性要求之高在世界铁路建设史上前所未有。在特殊的地理和气候条件下，广大科技工作者和全体建设人员发扬自力更生精神，大力推进科技创新，以惊人的毅力和勇气战胜了各种难以想象的困难，取得一系列重大成果，为进行多年冻土施工、发展高原医学事业、保护生态环境积累了宝贵经验。2006 年 7 月 1 日，青藏铁路终于全线建成通车。美国旅行家曾经预言：“有昆仑山脉在，铁路就永远到不了拉萨。”而青藏铁路修到“世界屋脊”，结束了西藏自治区没有铁路的历史。这条神奇的“天路”，为青海、西藏的发

① 《总结经验　完善政策　坚定不移地实施西部大开发战略》，《人民日报》2004 年 3 月 22 日。

展带来历史性机遇，对于改善各族群众生活，促进民族团结和巩固祖国边防，都具有十分重大的意义。

西电东送是西部大开发战略的骨干工程。我国煤炭资源主要分布在西部和北部地区，水能资源主要集中在西南地区，东部地区的一次能源资源匮乏、用电负荷相对集中。能源资源与电力负荷分布的不均衡性决定了西电东送的必要性。西电东送工程 2001 年开工建设，到 2010 年总投资超过 5200 亿元（不包括三峡电站）。10 年间，西电东送覆盖了从西到东的辽阔地区，除海南、新疆、西藏和台湾外，我国六大区域电网实现异步联网。西电东送工程向东部地区输送了大量经济、高效、清洁的能源，不仅满足了日益增长的电力需求，平抑了部分省过高的电价，而且减轻了日益严重的环保压力，从而为东部地区的经济社会发展带来巨大效益，有力地促进了我国电力结构调整，优化了资源配置。

在西部大开发中，西气东输是标志性工程。西气东输是将新疆塔里木等西部气田的天然气，输送到长江三角洲等中东部地区的宏大工程。它包括气田开发、输气管道建设、天然气利用等项目。其中输气管道工程干线全长近 4000 公里，自西向东跨越新疆、甘肃、宁夏、陕西、山西、河南、安徽、江苏、浙江、上海 10 个省区市，穿越戈壁沙漠、河西走廊、黄土高原，越过吕梁山、太岳山、太行山，三次穿越黄河，并穿过长江、淮河和江南水网。沿途地形地貌之复杂，施工难度之大，堪称世界管道建设之最。2002 年 7 月 4 日，西气东输一线工程（新疆轮南至上海）开工，2004 年 12 月 30 日，全线建成并正式运营。西气东输的建成投产，惠及人口超过 4 亿，标志着我国能源建设翻开了新的一页，有利于改善我国能源结构，保障能源安全，促进东中西部互动，对于推动西部地区可持续发展具有重大战略意义。

实施西部大开发伊始，国家就十分注意处理开发与环境保护之间的关系，相继实施退耕还林、退牧还草和三江源[①]保护等工程，生态建设和环境保护取得显著成效。从 1999 年在四川、陕西、甘肃启动退耕还林试点，到 2008 年年底，共完成退耕地造林 1.39 亿亩、荒山荒地造林 2.37 亿亩、封山育林 2700 万亩，累计造林 4.03 亿亩，占同期全国造林总面积的 52%。[②]西部地区广大人民用辛勤的劳动，一镢头一镢头、一棵树一棵树地创造出了退耕还林的伟大奇迹。2003 年，国务院启动退牧还草工程。到 2009 年年底，中央累计投入退牧还草工程资金 176 亿元。[③]实施退牧还草后，在内蒙古东部、蒙甘宁西部、青藏高原东部、新疆北部等四大片草原退化严重地区，通过禁牧封育、季节性休牧、划区轮牧和补播草种等方式，天然草原得以休养生息，草原植被明显恢复，西部草原渐露生机。2003 年，国务院批准将三江源自然保护区升级为国家级自然保护区。2005 年 1 月，国务院第七十九次常务会议批准实施三江源自然保护区生态保护和建设工程。为了保护青藏高原的生态环境，青海省政府决定从 2006 年起，对三江源地区不再进行 GDP 考核，而是把生态保护和建设列为三江源地区各级政府工作的主要考核内容。[④]经过几年的建设，三江源地区的区域生态环境有了明显改善，黄河源头的“千湖奇观”再度显现。

西部大开发之初，国家强调西部大开发起点要高，绝不搞重复建设，先把主要投资放在基础设施和生态环境建设上，对加工业发展采取了审慎的态度。几年后，随着西部投资环境的改善，与此同时国内市场发生很大变化，加快西部加工业发展重新提上日程。经过上下互动、科学论证，认识趋于一致，应当发挥西部的比较优势，调整产业结构，着力发展特色优势产业，以增强西部地区自我发展能力。2006 年 5 月，国务院西部地区开

---

① 三江源位于青藏高原腹地，因长江、黄河、澜沧江同源于此而得名，每年向下游供水达 600 亿立方米，被誉为“母亲河的母亲”“中华水塔”。三江源流域总面积达 36.31 万平方公里。其中，以高原湿地生态系统为主的自然保护区面积达 15.23 万平方公里，是世界上海拔最高、面积最大、生物多样性最集中、湿地类型最丰富的地区，也是我国最重要、影响范围最大的生态调节区之一，同时也是生态系统最为脆弱的地区。

② 曾培炎：《西部大开发决策回顾》，中共党史出版社、新华出版社 2010 年版，第 166 页。

③ 曾培炎：《西部大开发决策回顾》，中共党史出版社、新华出版社 2010 年版，第 192 页。

④ 曾培炎：《西部大开发决策回顾》，中共党史出版社、新华出版社 2010 年版，第 205 页。

发领导小组办公室等六部门发布《关于促进西部地区特色优势产业发展的意见》，系统提出了发展西部地区特色优势产业的总体思路、发展重点以及政策措施。在这份文件中，能源及化学工业、重要矿产开发及加工业、特色农牧业及加工业、重大装备制造业、高技术产业、旅游产业被确定为西部地区的六大特色优势产业，国家给予相应的优惠政策进行扶持。在文件精神的指导下，西部地区的特色优势产业发展很快有了良好开端，一批特色优势产业逐步成长为当地的支柱产业，既促进了当地经济的可持续发展，又通过产业开发支援了全国建设。

在西部大开发中，我国从“油路到县、送电到乡、广播电视到村、退耕还林到户”等民生工程入手，改善西部中小城市和农村地区的生产生活基础设施。2002 年以后，又重点实施包括节水灌溉、人畜饮水、农村沼气、农村水电、乡村道路、草场围栏建设在内的“六小”工程。此外，还陆续启动“两基”攻坚计划、实施“两免一补”政策、建设医疗卫生服务体系等一大批公共服务项目。这一系列惠民工程的陆续实施，使西部地区中小城市和广大农村的生产生活条件得到显著改善，基本公共服务水平有了大幅提升，解决了一大批事关老百姓切身利益的问题，有力地促进了西部地区经济社会的发展。如果说大工程、大项目是西部大开发过程中浓墨重彩的大手笔，那么在西部地区实施的惠民工程则是润物无声的春雨。这些工程，体现了中国共产党始终代表最广大人民根本利益的重要思想和以人为本的科学发展理念。

西部大开发需要大量资金投入，各级政府特别是中央政府给予了重点支持。2008 年，西部地区受到特大自然灾害和国际金融危机的双重冲击。在应对国际金融危机的一揽子计划中，中央扩大内需投资 43% 以上投向西部地区民生工程、基础设施、生态环境、产业振兴、技术创新和灾后重建等领域。[①] 西部大开发战略实施后，截至 2008 年年底，中央政府累计向西

---

① 温家宝：《全面提高中国西部地区开发开放水平——在第十届中国西部国际博览会暨第二届中国西部国际合作论坛上的致辞》，《人民日报》2009 年 10 月 17 日。

部地区投入了7300多亿元建设资金。[①]

经过不懈努力，西部大开发战略取得显著成就。2000年至2009年，西部地区的经济总量有很大提高，保持了持续平稳增长的势头。10年间，西部地区生产总值从1.67万亿元增加到6.69万亿元，年均增长12%，高于中部和东北地区的增长。2007年，西部地区经济增速首次超过东部地区。2000年至2009年，西部地区生产总值占全国的比重由17.1%提高到18.5%，虽然只提高了1.4个百分点，但要看到，这是在东部地区经济快速发展的同时取得的成绩，是来之不易的。这段时期，西部很多地区都有令人瞩目的表现，其中内蒙古自治区2002年至2009年，连续八年经济增速居全国首位，2009年增速高达16.9%，人均地区生产总值超过3000美元。2008年，四川地区生产总值首次突破1万亿元，2009年达到1.4万亿元。2009年宁夏地区生产总值超过1000亿元，都迈上了一个新台阶。[②]在国际金融危机的背景下，2008年全国各地总经济增长率为11.7%，但西部地区达到12.4%，为我国应对危机、扩大内需、拓展发展空间提供了重要支撑。虽然西部地区一些经济指标还不能与东部地区相媲美，从绝对水平来看与东部还有较大差距，但总体而言，东西部差距扩大的趋势已经得到初步遏制。

与此同时，西部地区的基础设施发生天翻地覆的变化。1999年年底，西部地区公路通车总里程只有53.3万公里，其中高速公路2529公里。到2009年年底，西部地区公路通车总里程和高速公路总里程分别达到147.7万公里和1.86万公里。一批对国民经济发展具有重要意义的铁路项目相继建成，从1999年到2009年年底，西部地区的铁路营业里程从2.13万公里增加到3.27万公里，加强了西部省区之间，西部与中部、东部的联系。[③]

在西部大开发中，通过实施一系列生态工程，西部地区的绿色不断延伸，生态环境保护明显加强。从“一年一场黄土风，从春一直刮到冬”，到

---

① 曾培炎：《西部大开发决策回顾》，中共党史出版社、新华出版社2010年版，第430页。

② 曾培炎：《西部大开发决策回顾》，中共党史出版社、新华出版社2010年版，第407—408页。

③ 曾培炎：《西部大开发决策回顾》，中共党史出版社、新华出版社2010年版，第410页。

“狂沙那个不起尘少见，林果绕村绿满眼”，西部地区的天更蓝、地更绿、水更清，发展环境更加优美。同时，随着财政资金更多投向与群众利益直接相关的教育文化、医疗卫生、社会保障等领域，西部地区社会事业全面发展，城乡居民人均收入翻了一番多，人民生活水平明显提高。

特别值得提出的是，在西部大开发中，西部地区坚持以改革促开放，以开放促开发，改革开放事业充满生机和活力。广西北部湾、关中—天水和成渝三大经济区，成为带动中西部地区经济发展的战略增长极。在大开发前，西部的许多国有企业亏损严重，甚至资不抵债。通过改革、改组、改造和加快现代企业制度建设，企业的科技开发能力、市场经营能力和抵御风险能力提高，公司治理结构日臻完善，上市公司不断增多。企业适应市场能力的大幅增强，表明西部经济自我发展能力逐渐增强。非公有制经济从少到多，迅速发展。西部出现了许多著名品牌，如东方电气、特变电工、柳工机械、鄂尔多斯、希望饲料、长安汽车、玉溪香烟、盐湖钾肥等。重点区域、重点领域的改革起步，2007 年国家在重庆、成都设立统筹城乡综合配套改革试验区，这是突破城乡二元结构的重要尝试。同时，西部地区充分利用两个市场、两种资源，对外经济技术交流与合作不断加强，外商投资领域不断扩大，进出口贸易明显增加，对外开放水平显著提高。世界 500 强企业纷纷到西部落地生根。中国西部国际博览会、中国—东盟博览会、中国东西部合作与贸易洽谈会等，成为吸引外商投资和促进东西互动合作的重要平台。

总之，10 多年间，从沿海到沿江沿边，从偏远农村到中心城市，从经济领域到其他各个领域，西部大开发战略的实施，使西部地区呈现出生机勃勃的良好局面，西部人民更多地享受到发展成果。反过来，经济发展和民生条件的改善，增强了西部人民加快改革发展的信心和决心，人们的精神风貌更加昂扬奋发。

在西部大开发向纵深发展的关键时期，2010 年 5 月 28 日，中共中央政治局召开会议，研究深入实施西部大开发战略的总体思路和政策措施。随后，2010 年 7 月，中共中央、国务院召开西部大开发工作会议，对深入实施西部大开发战略提出一系列新要求、新任务、新举措。胡锦涛在会上发表讲话，强调今后 10 年是全面建设小康社会的关键时期，也是深入推进西部大开发承前启后的关键时期。他指出，新形势下深入实施西部大开发战略，必须以增强自我发展能力为主线，以改善民生为核心，以科技进步和人才开发为支撑，更加注重基础设施建设，着力提升发展保障能力；更加注重生态环境保护，着力建设美好家园和国家生态安全屏障；更加注重经济结构调整和自主创新，着力推进特色优势产业发展；更加注重社会事业发展，着力促进基本公共服务均等化和民生改善；更加注重优化区域布局，着力培育新的经济增长极；更加注重体制机制创新，着力扩大对内对外开放，推动西部地区经济又好又快发展和社会和谐稳定，努力实现全面建设小康社会奋斗目标。他提出，深入实施西部大开发战略，要集中力量解决全局性、战略性、关键性问题，重点做好六项工作：第一，坚持夯实基础，进一步提升发展保障能力；第二，坚持协调发展，进一步调整产业结构；第三，坚持为民谋利，进一步保障和改善民生；第四，坚持改革开放，进一步增强发展动力和活力；第五，坚持和谐发展，进一步维护社会和谐稳定；第六，坚持大局意识，进一步加大支持力度。① 温家宝在讲话中强调，深入推进西部大开发，要认真贯彻落实好中央制定的各项政策措施。一是以培育特色优势产业为龙头，大力发展农牧业、现代工业和服务业，加快构建现代产业体系，使西部地区资源优势转变为经济优势。二是以保障和改善民生为出发点和落脚点，大力发展社会事业，促进西部人民群众共享改革开放成果。三是以改革开放为动力，充分发挥政府推动和市场机制两方面的作用，全面增强西部大开发活力。四是以生态建设和环境保护为基础，坚持开发和保护相互促进，全面增强可持续发展能力。五是以重要经济区为发展引擎，实行整体推进和重点突破相结合，提高西部大开发的综合效益。在这次会议上，温家宝还宣布对西部地区属于国家鼓励类产业的企业，减按 15% 税率征收企业所得税；对煤炭、原油、天然气等资源税由

① 胡锦涛：《胡锦涛文选》第三卷，人民出版社 2016 年版，第 411—417 页。

从量征收改为从价征收等一系列优惠政策。[1]

在中共中央、国务院的坚强领导下，西部大开发沿着科学发展的道路继续深入推进。

## 第二节　振兴东北地区等老工业基地

东北地区是新中国工业的摇篮，在中国工业化道路上扮演过中流砥柱的角色。新中国成立后，国家在东北等地区集中投资建设了相当规模的以装备制造、能源、原材料为主的战略产业和骨干企业，“一五”期间，全国兴建156个重点项目，其中58个建在东北地区。作为国家重工业和商品粮的基地，东北地区为奠定新中国的工业化基础，为我国形成门类齐全、独立完整的工业体系和国民经济体系作出了重大历史性贡献，在共和国发展史上写下了光辉的篇章。然而，随着改革开放的不断深入，特别是20世纪90年代以后，东北老工业基地长期积累的体制性、结构性矛盾日益显现，进一步发展面临着许多困难和问题，主要体现在：市场化程度低，经济发展活力不足；所有制结构较为单一，国有经济比重偏高；产业结构调整缓慢，企业设备和技术老化；企业办社会等历史包袱沉重，社会保障和就业压力大；资源型城市主导产业衰退，接续产业亟待发展。东北地区与沿海发达地区的发展差距不断扩大。

东北地区的振兴发展，事关我国区域发展总体战略的实现。对此，中共中央、国务院高度重视。2002年，中共十六大明确提出要“支持东北地区等老工业基地加快调整和改造”。[2]根据这一决策，十六大以后，以胡锦涛同志为总书记的党中央把加快东北等老工业基地调整、改造和振兴列入

---

① 《西部大开发工作会议在京举行　胡锦涛温家宝发表重要讲话》,《人民日报》2010年7月7日。

② 中共中央文献研究室编《十六大以来重要文献选编》(上)，中央文献出版社2005年版，第19页。

党和国家工作的重要议程，积极谋划东北振兴战略。

2003 年 1 月到 8 月，温家宝三次赴东北，实地考察部分国有大企业，多次召开座谈会讨论振兴东北老工业基地大计，强调要把老工业基地调整、改造和振兴摆到更加突出的位置，走出加快振兴新路子。2003 年 9 月，中共中央、国务院相继召开会议，研究部署东北地区等老工业基地振兴战略问题。在此基础上，2003 年 10 月，中共中央、国务院下发《关于实施东北地区等老工业基地振兴战略的若干意见》，对加快东北地区等老工业基地振兴进行全面部署，提出要加快体制创新和机制创新，全面推进工业结构优化升级，大力发展现代农业，积极发展第三产业，推进资源型城市经济转型，加强基础设施建设，进一步扩大对外对内开放，加快发展科技教育文化事业。这个意见的出台，吹响了振兴东北老工业基地的号角。

从 2004 年起，中央确定的一系列支持、帮助、推动东北老工业基地振兴发展的专门措施相继实行。这一年，率先在黑龙江、吉林两省实行全面免征农业税政策，扩大东北地区粮食生产补贴范围和规模。振兴老工业基地，从加强农业入手，不仅有力支持了全国经济大局，也为东北经济振兴奠定了良好基础。继辽宁之后，又在黑龙江、吉林两省进行完善城镇社会保障体系的试点工作。为支持国有企业改革，2004 年中央财政支付东北三省 60 多户破产企业补助金 163 亿元，占全国用于这方面资金的 23.3%。[①] 自 2004 年 7 月 1 日起，率先在东北三省 8 个行业实行生产型增值税改为消费型增值税试点，对企业购进机器设备所含增值税予以抵扣；同时，对具备条件的部分矿山、油田适当降低了资源税税额标准。2006 年 2 月，国务院下发《国务院关于加快振兴装备制造业的若干意见》，全面推进装备制造业的振兴。2006 年 12 月，财政部、国家税务总局出台关于豁免东北老工业基地企业历史欠税的政策，对东三省在 1997 年 12 月 31 日前形成的历史欠税予以豁免，这项涉及 100 多亿元的免税政策对于促进盘活东三省地区的存量

① 中共中央文献研究室编《十六大以来重要文献选编》（中），中央文献出版社 2011 年版，第 433 页。

资产，帮助国企轻装上阵，加速改制工作顺利推进具有重要意义。此外，还加大了对国有企业政策性关闭破产和中央企业分离办社会职能的支持力度。

经过艰苦努力，东北老工业基地振兴取得初步成效。2004 年至 2006 年，东北三省地区生产总值年均增速为 12.6%，与实施振兴战略前的 3 年（2001—2003 年）相比，增速提高 2.6 个百分点，经济总量增长五成左右。[①] 以辽宁省本溪钢铁（集团）有限公司、哈飞航空工业股份有限公司为代表的一批重点企业，技术水平有了显著提升，自主创新和生产制造能力不断增强。辽宁阜新资源型城市经济转型试点取得阶段性成果，试点范围扩大到大庆、伊春、辽源、白山和盘锦等市，资源开发补偿机制和衰退产业援助机制逐步建立。国有经济战略性调整和国有企业改制改组步伐逐步加快，企业活力明显增强，一些曾经濒临困境的老企业焕发生机。

与此同时，东北地区老工业基地体制性、结构性等深层次矛盾仍有待进一步解决，已经取得的成果有待进一步巩固。在这种情况下，2007 年 8 月，国家发展改革委、国务院振兴东北地区等老工业基地领导小组办公室发布经国务院批复的《东北地区振兴规划》（以下简称《规划》）。《规划》以解决振兴老工业基地面临的主要问题为着眼点，其核心可以归纳为“一条主线、六个加快”，即以老工业基地振兴为主线，加快改革开放步伐、加快结构调整与升级、加快区域合作进程、加快资源枯竭型城市经济转型、加快建设资源节约型环境友好型社会、加快发展教育卫生文化体育等各项社会事业。《规划》提出东北振兴的目标是：经过 10 到 15 年的努力，实现东北地区的全面振兴。将东北建设成为具有国际竞争力的装备制造业基地、国家新型原材料和能源的保障基地、国家重要商品粮和农牧业生产基地、国家重要的技术研发与创新基地，以及国家生态安全的重要保障区。[②]

为持续推动东北地区老工业基地的振兴发展，2009 年 7 月和 8 月，国

① 禹伟良等：《重在创新　变在深处》，《人民日报》2007 年 8 月 31 日。
② 朱剑红：《国务院批复〈东北地区振兴规划〉》，《人民日报》2007 年 8 月 21 日。

务院相继批准实施《辽宁沿海经济带发展规划》和《中国图们江区域合作开发规划纲要——以长吉图为开发开放先导区》。2009年9月，国务院又发布《关于进一步实施东北地区等老工业基地振兴战略的若干意见》。该意见针对东北振兴实践中出现的新情况新问题，特别是结合应对国际金融危机冲击，提出推进东北老工业基地全面振兴的9个方面的要求，强调"推动东北地区等老工业基地在应对国际金融危机中实现新的跨越，加快形成具有独特优势和竞争力的新的增长极，为全国经济发展做出更大贡献"。

总的来看，在各方面共同努力下，东北地区等老工业基地振兴战略实施后，取得明显成效和阶段性成果。东北三省经济总量迈上新台阶，2008年东北三省地区生产总值占全国的比重升至8.62%，这是进入新世纪后东北三省地区生产总值占全国的比重首次止跌回升。① 结构调整扎实推进，国有企业竞争力增强，重大装备研制走在全国前列，粮食综合生产能力显著提高，基础设施条件得到改善，社会事业蓬勃发展，民生有了明显改善。

但是，也要看到，振兴东北地区等老工业基地是一项长期、复杂和艰巨的工作，全面实现振兴的目标任重而道远。在全国经济转型升级的大背景下，东北地区经济下行压力增大，与全国特别是发达地区相比较还有较大差距。部分行业和企业生产经营困难，市场化程度不高，国有企业活力仍然不足，民营经济发展不充分；科技与经济发展融合不够，偏资源型、传统型、重化工型的产业结构和产品结构不适应市场变化，新兴产业发展偏慢；资源枯竭、产业衰退、结构单一地区（城市）转型面临较多困难，社会保障和民生压力较大。这些矛盾和问题归根结底是体制机制问题，是产业结构、经济结构问题，解决这些问题归根结底要靠全面深化改革。

① 《为什么东北需要"二次振兴"？"东北病"症结在哪里？》，《中国财经报》2016年4月27日。

## 第三节　大力促进中部地区崛起

中部地区包括湖北、湖南、河南、安徽、江西、山西6个省份，地处中国内陆腹地，具有承东启西、连南通北、吸引四面、辐射八方的区位优势。中部地区是中华民族的发祥地，也是中国人口最密集的地区之一，是全国重要的粮食主产区，又是国家综合运输网络的中心区域和重要的能源、原材料基地，在国家区域发展格局中占有举足轻重的战略地位，长期以来为全国经济社会发展作出了重大贡献。然而，随着改革开放的深入，中部与东部的经济发展差距日益拉开。从1990年到2005年，中部地区在全国经济总量中的比重由21.9%下降到18.8%，人均GDP由相当全国平均水平的80%下降到75%。[①]作为“三农”问题最集中、最突出的地区，在新一轮工业化、城镇化和农业现代化的进程中，中部地区怎样加快步伐，找准和发挥自己的优势，与其他地区相互促进、共同协调发展，成为必须面对的重要课题。

早在20世纪90年代，就有学者曾经呼吁关注中国腹地加快发展的问题。十六大以后，随着区域协调发展战略的日渐清晰，中共中央从我国现代化建设全局出发，作出了促进中部地区崛起的战略决策。

2004年2月，在中共中央举办的省部级主要领导干部树立和落实科学发展观专题研究班结业式上的讲话中，温家宝首次使用“促进中部地区崛起”的表述，全面阐述了中共中央、国务院关于推动地区协调发展的总体战略思考：“坚持推进西部大开发，振兴东北地区等老工业基地，促进中部地区崛起，鼓励东部地区加快发展，形成东中西互动、优势互补、相互促进、共同发展的新格局。”[②]2004年3月，“促进中部地区崛起”被写进十届全国人大二次会议通过的政府工作报告，正式成为党和国家的一项重大决

① 人民日报评论员：《再写中部崛起新篇章》，《人民日报》2009年12月16日。

② 温家宝：《提高认识，统一思想，牢固树立和认真落实科学发展观》，《人民日报》2004年3月1日。

策。2006年4月15日，中共中央、国务院印发《关于促进中部地区崛起的若干意见》(以下简称《意见》)，提出了促进中部地区崛起的总体要求、基本原则和主要任务，确定了这一区域经济发展的政策框架。《意见》从中部地区的比较优势出发，赋予其"三个基地、一个枢纽"的定位，即要把中部地区建成"全国重要的粮食生产基地、能源原材料基地、现代装备制造及高技术产业基地和综合交通运输枢纽，在发挥承东启西和产业发展优势中崛起"①。这个《意见》的出台，为中部地区加快发展指明了方向，标志着促进中部地区崛起战略的形成。

此后，国家采取一系列政策措施，加快有关工作落实，促进中部地区崛起迈出了新步伐。2007年1月，国务院办公厅印发《关于中部六省比照实施振兴东北地区等老工业基地和西部大开发有关政策范围的通知》，确定了"两个比照"政策，即中部六省中的26个城市比照实施振兴东北地区等老工业基地有关政策，243个欠发达县（市、区）比照实施西部大开发有关政策。根据这一政策，中部六省享受历史欠税豁免、税收优惠等多项优惠政策。与此同时，有关部门也加大对中部地区的支持力度，研究出台了一系列促进中部地区崛起的政策措施。例如，2007年年底，国家发展改革委批准武汉城市圈、长株潭城市群作为全国资源节约型和环境友好型社会建设综合配套改革试验区；财政部、国家税务总局制定实施了《中部地区扩大增值税抵扣范围暂行办法》；交通部编制了《促进中部地区崛起公路水路交通发展规划纲要》；商务部出台了《关于扩大开放、提高吸收外资水平、促进中部崛起的指导意见》；海关总署牵头组织沿海部分省市与中部六省签署了《沿海部分省市与中部六省口岸大通关合作框架协议》和《海关总署、国家质检总局与中部六省人民政府关于促进中部崛起的合作框架协议》，促进东部地区加工贸易企业向中西部地区转移等。中部地区由此获得了诸多政策"红利"。

---

① 中共中央文献研究室编《十六大以来重要文献选编》(下)，中央文献出版社2011年版，第415页。

中部崛起战略的实施，激发了中部广大干部群众的改革创新精神。他们结合各自实际，立足现有基础，充分发挥比较优势，积极探索崛起之路。例如，煤炭大省山西围绕建设新型能源和工业基地目标，积极培育现代煤化工业、装备制造业、材料工业和旅游业四大新支柱产业。安徽规划建设沿江城市带，2006 年生产总值比上年增长 12.9%，增幅居中部六省第二位。江西则依据区位优势，谋求与长三角和珠三角经济区对接，大力推进农业现代化、新型工业化、新型城镇化、经济国际化和市场化，建设了特色鲜明的昌九工业走廊。湖南加强基础产业、基础设施建设，形成沿京广线长沙—株洲—湘潭经济带，为加快崛起创造良好条件。湖北一手抓武汉城市圈建设，一手抓县域经济发展，以武汉为中心，包括黄冈、鄂州、天门等多座城市的武汉经济圈成为长江中游地区最大、最密集的城市群。河南则确立了从经济大省向经济强省、从文化资源大省向文化强省跨越的发展目标，东引西进，加大对外开放力度。

在中部崛起战略的引领下，短短几年时间，中部六省发展活力竞相迸发。2006 年至 2010 年，中部地区生产总值年均增长 13%，比全国平均水平高 1.1 个百分点，经济总量占全国的比重由 2005 年的 18.8% 提高至 2010 年的 19.7%；粮食连续七年增产，产量占全国的比重稳定在 30% 以上。[①]同时，经济结构调整取得新进展，可持续发展能力进一步增强，中部地区人民生活得到进一步改善，综合交通运输能力全面提高。

为全面激发中部地区的发展活力和动力，努力实现中部地区加快崛起，2012 年 10 月，国务院印发《关于大力实施促进中部地区崛起战略的若干意见》（以下简称《意见》）。与以往相比，这个《意见》有许多新的亮点：一是进一步充实完善中部地区的战略定位，在坚持对中部地区“三基地、一枢纽”基本定位的同时，对其内涵予以充实完善和拓展，强调要增强整体发展的实力，大力发展劳动密集型产业和积极承接产业转移，把发展服务

---

① 李新民、晏国政：《走出“塌陷”困境 “中部崛起”进入黄金期》，《经济参考报》2011 年 9 月 29 日。

业作为中部地区崛起的重要支撑。二是进一步强化重点地区发展，明确将太原城市群、皖江城市带、鄱阳湖生态经济区、中原经济区、武汉城市圈、长株潭城市群六大区域发展成为带动中部地区崛起的核心地带和全国重要的经济增长极，明确了一批具有较大发展潜力的新经济增长带，切实加强对革命老区、贫困地区加快发展的扶持。三是进一步丰富了体制创新和开放合作的内容。在改革方面，从城乡一体化机制、自主创新体制机制、社会管理机制等中部地区亟待解决的问题入手，提出一系列任务要求和具体措施，力求改革有新举措、新突破。在开放合作方面，强调要大力发展内陆开放型经济。四是进一步完善了政策体系，提出了扶持粮食主产区经济发展、落实节约集约用地政策、加大财税和金融政策支持力度、加强投资和产业政策支持与引导、完善生态补偿政策等系统性政策措施。与以往相比，政策的“含金量”更高，针对性也更强。

可以说，中部地区经济社会发展站到了新的发展起点上，一个拼搏进取、充满希望的中部正在崛起。

## 第四节 积极支持东部地区率先发展

我国东部地区由北京、天津、河北、山东、江苏、上海、浙江、福建、广东、海南等10个省市组成。这一地区地理位置优越，自然条件好。改革开放以后，依靠自身区位优势、先发优势和国家一系列优惠政策的支持，东部地区抓住机遇加速发展，成为改革开放的先行地区和前沿地带，辐射带动了全国的改革和发展。进入21世纪，在全面建设小康社会的新形势下，作为中国经济最具活力和发展最快的地区，东部地区责无旁贷继续承担起对全国经济社会发展的重要引领和支撑作用，承担起进一步提升我国经济竞争力、率先基本实现现代化的重大使命。

东部地区的率先发展不是传统发展模式的延续，而是在科学发展的道路上不断创新，继续“领跑”。也就是说，率先发展视野要宽、思路要新、起点要高，落实科学发展观要走在前面，改革开放和制度创新要走在前面。对此，中共十六届五中全会通过的“十一五”规划建议强调，东部地区要努力提高自主创新能力，加快实现结构优化升级和增长方式转变，提高外向型经济水平，增强国际竞争力和可持续发展能力。[①]根据这个要求，以长江三角洲、珠江三角洲、环渤海京津冀地区等为代表的东部地区立足自身优势，不断优化区域发展布局，勇于改革创新，掀起了新一轮率先发展的浪潮。

在东部，长江三角洲地区区位条件优越，自然禀赋优良，经济基础雄厚，体制比较完善，科教文化发达，是全国发展基础好、体制环境优、整体竞争力强的地区之一，在社会主义现代化建设全局中具有十分重要的战略地位。但是，随着改革开放的深入推进，长江三角洲地区也面临提高自主创新能力、缓解资源环境约束、着力推进改革攻坚等方面的繁重任务，处于转型升级的关键时期。为了进一步提升长江三角洲地区的整体实力和国际竞争力，2008 年 9 月 7 日，国务院印发《关于进一步推进长江三角洲地区改革开放和经济社会发展的指导意见》(以下简称《指导意见》)。《指导意见》明确，长江三角洲地区包括上海市、江苏省和浙江省。这意味着沿用了多年的“沪苏浙 16 城市”概念从此淡出，取而代之的是“两省一市”，长江三角洲的范围更广了。《指导意见》提出，要把“长江三角洲地区建设成为亚太地区重要的国际门户、全球重要的先进制造业基地、具有较强国际竞争力的世界级城市群，为我国全面建设小康社会和实现现代化做出更大贡献”[②]，并对长三角地区提出新的更高要求。新的更高要求，具体体现为四句话：一是率先发展，要求长三角地区 2012 年率先实现全面建设小康社

① 中共中央文献研究室编《十六大以来重要文献选编》(中)，中央文献出版社 2011 年版，第 1071 页。

② 中共中央文献研究室编《十七大以来重要文献选编》(上)，中央文献出版社 2009 年版，第 538 页。

会的目标[①]；二是科学发展，长三角地区要在转变经济发展方式、推进战略性结构调整、形成更强大的自主创新能力、资源节约和环境友好方面，率先走科学发展之路；三是一体化发展，两省一市要进一步破除行政壁垒，促进要素的自由流动，促进基础设施和社会管理的一体化；四是促进和谐发展，即解决好民生问题，加强和加快社会事业发展和社会保障体系的建设。而要实现上述四点，首先得坚持体制改革和对外开放。这个《指导意见》的出台，是中央深入实施区域发展总体战略、支持东部地区率先发展的一个重要举措。

在整个长江三角洲地区发展布局中，上海市处于核心和龙头地位。推进上海加快发展现代服务业和先进制造业，建设国际金融中心和国际航运中心，既是上海实现又好又快发展的需要，也是更好地服务于全国发展的需要。为此，2009 年 4 月，国务院发布《国务院关于推进上海加快发展现代服务业和先进制造业建设国际金融中心和国际航运中心的意见》，从国家层面第一次明确了上海“两个中心”建设的总体目标：到 2020 年，基本建成与我国经济实力以及人民币国际地位相适应的国际金融中心；基本建成航运资源高度集聚、航运服务功能健全、航运市场环境优良、现代物流服务高效，具有全球航运资源配置能力的国际航运中心。[②]在国家的支持下，面对国际金融危机冲击，上海加速由第二产业向现代服务业和先进制造业转型，并实现重大突破。例如，上海在全国率先开展人民币跨境贸易结算试点，率先启动企业人民币出口退税操作，率先试点外商投资股权投资管理企业并积极推进股权投资领域的对外开放，率先开展地方政府自行发债试点等。2011 年，上海金融市场交易总额达到 420 万亿元，上海港集装箱吞吐量达到 3174 万标准箱，连续两年居世界第一。[③]

---

① 这个发展目标后来又作了修改，国务院 2010 年 5 月批准实施的《长江三角洲地区区域规划》提出，到 2015 年长江三角洲地区率先实现全面建设小康社会的目标。

② 中共中央文献研究室编《十七大以来重要文献选编》（中），中央文献出版社 2011 年版，第 32 页。

③ 李若楠：《2011 年上海 GDP 增长 8.2%　转型发展深层次矛盾仍突出》，《新民晚报》2012 年 1 月 20 日。

珠江三角洲地区包括广东省的广州、深圳、珠海等9个城市，历史上，这里曾是中国近代民族工业的发祥地和对外贸易的重要地区之一。改革开放以后，珠三角地区充分发挥改革“试验田”的作用，率先在全国推行以市场为导向的改革，较早地建立起社会主义市场经济体制框架，成为全国市场化程度最高、市场体系最完备的地区；同时，依托毗邻港澳的区位优势，抓住国际产业转移和要素重组的历史机遇，率先建立开放型经济体系，成为外向度最高的经济区域和对外开放的重要窗口。1998年，珠三角地区生产总值超过新加坡，2003年超过香港地区，2007年超过台湾地区，赶超亚洲“四小龙”的目标已经完成大半。

为促进珠三角地区增创新优势，进一步发挥对全国的辐射带动和先行示范作用，2008年12月，在改革开放30周年之际，国务院批复《珠江三角洲地区改革发展规划纲要（2008—2020年）》（以下简称《规划纲要》）。《规划纲要》赋予珠三角地区新的定位，即探索科学发展模式试验区，深化改革先行区，扩大开放的重要国际门户，世界先进制造业和现代服务业基地及全国重要的经济中心。[①]《规划纲要》提出，珠江三角洲地区的发展目标是：到2020年率先基本实现现代化，基本建立完善的社会主义市场经济体制，形成以现代服务业和先进制造业为主的产业结构，形成具有世界先进水平的科技创新能力，形成粤港澳三地分工合作、优势互补、全球最具核心竞争力的大都市圈之一。人均地区生产总值达到135000元，服务业增加值比重达到60%。[②]《规划纲要》的获批，标志着珠江三角洲地区的改革开放和经济社会发展从此进入一个新的阶段。

在我国沿海经济带中，海峡西岸经济区东与台湾地区一水相隔，北承长江三角洲，南接珠江三角洲，在全国区域经济发展布局中处于重要位置。福建省在海峡西岸经济区中居主体地位，与台湾地区地缘相近、血缘相

① 中共中央文献研究室编《十七大以来重要文献选编》（上），中央文献出版社2009年版，第838页。

② 国家发展改革委：《珠江三角洲地区改革发展规划纲要（2008—2020年）》，中国发展门户网2009年1月8日。

亲、文缘相承、商缘相连、法缘相循，具有对台交往的独特优势。2004年初，福建省提出了“建设对外开放、协调发展、全面繁荣的海峡西岸经济区”的构想。2009年5月，国务院发布《关于支持福建省加快建设海峡西岸经济区的若干意见》，这标志着海峡西岸发展构想由区域战略上升到国家战略，从而给福建发展带来重大机遇。此后，对于海峡西岸经济区的发展，中央持续给予大力支持。2010年6月，国务院批准厦门经济特区扩展到全市。2011年，国务院又先后批准了《海峡西岸经济区发展规划》《平潭综合实验区总体发展规划》《厦门市深化两岸交流合作综合配套改革试验总体方案》。与此同时，多个国家部委、中央企业或出台政策文件，或签署合作协议，或建立部、省联席会议制度，支持海峡西岸经济区“先行先试”和福建发展壮大。

中央作出支持海峡西岸发展的重大决策后，福建省打好重点建设、新增长区域发展、城市建设、小城镇发展、民生工程“五大战役”，经济发展实现跨越发展。2009年，受国际金融危机影响，我国经济增速放缓，福建GDP却仍达12%，远远高于全国8.7%的水平。2010年，福建省GDP增长13.8%，为10年最快；生产总值、人均生产总值、财政收入都比2005年翻一番。以基础设施建设为例，直到2000年以前，福建境内只有两条铁路，12.14万平方公里的八闽大地，没有一条“高速”。而“十一五”期间，福建交通基础设施是前10个五年计划的总和，铁路已建、在建2000多公里，高速公路已建、在建2000多公里，每年开工2条以上干线铁路，累计开工21条铁路，2010年福厦高铁开通。[①] 八闽大地昂首跨入交通便利的新时代。

总体上看，中共十六大以后，为促进区域协调发展，我国先后出台70多个区域规划和相关政策文件，数量之多、密集程度之高，前所未有。由此，也反映出中央对促进区域协调发展的高度重视和坚定决心。

在实施区域发展总体战略时，党中央强调，对于起点、自身条件千差

① 费伟伟、赵鹏：《冲开山门欲成龙——福建加快海峡西岸经济区发展纪事》，《人民日报》2011年7月28日。

万别的不同区域，协调发展不是简单“拉平”，更不是忽视自身发展条件的“齐步走”，而是因地制宜、审时度势地把握发展机遇、找准发展路径。在实践中，随着西部大开发、振兴东北地区等老工业基地、促进中部地区崛起、鼓励东部地区率先发展等重大战略的深入实施，我国地区间的生产要素流动加快，区位产业优势逐步形成，区域发展格局出现了积极变化。东部地区“腾笼换鸟”，在依靠技术进步和扭转过度依赖投资增长格局方面迈出新步伐，创新发展能力进一步增强；中西部地区“筑巢引凤”，发展明显加快；东北地区发展先进装备制造业取得新进展。全国初步形成了分工合理、特色明显、优势互补的区域产业结构，中国的经济版图空间布局更趋协调，更加科学。

随着产业向中、西部地区转移进程的加快，东部地区投资占全国投资的比重出现回落，中西部地区的发展活力大大增强。2008 年至 2011 年，中部、西部和东北地区经济增速连续 4 年超过东部地区。2011 年，中部地区、西部地区的生产总值占全国的比重分别为 21.2%、19.0%，分别比 2002 年提高 2.0、1.5 个百分点。[①] 西、中、东的增速排序，显示我国经济增长的“雁阵模型”逐步形成。区域协调发展，不仅有力促进了资源的优化配置和发展方式的转变，同时也提高了我国经济的抗风险能力，为经济持续较快稳定增长提供了有力支撑。在国际金融危机冲击下，我国东部沿海地区由于经济外向度高，受影响较大，而中西部地区在全国发展格局中的地位日益突出，为稳增长作出了重要贡献。

促进区域协调发展不是单纯要求缩小区域之间经济总量的差距，而是着力完善公共财政制度，使人人享有基本公共服务的均等化，享有大体相当的生活水平。因此，在促进区域协调发展过程中，中央不断加大对中西部地区、欠发达地区、农村地区的倾斜力度，推进公共服务均等化，全国一盘棋，织就了一张民生大网。10 年间，区域协调发展带来人民生活水平

---

① 中共中央党史和文献研究院：《中国共产党的一百年》，中共党史出版社 2022 年版，第 891 页。

的共同提升，“让全体人民共享改革发展成果”这一执政宣言，成为广大人民的切身感受。

当今世界经济有两大潮流，一是经济全球化，二是区域一体化。促进区域协调发展，形成东中西相互促进、优势互补的新格局，这是顺应时代潮流和发展趋势的历史进程。同时也要看到，区域协调发展是一项长期、艰巨、复杂的系统工程，既有世界共同面对的难题，又有基于我国国情的特殊困难。因此，这是需要长期奋斗的伟大事业。惟其长期，更需坚韧；惟其艰难，更需奋斗。

# 第五章

# 中共十七大与改革开放在应对风险考验中前进

2007年，中共十七大提出了实现全面建设小康社会奋斗目标的新要求，激励着人们满怀信心在新的历史起点上继续奋斗。然而，前进的道路从来都不是一帆风顺的。就在党和国家各项工作取得新的进展时，中国的改革开放却遇到了一系列未曾预料的严重困难和风险。在国际上，百年罕见的国际金融危机对我国经济发展造成巨大冲击。在国内，相继发生了四川汶川特大地震等严重自然灾害，以及西藏拉萨、新疆乌鲁木齐等地的打砸抢烧严重暴力犯罪事件。面对来自经济、政治领域和自然界的严峻挑战，以胡锦涛同志为总书记的党中央总揽全局，科学决策，沉着应对，团结带领全国人民众志成城，迎难而上，经受住一次又一次重大考验，维护了改革发展稳定大局，保证了改革开放和现代化建设的航船始终沿着正确方向破浪前进。中国特色社会主义事业呈现出更加蓬勃的生机与活力。

## 第一节　中共十七大和全面建设小康社会的新要求

2007 年 10 月 15 日至 21 日，中国共产党第十七次全国代表大会在北京举行。大会正式代表 2213 人，特邀代表 57 人，代表着全国 7300 多万党员。中共十七大的主题是：高举中国特色社会主义伟大旗帜，以邓小平理论和“三个代表”重要思想为指导，深入贯彻落实科学发展观，继续解放思想，坚持改革开放，推动科学发展，促进社会和谐，为夺取全面建设小康社会新胜利而奋斗。胡锦涛代表第十六届中央委员会作题为《高举中国特色社会主义伟大旗帜，为夺取全面建设小康社会新胜利而奋斗》的报告。

中共十七大报告首先回顾了十六大以后五年的工作。报告指出：这五年，是改革开放和全面建设小康社会取得重大进展的五年，是我国综合国力大幅提升和人民得到更多实惠的五年，是我国国际地位和影响显著提高的五年，是党的创造力、凝聚力、战斗力明显增强和全党全国各族人民团结更加紧密的五年。

中共十七大科学总结改革开放的伟大历史进程及其宝贵经验，向党内外、国内外进一步展示了党和国家坚持改革开放、坚持与时俱进的良好形象。报告指出：改革开放是党在新的时代条件下带领人民进行的新的伟大革命，目的就是要解放和发展社会生产力，实现国家现代化，让中国人民富裕起来，振兴伟大的中华民族；就是要推动我国社会主义制度自我完善和发展，赋予社会主义新的生机活力，建设和发展中国特色社会主义；就是要在引领当代中国发展进步中加强和改进党的建设，保持和发展党的先进性，确保党始终走在时代前列。新时期最鲜明的特点是改革开放，最显著的成就是快速发展，最突出的标志是与时俱进。[①]报告以斩钉截铁的语气鲜明强调："改革开放是决定当代中国命运的关键抉择，是发展中国特色社会主义、实现中华民族伟大复兴的必由之路；只有社会主义才能救中国，只有改革开放才能发展中国、发展社会主义、发展马克思主义。""改革开放符合党心民心、顺应时代潮流，方向和道路是完全正确的，成效和功绩不容否定，停顿和倒退没有出路。"[②]报告对改革开放的宝贵经验作了"十个结合"的精辟概括，这就是：把坚持马克思主义基本原理同推进马克思主义中国化结合起来；把坚持四项基本原则同坚持改革开放结合起来；把尊重人民首创精神同加强和改善党的领导结合起来；把坚持社会主义基本制度同发展市场经济结合起来；把推动经济基础变革同推动上层建筑改革结合起来；把发展社会生产力同提高全民族文明素质结合起来；把提高效率同促进社会公平结合起来；把坚持独立自主同参与经济全球化结合起来；把促进改革发展同保持社会稳定结合起来；把推进中国特色社会主义伟大事业同推进党的建设新的伟大工程结合起来。[③]中共十七大科学总结改革开放波澜壮阔的历史进程和宝贵经验，把改革开放的号角更响亮地吹起来，这对于激励全党全国人民毫不动摇地坚持改革开放，坚定不移地深化改革开放，具有重要意义。

中共十七大的一个重大理论贡献，就是明确概括了中国特色社会主义道路的基本内涵，首次提出中国特色社会主义理论体系的概念并进行了科学阐述。报告指出，改革开放以来我们取得一切成绩和进步的根本原因，归结起来就是：开辟了中国特色社会主义道路，形成了中国特色社会主义理论体系。中国特色社会主义道路，就是在中国共产党领导下，立足基本国情，以经济建设为中心，坚持四项基本原则，坚持改革开放，解放和发

① 中共中央文献研究室编《十七大以来重要文献选编》（上），中央文献出版社 2009 年版，第 5—7 页。

② 中共中央文献研究室编《十七大以来重要文献选编》（上），中央文献出版社 2009 年版，第 8 页。

③ 中共中央文献研究室编《十七大以来重要文献选编》（上），中央文献出版社 2009 年版，第 8 页。

展社会生产力，巩固和完善社会主义制度，建设社会主义市场经济、社会主义民主政治、社会主义先进文化、社会主义和谐社会，建设富强民主文明和谐的社会主义现代化国家。中国特色社会主义理论体系，就是包括邓小平理论、“三个代表”重要思想以及科学发展观等重大战略思想在内的科学理论体系。[①]这是改革开放以来，党的重要文献第一次对中国特色社会主义道路和中国特色社会主义理论体系作出如此全面和权威的概括。报告进一步指出：中国特色社会主义道路之所以完全正确、之所以能够引领中国发展进步，关键在于既坚持了科学社会主义的基本原则，又根据我国实际和时代特征赋予其鲜明的中国特色。在当代中国，坚持中国特色社会主义道路，就是真正坚持社会主义。中国特色社会主义理论体系是不断发展的开放的理论体系，马克思主义只有与本国国情相结合、与时代发展同进步、与人民群众共命运，才能焕发出强大的生命力、创造力、感召力。在当代中国，坚持中国特色社会主义理论体系，就是真正坚持马克思主义。[②]报告强调，全党同志要倍加珍惜、长期坚持和不断发展党历经艰辛开创的中国特色社会主义道路和中国特色社会主义理论体系，不为任何风险所惧，不被任何干扰所惑，使中国特色社会主义道路越走越宽广，让当代中国马克思主义放射出更加灿烂的真理光芒。

中共十七大的一个突出贡献，是对科学发展观这一重大战略思想的时代背景、科学内涵、精神实质和根本要求进行了全面系统的阐述。十七大报告指出：科学发展观，是立足社会主义初级阶段基本国情，总结我国发展实践，借鉴国外发展经验，适应新的发展要求提出来的。科学发展观的第一要义是发展，核心是以人为本，基本要求是全面协调可持续，根本方法是统筹兼顾。科学发展观是对党的三代中央领导集体关于发展的重要思想的继承和发展，是马克思主义关于发展的世界观和方法论的集中体现，

---

① 中共中央文献研究室编《十七大以来重要文献选编》(上)，中央文献出版社 2009 年版，第 9 页。

② 中共中央文献研究室编《十七大以来重要文献选编》(上)，中央文献出版社 2009 年版，第 9 页。

是同马克思列宁主义、毛泽东思想、邓小平理论和“三个代表”重要思想既一脉相承又与时俱进的科学理论，是我国经济社会发展的重要指导方针，是发展中国特色社会主义必须坚持和贯彻的重大战略思想。[①]这就是说，科学发展观对实践的指导作用是全方位的，既包括指导经济建设，还包括指导政治建设、文化建设、社会建设和其他各方面建设。此外，报告还从始终坚持“一个中心、两个基本点”的基本路线、积极构建社会主义和谐社会、继续深化改革开放、切实加强和改进党的建设等四个方面，对深入贯彻落实科学发展观提出了明确要求。

十七大深刻分析新世纪新阶段我国发展的一系列阶段性特征[②]，并从新的实际出发，提出了实现全面建设小康社会奋斗目标的新要求。这就是：增强发展协调性，努力实现经济又好又快发展；扩大社会主义民主，更好保障人民权益和社会公平正义；加强文化建设，明显提高全民族文明素质；加快发展社会事业，全面改善人民生活；建设生态文明，基本形成节约能源资源和保护生态环境的产业结构、增长方式、消费模式。报告指出，到2020年全面建成小康社会目标实现之时，我们这个历史悠久的文明古国和发展中社会主义大国，将成为工业化基本实现、综合国力显著增强、国内市场总体规模位居世界前列的国家，成为人民富裕程度普遍提高、生活质量明显改善、生态环境良好的国家，成为人民享有更加充分民主权利、具

① 中共中央文献研究室编《十七大以来重要文献选编》(上)，中央文献出版社 2009 年版，第10—12 页。

② 这些阶段性特征包括：经济实力显著增强，同时生产力水平总体上还不高，自主创新能力还不强，长期形成的结构性矛盾和粗放型增长方式尚未根本改变；社会主义市场经济体制初步建立，同时影响发展的体制机制障碍依然存在，改革攻坚面临深层次矛盾和问题；人民生活总体上达到小康水平，同时收入分配差距拉大趋势还未根本扭转，城乡贫困人口和低收入人口还有相当数量，统筹兼顾各方面利益难度加大；协调发展取得显著成绩，同时农业基础薄弱、农村发展滞后的局面尚未改变，缩小城乡、区域发展差距和促进经济社会协调发展任务艰巨；社会主义民主政治不断发展，依法治国基本方略扎实贯彻，同时民主法制建设与扩大人民民主和经济社会发展的要求还不完全适应，政治体制改革需要继续深化；社会主义文化更加繁荣，同时人民精神文化需求日趋旺盛，人们思想活动的独立性、选择性、多变性、差异性明显增强，对发展社会主义先进文化提出了更高要求；社会活力显著增强，同时社会结构、社会组织形式、社会利益格局发生深刻变化，社会建设和管理面临诸多新课题；对外开放日益扩大，同时面临的国际竞争日趋激烈，发达国家在经济科技上占优势的压力长期存在，可以预见和难以预见的风险增多，统筹国内发展和对外开放要求更高。

有更高文明素质和精神追求的国家，成为各方面制度更加完善、社会更加充满活力而又安定团结的国家，成为对外更加开放、更加具有亲和力、为人类文明作出更大贡献的国家。①

此外，大会还对促进国民经济又好又快发展、发展社会主义民主政治、推动社会主义文化大发展大繁荣、加快推进以改善民生为重点的社会建设、开创国防和军队现代化建设新局面、推进“一国两制”实践和祖国和平统一大业、始终不渝走和平发展道路、以改革创新精神全面推进党的建设新的伟大工程等一系列关系党和国家发展全局的重大问题作出了规划和部署。

中共十七大适应新形势和新任务的需要，对党章进行了适当修改。十七大通过的党章修正案，把科学发展观写入党章；把中国特色社会主义道路和理论体系写入党章；把党的基本路线中的奋斗目标表述为“把我国建设成为富强民主文明和谐的社会主义现代化国家”，“和谐”这个词第一次出现在中国共产党的奋斗目标中；把经济建设、政治建设、文化建设、社会建设“四位一体”的中国特色社会主义事业总体布局的内容写入党章；把党的建设实践中取得的重大认识写入党章等。修改后的党章，充分体现了中共十六大以后党的理论创新和实践发展的成果，既保持了党章的稳定性和连续性，又实现了与时俱进。

2007 年 10 月 21 日，中共十七大选举产生了由 204 名委员、167 名候补委员组成的中央委员会和由 127 名委员组成的中央纪律检查委员会。10 月 22 日，十七届一中全会选举了新一届中央政治局委员，通过了中央书记处成员。全会选举胡锦涛、吴邦国、温家宝、贾庆林、李长春、习近平、李克强、贺国强、周永康②为中央政治局常委，胡锦涛为中央委员会总书记；

① 中共中央文献研究室编《十七大以来重要文献选编》(上)，中央文献出版社 2009 年版，第 16 页。

② 2014 年 12 月，鉴于周永康严重违纪，中共中央经立案审查后决定给予其开除党籍处分。2015 年 6 月，周永康因受贿、滥用职权、故意泄露国家秘密罪被天津市第一中级人民法院判处无期徒刑，剥夺政治权利终身。

决定胡锦涛为中共中央军事委员会主席；批准贺国强为中央纪律检查委员会书记。

2008 年 3 月，十一届全国人大一次会议选举胡锦涛为国家主席、中华人民共和国中央军事委员会主席，吴邦国为全国人大常委会委员长；决定温家宝为国务院总理。同时召开的全国政协十一届一次会议选举贾庆林为全国政协主席。

中共十七大科学回答了在我国改革发展的关键阶段，中国共产党举什么旗、走什么路、以什么样的精神状态、朝着什么样的发展目标继续前进等重大问题，把中国特色社会主义这面旗帜更高地举了起来，对继续推进改革开放和社会主义现代化建设、实现全面建设小康社会的宏伟目标作出全面部署，对以改革创新精神全面推进党的建设新的伟大工程提出明确要求。这对于保持党和国家长治久安，激励全党全国人民满怀信心在新的历史起点上继续发展中国特色社会主义，产生了重大而深远的影响。

## 第二节　积极应对国际金融危机冲击

中共十七大以后，全党深入贯彻落实科学发展观，开始了为夺取全面建设小康社会新胜利而奋斗的新征程。然而，一场百年不遇的国际金融危机却使我国发展遭遇严重困难。面对国际金融危机的严重冲击，以胡锦涛同志为总书记的党中央总揽全局，团结带领全党全国各族人民，坚定信心、沉着应对、迎难而上、共克时艰，化挑战为机遇，采取一系列政策措施促进经济平稳较快发展。中国经受住了国际金融危机冲击的重大考验。

## 一、国际金融危机的爆发及中国的反应

这场国际金融危机是由美国次贷危机[①]引发的。2007年，美国房地产金融市场爆发次贷危机，如一匹脱缰的野马，愈演愈烈，逐步从金融领域扩散到实体经济领域，由美国扩散到欧洲、日本等世界主要经济体。次贷危机爆发之初，虽然对中国实体经济的影响一时还未显现，但国际经济形势的新变化还是引起了中央的高度关注。

对世界经济存在的突出矛盾和问题，对经济全球化复杂曲折的发展过程，党中央一直密切关注、高度警惕。早在2007年9月，胡锦涛在中央政治局集体学习时就提出，在经济全球化和中国对外开放不断扩大的形势下，必须切实维护国家经济安全，增强国家经济安全监测和预警、危机反映和应对能力，增强参与经济全球化和维护国家经济安全的能力。[②]12月初，在中央经济工作会议上，胡锦涛明确谈到美国次贷危机问题及其影响。他指出，美国爆发的次贷危机，加剧了全球金融的不稳定性，一旦出现全球性金融危机，引发世界经济衰退，将对中国经济发展和经济安全带来不利影响。为此，要准确把握世界经济走势，未雨绸缪，对各种可能发生的情况要及早制定预案，妥善应对，趋利避害。[③]不久，他在新进中央委员会的委员、候补委员学习贯彻党的十七大精神研讨班上，突出强调要树立忧患意识，指出："在世界多极化、经济全球化深入发展，各种不稳定不确定因素

---

① 次级抵押贷款是美国一些贷款机构向信用程度较差和收入不高的借款人提供的贷款。美国次贷危机，是由美国次级房屋信贷行业违约剧增、信用紧缩而引发的一次金融市场危机。2006年春季开始，随着美国利率上升和住房价格下跌，很多次级抵押贷款的借款人无法按期偿还借款，一些次级抵押贷款机构遭受严重损失甚至破产，部分买入此类投资产品的美国和欧洲投资基金也受到重创。2007年8月，美国第五大投资银行贝尔斯登宣布旗下两只对冲基金倒闭，随后花旗、美林证券、摩根士丹利、瑞银等投资银行相继曝出巨额亏损，次贷危机全面爆发。2008年9月，美国第四大投资银行雷曼兄弟破产，彻底击垮了全球投资者的信心，包括中国在内的全球股市持续暴跌，形成国际性金融危机。

② 《胡锦涛在中共中央政治局第四十四次集体学习时强调　坚定不移地实行对外开放的基本国策形成参与国际经济合作和竞争新优势》，《人民日报》2007年9月30日。

③ 王丛标：《树立世界眼光，积极应对挑战——以胡锦涛为总书记的党中央应对国际金融危机的决策过程》，《党的文献》2009年第5期。

明显增加的国际环境中，在国际国内各方面矛盾和问题相互交织、相互作用的现实状况下，可以预见和难以预见的风险增多，发生这样那样的问题甚至较大风险的可能性不仅是存在的，而且是很现实的。我们必须有足够估计，做好最充分的准备。”“宁可把风险和困难估计得足一些，也千万不要因为估计不足而在风险一旦发生时手足无措，陷于被动。”①

此后，中国在开展经济工作的同时，更加注意观察次贷危机蔓延情况及其影响。党中央、国务院一再强调，要树立忧患意识，高度警惕危机可能对我国经济发展产生的风险和冲击，切实做好各种防范工作。这种见微知著的敏锐洞察和防范，为我国应对国际金融危机的严重冲击赢得了时间、争取了主动。

进入 2008 年，美国次贷危机进一步扩散，迅速从局部发展到全球，从发达国家传导到新兴市场国家和发展中国家，从金融领域扩散到实体经济。自 2008 年第二季度起，实体经济增速大幅下滑，欧元区、英国、日本和美国等主要发达经济体相继出现负增长，欧美金融体系陷入融资功能严重失效和流动性短缺的困境。在对外开放度日益提高的情况下，中国经济不可避免地受到金融危机快速蔓延和世界经济增长明显减速的直接影响，加上国内长期积累的深层次矛盾和问题，我国经济运行面临严重困难和挑战。2008 年上半年开始，广东、浙江等东部沿海地区的贸易出口因外部需求收缩而严重受阻，增幅逐月下滑，纺织、钢铁等传统制造业产品出口下降。同时，受国际市场上能源、粮食等初级产品价格居高不下的影响，国内物价出现大幅攀升，通货膨胀加剧。整个经济增长下行的压力明显加大，中国经济发展形势异常严峻。

面对这些复杂因素和严峻挑战，2008 年 6 月 13 日，中共中央、国务院召开省区市和中央部门主要负责同志会议。会议全面分析国际国内新出现的复杂形势特别是美国次贷危机不断加剧带来的风险，提出“既要正确

---

① 胡锦涛：《胡锦涛文选》第三卷，人民出版社 2016 年版，第 19 页。

估计我国经济社会发展的有利条件和积极因素，坚定做好各项工作的信心；又要充分认识面临的问题和挑战，增强风险意识和忧患意识，积极做好应对各种困难局面的充分准备”。会议再次强调，要增强宏观调控的预见性、针对性、灵活性，把握好宏观调控的重点、节奏、力度，进一步加强金融监管，切实防范金融风险。①

这次会议后，党中央、国务院着手对经济工作进行调查研究。从2008年7月初开始，中央政治局常委和国务院主要负责人分赴长江三角洲、珠江三角洲、东北、华北等地考察，实际了解各地经济运行情况及国际金融危机对我国的影响。7月8日至11日，国务院连续召开三次经济形势座谈会，就物价上涨压力加大、煤电油等基础原材料产品供应紧张和出口困难等问题，分别听取广东、安徽、陕西、辽宁、山东、湖北、广西七省区地方负责人、经济专家和企业界人士的意见和建议。7月18日、9月18日，中央政治局常委会听取了国际金融形势的汇报。

在深入调研的基础上，2008年7月25日，中共中央政治局召开会议，确定了做好2008年下半年经济工作的总体思路，明确将经济工作的首要任务从年初的“防止经济增长由偏快转为过热、防止价格由结构性上涨演变为明显通货膨胀”，调整为“保持经济平稳较快发展、控制物价过快上涨”。宏观调控首要任务的调整，为有效应对国际金融危机的冲击打下了政策基础。

## 二、宏观经济政策的调整及取得的成效

2008年9月，有着158年历史的美国第四大投资银行雷曼兄弟公司申请破产。以此为标志，美国次贷危机演变为一场历史罕见、冲击力极强、波及范围很广的国际金融危机。这场自20世纪30年代以来最为严重的金

① 《中共中央、国务院在京召开省区市和中央部门主要负责同志会议》，《人民日报》2008年6月14日。

融危机，使世界经济形势急转直下。中国面临的经济形势更加严峻，从中小企业到大中型企业、从出口部门到其他部门、从东部沿海地区到内陆地区，都受到了巨大冲击。国际金融危机使我国出口急剧回落，部分企业经营困难，进而导致经济增长速度迅速下滑。2008 年第四季度，全国经济增速从第三季度的 9.0% 陡然滑落至 6.8%，下降的幅度令人担忧。伴随经济下滑，财政出现减收，不少小企业倒闭，社会就业面临巨大压力。经济下行压力加大成为我国经济发展中面临的最突出问题。如果不采取果断措施迅速遏制住经济增长速度下滑态势，就无法保持我国经济社会发展的良好势头，就会激化一些潜在的矛盾和问题，影响社会大局稳定。

面对日趋严峻的形势，2008 年 10 月 7 日，胡锦涛主持召开中央政治局常委会议，分析国际金融危机形势，研究应对措施。他指出：美国金融危机带来的后果还没有见底，要继续密切观察全球金融形势，充分估计可能发生的最不利情况，做好应对更加困难局面的准备。要根据形势变化，继续加强和改善宏观调控，研究采取扩大内需的政策措施，尤其要扩大消费。要克服困难，保持我国经济平稳较快发展势头。① 会议决定，召开经济情况通报会，向各省区市、中央各部门和军队各大单位主要负责人通报国际金融危机和有关工作情况，并成立应对国际金融危机小组。

随后，中共十七届三中全会进一步全面分析国内经济形势，强调最重要的是要把我国自己的事情办好，要坚定信心、冷静观察，多管齐下、有效应对，采取灵活审慎的宏观经济政策，着力扩大国内需求特别是消费需求，保持经济稳定、金融稳定、资本市场稳定，保持社会大局稳定。②

针对国内外形势的变化，中央争分夺秒部署促进经济增长的政策措施，果断把宏观调控的着力点转到防止经济增速过快下滑上来。2008 年 11 月 5 日，国务院常务会议提出，要实施积极的财政政策和适度宽松的货币政策。

---

① 胡锦涛：《胡锦涛文选》第三卷，人民出版社 2016 年版，第 117—118 页。

② 中共中央文献研究室编《改革开放三十年重要文献选编》（下），中央文献出版社 2008 年版，第 1866 页。

将财政政策由之前的“稳健”转为“积极”、货币政策由“从紧”转为“适度宽松”，这是继2008年7月宏观经济首要任务调整后，对宏观经济政策作出的又一次重大调整。按照出手要快、出拳要重、措施要准、工作要实的要求，这次会议出台了扩大内需、促进经济增长的10项措施。其中主要包括：加快建设保障性安居工程；加快农村基础设施建设；加快铁路、公路和机场等重大基础设施建设；加快医疗卫生、文化教育事业发展；加强生态环境建设；加快自主创新和结构调整；加快地震灾区灾后重建各项工作；提高城乡居民收入；全面实施增值税转型改革；加大金融对经济增长的支持力度。这10项措施，从酝酿到出台，是在很短的时间内完成的，对于缓解经济运行中的突出矛盾、增强信心、保持经济平稳较快发展，发挥了重要作用。

2008年年底至2009年年初，中国经济面临着进入21世纪后最为困难的局面。国际国内对中国这次能否成功应对国际金融危机的冲击、保持稳定发展还存在着不少疑虑。2008年12月，胡锦涛在中央经济工作会议上发表讲话，就世界经济中长期趋势作出了“四个变与不变”的总体判断。他指出：这场危机发生后，“世界经济增长格局会有所变化，但经济全球化深入发展大趋势不会改变；政府维护市场正常运行的职责会有所强化，但市场在资源配置中的基础性作用不会改变；国际货币多元化会有所推进，但美元作为主要国际货币的地位没有发生根本改变；发展中国家整体实力会有所上升，但发达国家综合国力和核心竞争力领先的格局没有改变”[①]。这个总体判断，为形成应对国际金融危机冲击的明确思路和谋划我国经济的长远发展奠定了战略基础。根据这个判断，会议认为，中国发展的重要战略机遇期依然存在，这场金融危机给我国发展既提出了前所未有的挑战，也带来了前所未有的机遇。我们既要把困难估计得更充分一些，把应对措施考虑得更周密一些，又要注重从变化的形势中捕捉和把握难得发展机遇、在逆境中发现和培育有利因素，统筹好国内国际两个大局，善于从国际国

① 胡锦涛：《胡锦涛文选》第三卷，人民出版社2016年版，第335页。

内条件的相互转化中用好发展机遇、从国际国内资源的优势互补中创造发展条件，更好地利用国际国内两个市场、两种资源，扎扎实实办好自己的事情。[①]会议强调，要把保持经济平稳较快发展作为首要任务，要立足扩大内需，保持经济平稳较快增长；加快发展方式转变和结构调整，提高可持续发展能力；深化改革开放，增强经济社会发展活力和动力；加强社会建设，加快解决涉及群众利益的难点热点问题，促进经济社会又好又快发展。为防止经济增速下滑过多，体现“保增长”的要求，中央将2009年经济增长速度定为8%。

进入2009年，虽然应对国际金融危机的一系列政策举措迅速实施，我国经济运行开始出现某些积极迹象，但总体而言，国际金融危机仍在深化和蔓延，我国实体经济受危机的冲击仍很严重。2009年第一季度，我国国内生产总值增速降至6.1%，进出口跌幅创下十多年来的纪录。由于经济不景气和部分企业裁员，全国新增就业难度加大，农民工就业形势尤其严峻。

面对更加严峻的经济形势，以胡锦涛同志为总书记的党中央立足“保增长、扩内需、调结构”这一总体目标，坚持积极的财政政策和适度宽松的货币政策，很快形成有效应对国际金融危机的一揽子计划。一揽子计划，是把促进经济增长、调整经济结构和保障改善民生有机统一起来的系统工程，共有四大支柱。第一个支柱，是大规模增加政府支出和实行结构性减税。一方面，发挥政府投资“四两拨千斤”的作用，实施两年新增4万亿元的投资计划，核心是新增中央投资1.18万亿元，实际执行结果是新增1.26万亿元，分别用于保障性安居工程、农村民生工程和社会事业的投资，自主创新、结构调整、节能减排和生态建设，重大基础设施建设和灾后恢复重建。另一方面，推出“家电下乡”“汽车下乡”“以旧换新”等一系列刺激消费的政策，增强消费对经济增长的拉动作用。同时，全面实施增值税转型，推进成品油价格和税费改革，提高出口退税率，调整车辆购置税，适时调整个人住房转让营业税，在全国统一取消和停征一批行政事业性收

① 马占成：《中央经济工作会议在北京召开》，《人民日报》2008年12月11日。

费和“工商”两费，减轻企业和居民负担。第二个支柱，是大范围实施重点产业调整振兴规划。国务院陆续制定实施了汽车、钢铁、船舶、石化、轻工、纺织、有色金属、装备制造、电子信息、物流等十大重点产业调整振兴规划。2009年、2010年，中央财政连续两年都安排200亿元，用于企业技术改造，推动重点行业结构优化升级。这些措施既着眼于解决当前困难，又致力于促进产业长远发展，保护先进生产能力，增强了我国经济可持续发展能力。第三个支柱，是大力推进自主创新，加强科技支撑。2009年中央财政科技支出1512亿元，增长30%，2010年进一步增加到1728亿元。加快实施国家中长期科技发展规划纲要，取得一批阶段性成果，新建一批国家工程实验室、技术研究中心和重点实验室。第四个支柱，是大力保障和改善民生。实施更加积极的就业政策，建立覆盖城乡的社会保障制度，全面建立城镇居民基本医疗保险制度、新型农村合作医疗制度，大幅增加教育投入，全面实现城乡九年免费义务教育，扩大国家奖助学制度覆盖面等。①

一揽子计划，运用市场和宏观调控“两只手”，调动中央和地方两个积极性，既涉及经济又涉及社会，既涉及发展又涉及生活，是一个统筹兼顾的政策组合。它们既是促进经济平稳较快发展的应急之举，也是推动科学发展的长远之策。宏观调控注意远近结合、标本兼治，既克服短期困难，又加强重点领域和薄弱环节，为长远发展奠定基础。在2009年的夏季达沃斯论坛上，温家宝明确指出，我们实施的一揽子计划“是当前和长远相结合，保增长与调结构相统一的计划”，“是政府与市场作用相统一、发展与改革相促进的计划”，“是既保增长、又惠民生的计划”。②这一论述，精辟指出了一揽子计划的实质，也揭示出我国应对国际金融危机冲击采取政策措施的科学性、合理性。

---

① 国务院研究室编《十二届全国人大一次会议〈政府工作报告〉辅导读本》，人民出版社、中国言实出版社2013年版，第18页。

② 温家宝：《全面提升中国经济发展内在动力——在2009年夏季达沃斯论坛上的讲话》，《人民日报》2009年9月11日。

随着一揽子计划逐渐发挥效应，我国应对国际金融危机冲击取得阶段性重大成果，在世界各国中率先实现经济回升向好。从2009年第二季度起，我国经济止跌回升，随后经济增速逐季加快，2009年全年经济增长9.4%[①]，实现了“V”型反转，“保八”目标顺利实现。实践证明，中央应对国际金融危机的一揽子计划是及时、有力、有效的。

## 三、巩固和扩大应对国际金融危机成果

度过21世纪以来最为困难的2009年，中国经济开始企稳回升，但国际国内不确定因素仍然很多，经济回升基础还不稳固。为此，2009年年底召开的中央经济工作会议要求，继续把促进经济平稳较快发展作为经济工作的首要任务。会议强调，要保持宏观经济政策的连续性和稳定性，继续实施积极的财政政策和适度宽松的货币政策，并根据新形势新情况，着力提高政策的针对性和灵活性。总体来说，2010年中国宏观调控的核心，就是要处理好保持经济平稳较快发展、调整经济结构、管理通胀预期之间的关系。

进入2010年，中国经济形势越来越好。然而，伴随经济回暖，物价上涨的压力却不断加大。从7月开始，由于经济下行风险始终存在，货币政策未适时趋稳，以农产品为主的生活必需品价格上涨较快，价格总水平逐月攀升。在这种形势下，12月，在稳定政策的主基调下，中央及时调整宏观调控的方向，决定在继续实施积极的财政政策的同时，实施稳健的货币政策，从而在全球范围较早、平稳实现了由非常条件下的非常措施向正常状态有序过渡。

2011年，在全球经济复苏势头减弱与通胀压力并存的大背景下，国内物价上涨的压力进一步加大，物价上涨较快成为我国经济运行中最突出的

① 中共中央党史和文献研究院：《中国共产党的一百年》，中共党史出版社2022年版，第905页。

矛盾。在这种情况下，稳定物价总水平成为宏观调控的首要任务。为此，国家坚持综合施策，合理运用货币政策工具，调节货币信贷增速，引导货币信贷增长向常态回归，加大结构性减税力度；同时，大力发展生产，重点支持实体经济特别是小型微型企业，保障供给，搞活流通，加强监管，坚定不移地加强房地产市场调控。通过多措并举，很快遏制住了一度出现的物价过快上涨势头。

2012年，世界各大经济体增长全面减速，各种风险不断暴露，我国经济发展面临的困难明显增加，经济下行压力加大。5月，中央明确提出要把稳增长放在更加重要的位置，加大预调微调力度，集中部署了一系列政策措施，包括在保持财政预算支出规模不变的条件下，合理加快财政支出进度，加大结构性减税力度，重点推进营业税改征增值税试点，实施一系列减轻小微企业税费负担的政策措施；发挥货币政策调节作用，保持货币信贷平稳适度增长；鼓励民间投资；促进外贸稳定增长等。经过不懈努力，扭转了经济增速连续7个季度下滑的趋势，实现了全年经济社会发展目标。

总的来看，面对国际金融危机的严重冲击，中共中央、国务院审时度势、科学决策，加强和改善宏观调控，及时、灵活地调整宏观经济政策，合理把握调控的时机、力度和重点，始终牢牢把握经济工作的主动权，有效遏制了经济下滑的压力，实现了经济平稳较快发展。2008年至2012年，我国国内生产总值年均增长9.3%，显著高于同期全球和新兴经济体的增速，经济总量从世界第四位跃升到第二位；累计新增城镇就业5870万人，[①]与主要发达经济体失业率居高不下形成鲜明对比；进出口总额从世界第三位提升到第二位，其中出口额跃居世界第一位；通货膨胀率也远低于其他新兴经济体。五年间，我国宏观经济运行总体上保持增速平稳较快、物价相对稳定、就业持续增加、国际收支趋于平衡的良好态势，成为世界经济复苏进程中最亮丽的一道风景线。

---

① 温家宝：《政府工作报告——2013年3月5日在第十二届全国人民代表大会第一次会议上》，《人民日报》2013年3月19日。

如何应对严峻挑战，考验的是驾驭复杂局面的能力。五年来的实践充分证明，中共中央关于应对国际金融危机冲击的一系列决策部署，有力促进了国民经济平稳较快发展与社会和谐稳定，有效避免了我国现代化进程因巨大的外部冲击而出现大的波折，是十分必要和完全正确的。

当然，在应对国际金融危机期间所采取的一些经济刺激政策，会有一个消化的过程。与此同时，我国经济社会发展中也仍然存在不少突出矛盾和问题，主要是发展中不平衡、不协调、不可持续问题依然突出；经济增长下行压力和产能相对过剩矛盾有所加剧；经济发展与资源环境的矛盾日趋尖锐等。从根本上解决经济平稳健康发展问题，还必须坚定不移推进和深化改革。

## 第三节　奋勇抗击严重自然灾害

我国是世界上自然灾害最为严重的国家之一，灾害种类多、分布地域广、发生频率高、造成损失重。2008 年以后，我国先后遭遇汶川特大地震、玉树强烈地震、舟曲特大山洪泥石流等重大自然灾害，造成灾区群众生命财产和经济社会发展的巨大损失。以胡锦涛同志为总书记的党中央科学决策，周密部署，全党全军全国人民众志成城、迎难而上，奋勇夺取抗击严重自然灾害的重大胜利，有力彰显了中华民族自强不息、百折不挠、坚不可摧的伟大民族精神。

### 一、抗击汶川特大地震

2008 年 5 月 12 日 14 时 28 分，我国四川汶川发生震惊世界的特大地震。四川汶川特大地震是新中国成立以来破坏性最强、波及范围最广、救灾难度最大的一次地震，震级达里氏 8 级，最大烈度达 11 度，余震 3 万多次，涉及四川、甘肃、陕西、重庆等 10 个省区市 417 个县（市、区）、4667 个乡（镇）、48810 个村庄。灾区总面积约 50 万平方公里，受灾群众 4625 万多人，其中极重灾区、重灾区面积 13 万平方公里，造成 69227 名同胞遇难、17923 名同胞失踪，需要紧急转移安置受灾群众 1510 万人，房屋大量倒塌损坏，基础设施大面积损毁，工农业生产遭受重大损失，生态环境遭到严重破坏，直接经济损失 8523 亿多元，引发的崩塌、滑坡、泥石流、堰塞湖等次生灾害举世罕见。①

坚决战胜这场灾害，保护人民生命财产安全，保卫改革开放和社会主义现代化建设成果，是对中国人民意志、勇气、力量的严峻考验，也是对中国共产党执政能力和先进性的重大检验。

面对特大地震灾害，中共中央总揽全局、审时度势，在震后第一时间就把抗震救灾确定为全党全国最重要最紧迫的任务，组织开展了我国历史上救援速度最快、动员范围最广、投入力量最大的抗震救灾斗争。地震发生当晚，胡锦涛连夜主持召开中央政治局常务委员会会议，第一时间对抗震救灾各项工作进行紧急部署，号召广大干部、共产党员自觉投入到抗震救灾斗争，把人民利益放在第一位，急群众之所急，解群众之所难，把党和政府的温暖送到每一个受灾群众身上。②5 月 17 日，胡锦涛亲赴地震灾区指导抗震救灾工作，强调："任何困难都难不倒英雄的中国人民！"③与此同时，国务院成立抗震救灾总指挥部，周密组织、科学调度，建立上下贯通、军地协调、全民动员、区域协作的工作机制，迅速组织各方救援力量赶赴灾区，紧急调集大批救灾物资运往灾区，精心部署受灾群众安置工作，举全国之力抗震救灾。

面对特大地震灾害，从中央到地方各级党委和政府坚强领导、科学指挥，始终与灾区人民心连心、同呼吸、共命运。党中央强调，一定要把抢

---

① 胡锦涛：《胡锦涛文选》第三卷，人民出版社 2016 年版，第 121—122 页。
② 胡锦涛：《胡锦涛文选》第三卷，人民出版社 2016 年版，第 78 页。
③ 胡锦涛：《胡锦涛文选》第三卷，人民出版社 2016 年版，第 79 页。

救人的生命放在首位，只要有一线希望，都要尽最大努力抢救被困群众。按照部署，全国迅速动用20余个专业兵种的解放军、武警部队、公安民警、消防特警以及7.5万名民兵预备役人员；组织专业救援队5257人，医疗卫生人员9.13万人；中央财政及时安排384亿元救灾资金，[①] 国家地震局和民政、卫生、公安、水利、教育、交通等部门纷纷启动应急预案，第一时间展开救援工作。各地区各部门大力发扬全国一盘棋思想，一方有难、八方支援，一切为了灾区，全力支援灾区，在调集人员、支援物资、收治伤员、安置移民、建造临时和过渡住所等方面做了大量工作。这一切，充分体现了党和政府始终坚持以人为本、人民利益高于一切的理念，生动展现了危难时刻党和政府强有力的领导和指挥能力，极大鼓舞和坚定了全国各族人民夺取抗震救灾斗争胜利的勇气和信心。

面对特大地震灾害，灾区党委和广大干部群众充分发挥了中流砥柱作用。在山崩地裂的危急关头，灾区党委和政府带领群众化悲痛为力量、从废墟上勇敢站立起来，沉着冷静开展抗震救灾工作。各级干部挺身而出、身先士卒，组织群众争分夺秒抢救被困人员，想方设法安置受灾群众。广大共产党员舍生忘死、勇往直前，关键时刻、危难关头豁得出来、冲得上去，展现了新时期共产党人的光辉形象。灾区人民临危不乱、守望相助，全力开展自救互救。在千钧一发的生死关头，无数人瞬间做出把生的希望留给他人、把死的威胁留给自己的抉择，父母用双臂为孩子撑起生命的天空，老师用身躯为学生挡住死神的威胁，干部舍小家为大家、奋不顾身奋战在第一线。灾区可爱的孩子们，有的在废墟下唱起嘹亮的歌曲，有的机智搜救同学，表现出非凡的勇气和可贵的爱心。灾区各级党委和政府、广大干部群众凭着这样的顽强意志，在满目疮痍的土地上创造了惊天地、泣鬼神的感人业绩。

面对特大地震灾害，人民解放军指战员、武警部队官兵、民兵预备役

① 四川省灾后恢复重建委员会：《抗击汶川地震灾害的“四川实践”与启示》，《四川行政学院学报》2010年第3期。

人员和公安民警发挥了主力军和突击队作用。14.6 万名人民子弟兵，心系灾区人民安危，肩负党和人民期望，从高级将领到普通士兵，发扬英勇顽强、不怕牺牲、连续作战的战斗作风，承担起抗震救灾最紧急、最艰难、最危险的任务。英勇的人民子弟兵勇于突进震中地带，敢于跨越生死界线，克服千难万险，进入千村万户，为灾区人民带去生命的希望和生活的勇气。7.5 万名民兵预备役人员自觉行动，成为解救受灾群众、医疗救护、卫生防疫、公路运输、油料保障、电力抢修、恢复生产等方面的重要突击力量。广大消防特勤、特警、边防等公安救援队伍和公安民警恪尽职守，全力救助群众，全力维护社会稳定，全力保障灾后恢复重建，为金色盾牌增添了新的光彩。

面对特大地震灾害，全国人民心系灾区、情系灾区，形成了齐心协力抗击灾害的磅礴力量。在抗震抢险的日日夜夜里，全国各族人民忧心如焚、勠力同心、生死与共。灾难无情、人间有爱，“汶川加油”“中国加油”，成为响彻中华大地的最强音。无数人自发从天南地北赶赴灾区做默默奉献的志愿者，无数人自发前往遍布全国的献血点争先恐后无偿献血，无数人自发为灾区慷慨解囊，共产党员自发向党组织交纳特殊党费。广大医疗卫生工作者发扬救死扶伤精神，夜以继日抢救生命、严防疫情，完成了非战争状态下最大规模的生命抢救和伤员转运。从城市到乡村，从部队到厂矿，从机关到基层，从街道到学校，规模空前的生命大营救，历经险阻的千里大驰援，处处涌动的爱心大奉献，共克时艰的社会主义大协作，汇聚成全民族风雨同舟的强大合力。

在中共中央、国务院和中央军委的坚强领导下，最大限度挽救了受灾群众生命，最大限度降低了灾害造成的损失。84017 名群众被从废墟中抢救出来，149 万名被困群众得到解救，430 多万名伤病员得到及时救治，其中 1 万多名重伤员被快速转送全国 20 个省区市 375 家医院。同时，千方百计安置受灾群众生活。1510 万名紧急转移安置的受灾群众基本生活得到妥善安排，881万名灾区困难群众得到救助，[①]中小学校在新学期开始前全面复课开学，切切实实做到了让灾区人民有饭吃、有衣穿、有干净水喝、有住处、有病能及时得到医治。与此同时，全力抢修交通、电力、通信、广电、水利、供水、供气等基础设施，及时处理和化解堰塞湖等次生灾害，切实做好余震监测、气象服务、科技支撑、煤电油运保障等各项工作，为抗震救灾和灾后恢复重建创造了有利条件。

全力以赴抢险救灾的同时，灾区的恢复重建也随即展开。2008年5月26日，胡锦涛主持召开中央政治局会议，果断作出“建立对口支援机制，举全国之力，加快恢复重建”的重大决策。2008年6月4日，国务院第十一次常务会议通过《汶川地震灾后恢复重建条例》，这是我国首个地震灾后恢复重建专门条例。为举全国之力，加快地震灾区灾后恢复重建步伐，6月5日，胡锦涛再次主持召开中央政治局常委会议，研究部署汶川地震灾后恢复重建对口支援工作，决定按照“一省帮一重灾县”的原则，安排东部和中部地区的18个省市（海南省除外），加上西部地区的重庆市，共19个省市，以不低于本省（直辖市）上年地方财政收入1%的财力，对口支援四川省的18个县市以及甘肃省、陕西省受灾严重地区，对口支援期限为三年。6月11日，国务院办公厅印发《汶川地震灾后恢复重建对口支援方案》。

对于灾区的恢复重建，党中央、国务院给予了大力支持。在经受国际金融危机严重冲击的困难条件下，震后三年共投入资金10205亿元，其中，中央财政安排灾后恢复重建基金3026亿元。19个对口援建省（市）积极响应中央号召，投入巨大财力物力，倾情倾力支援灾区恢复重建。2008年至2011年，19个援建省市共投入援建资金825亿元。与此同时，社会各界积极支持灾后恢复重建，共捐赠资金和物资797亿元（包括抗震救灾）。全国各级党组织用一笔笔捐款支援灾区，广大共产党员用一份份爱心表达对灾区同胞的牵挂之情，共交纳特殊党费93亿元。香港同胞、澳门同胞、台湾同胞以及海外华侨华人踊跃为灾区提供援助，香港、澳门特区政府分别支

① 胡锦涛：《胡锦涛文选》第三卷，人民出版社2016年版，第122页。

持恢复重建100亿港元和55亿澳元。[①]

在中共中央、国务院的坚强领导和全国人民的大力支持下，经过灾区人民的艰苦奋斗和广大建设者的顽强拼搏，到2011年5月，汶川灾后恢复重建主要任务完成。重建后的地震灾区，城乡居民住房条件显著改善，公共服务设施水平大幅度提升，基础设施保障能力明显提高，产业发展实现再生性跨越，发生脱胎换骨的历史性巨变。群众表示，重建后的灾区"最漂亮的是民居，最安全的是学校，最现代的是医院，最满意的是百姓"，以人为本的执政理念得到充分体现。"家家有房住、户户有就业、人人有保障、设施有提高、经济有发展、生态有改善"的重建目标基本实现。灾区人民逐渐走出灾难阴影，开始勇敢迈向新生活。

历史，总是以最严峻的方式，考验一个民族自强拼搏的能力，考验一个执政党处理复杂问题的水平。这场特大地震灾害，既是人世间的一场重大磨难，也是前进中的一场重大考验。中国共产党、中国人民解放军、中国人民用坚定信念、坚强意志、坚韧努力战胜了磨难、经受住了考验，向历史交出了一份合格答卷。在波澜壮阔的抗震救灾斗争中，大力培育和弘扬了万众一心、众志成城，不畏艰险、百折不挠，以人为本、尊重科学的伟大抗震救灾精神。抗震救灾斗争的胜利，展现了全心全意为人民服务的中国共产党和中国社会主义国家政权的伟大力量，展现了人民军队的伟大力量，展现了13亿中国人民的伟大力量，进一步增强了全国各族人民的民族自信心和自豪感。

## 二、抗击玉树强烈地震和舟曲特大山洪泥石流

2010年4月14日7时49分，我国青海省玉树藏族自治州玉树县发生当地有历史记录以来最强烈的地震。玉树地震震级高、烈度大、震源浅，震中距人口密集城镇近、破坏力强。主震震级达里氏7.1级，最高烈度9度

① 温家宝：《在汶川地震灾后恢复重建座谈会上的讲话》，《人民日报》2011年5月10日。

强，震源深度14公里，余震3000多次。灾区总面积约3.58万平方公里，其中重灾区面积约4000平方公里、极重灾区约1000平方公里，有24.68万人受灾、2698人遇难、270人失踪，直接经济损失228亿多元。[①]受灾最重的结古镇，平房全部倒塌，楼房倒塌过半，机关、学校、医院等公共设施和供电、供水、通信等基础设施大面积损毁。通往结古镇的主要通道214国道多处断裂沉陷、桥涵坍塌，一些地方山体滑坡崩塌，生态环境遭受严重破坏。

这次玉树抗震救灾难度之大、条件之艰苦、环境之恶劣，在灾难救援史上是罕见的。玉树平均海拔4000多米，高寒缺氧、救援队伍高原病多发；灾区地处边远，交通不便，救灾人员物资运送极为困难；受灾区域集中、地带狭窄，大规模救援行动难以展开。

面对突如其来的自然灾难，中共中央、国务院果断决策，迅速组织开展了一场在高原高寒地带进行的规模最大、成效最显著的救援行动。灾情刚刚发生，正在国外访问的胡锦涛第一时间作出指示，要求部队急灾区群众之所急，组织力量，奔赴一线，全力以赴支援地方抗震救灾斗争。他指出，"在这一困难时刻，我需要尽快赶回国内，同我国人民在一起，投入抗震救灾工作"[②]，并果断决策压缩出访行程，提前回国指挥救援行动。4月17日回国后，胡锦涛立即主持召开中央政治局常委会会议，研究部署下抗震救灾工作。4月18日，在抗震救灾的关键时刻，他又赶赴抗震救灾第一线，到受灾最重的玉树结古镇看望慰问干部群众和救援人员，指导抗震救灾工作。温家宝于地震发生后第二天，赶赴玉树灾区指导抗震救灾工作，明确要求第一位的工作是救人，只要有一丝希望，就要尽百分努力，决不放弃。[③]

① 回良玉：《在全国抗震救灾总结表彰大会上的讲话》，《人民日报》2010年8月20日。

② 《同人民在一起——以胡锦涛同志为总书记的党中央领导开展青海玉树抗震救灾纪实》，《人民日报》2010年4月21日。

③ 《百倍努力　决不放弃——温家宝赴青海玉树指导抗震救灾侧记》，《人民日报》2010年4月16日。

一场气壮山河的抗震救灾斗争在青藏高原腹地打响。国务院第一时间成立抗震救灾总指挥部，并于当日赶到灾区，组织协调指挥抗震救灾工作。人民解放军视灾情为命令，以最快的速度开赴灾区，承担起抗震救灾最紧急、最艰难、最危险的任务，用赤胆忠诚、钢铁意志和血肉之躯，谱写了感天动地的英雄凯歌。危急关头，全国人民发扬“一方有难、八方支援”和“全国一盘棋”的大团结、大协作精神，全力支援灾区，形成了抗击地震灾害的强大合力。

在中共中央、国务院的坚强领导、全国人民的大力支持和灾区人民艰苦卓绝的努力下，玉树抗震救灾有力有序有效进行，取得阶段性重大胜利。在整个抢险救灾阶段，坚持把救人作为首要任务，逐村逐户进行拉网式搜救，不漏一户、不漏一人，紧急转移被困群众 22.5 万人，抢救压埋人员 2008 人。所有伤病群众都得到及时救治，地震当日全部重症伤员转运治疗并在 72 小时内完成，有效降低了死亡率和致残率。受灾群众得到妥善安置，18.82 万人领到生活补助，20.65 万人领取救灾口粮，19.31 万人领取转移安置补助，[①]切实做到了让受灾群众有地方住、有饭吃、有干净水喝、有衣穿、有病及时能医。同时，优先解决临时校舍问题，灾后 36 天内所有学校全部复课，高考顺利进行，并在充分尊重学生和家长意愿的前提下，安排 3535 名灾区学生在省内转移就学、5074 名中学生转移到省外就学。这一切，充分体现了执政为民、生命至上的理念和以人为本、尊重科学的品格，生动展现了中国共产党和人民政府危难时刻强大的领导力和组织力，极大地鼓舞和凝聚了全国人民战胜灾害的信心和力量。

与此同时，灾区的恢复重建也以最快的速度展开。2010 年 5 月 24 日、5 月 27 日、6 月 9 日，国务院连续发布《国务院关于做好玉树地震灾后恢复重建工作的指导意见》《国务院关于支持玉树地震灾后恢复重建政策措施的意见》《玉树地震灾后恢复重建总体规划》等文件，明确了玉树地震灾后恢复重建的一系列重大政策措施。2010 年 6 月，灾后重建全面启动。玉树的

① 回良玉：《在全国抗震救灾总结表彰大会上的讲话》，《人民日报》2010 年 8 月 20 日。

灾后重建，始终坚持以人为本，把公用设施、居民住房重建放在首位，充分尊重群众意愿，尊重民族文化习俗和宗教信仰，注重生态环境保护。到2014年1月，灾区恢复重建任务全面完成。重建后的灾区，人民的生产生活条件上了一个大台阶，三江源地区的生态建设和环境保护上了一个大台阶，实现了“居民拥有新家园、生态迈上新台阶、设施得到新改善、城乡呈现新面貌”的目标。玉树以崭新的面貌立于三江之源。

这次玉树强烈地震，再次让世人领略了什么是顶天立地、感天动地，见证了人间大爱、生命坚强、人民伟大。伟大的中国人民和中华民族，以无所畏惧的英雄气概、团结一致的强大力量、可歌可泣的伟大壮举，书写了中国抗震救灾史上新的壮丽篇章，在人类与自然灾害的抗争史上耸立起又一座巍峨丰碑。

2010年，我国的水旱灾害发生频次之高、影响范围之广、持续时间之长、人员伤亡之多、灾害损失之重，可谓历史罕见。入汛后，全国降雨过程多、局地强、雨量大、致灾重，许多地区日降雨量超过历史极值，30个省区市遭受不同程度的洪涝灾害，258座县城和城市市区进水受淹，437条河流发生超警以上洪水，长江上游出现超过1998年的特大洪水，111条河流发生超历史的特大洪水，数千座水库和大量堤防出险，一些中小河流堤防发生决口、漫溢。[①]特别是8月8日凌晨，因突降特大暴雨，甘肃省甘南藏族自治州舟曲县发生了新中国成立以来最大的山洪泥石流灾害。这次灾害，造成1765人死亡和失踪，大量房屋倒塌损坏，基础设施严重损毁，县城河床抬高形成堰塞湖，直接威胁下游10万余群众的生命安全。

在中共中央、国务院和中央军委的坚强领导下，舟曲抢险救援有序开展。在第一时间紧急调集1万多救援人员、携带专业救援设备赶赴灾区，逐村、逐户开展拉网式搜救，营救被困人员1243人，紧急转移安置群众2万人；迅速向灾区派出65支医疗队和防疫队，所有伤病群众都得到及时救治；

---

① 回良玉：《在全国防汛抗旱暨舟曲抢险救灾总结表彰大会上的讲话》，《人民日报》2010年12月8日。

全力抢通水电路等基础设施，有效处置堰塞湖险情，抓紧开展河道清淤疏通，在较短时间内恢复了灾区的生产生活秩序，确保了灾区人心安定、社会稳定。

随着抢险救援任务的逐步结束，2010 年 10 月 18 日、11 月 4 日，国务院及时下发《关于支持舟曲灾后恢复重建政策措施的意见》和《舟曲灾后恢复重建总体规划》，部署灾后恢复重建。11 月 17 日，舟曲灾后恢复重建全面启动。到 2011 年年底，灾区恢复重建任务基本完成。

多难兴邦。在抗击汶川特大地震、玉树强烈地震、舟曲特大泥石流等严重自然灾害的过程中，中华民族坚忍不拔、和衷共济、团结奋斗、自强不息、敢于胜利的伟大民族品格得到了进一步的展现。抗击自然灾害的胜利和灾后恢复重建的成就一次次证明，社会主义中国具有强大的发展活力，社会主义制度具有能够集中力量办大事的政治优势，人民是推动中国社会发展进步的真正动力，人民军队是保卫人民的钢铁长城，中国共产党是中国特色社会主义事业的坚强领导核心，是中国最广大人民根本利益的忠实代表。“没有哪一次巨大的历史灾难不是以历史的进步为补偿的。”①恩格斯的这句名言，在中华民族与严重自然灾害惊天地、泣鬼神的搏斗中，得到了新的诠释和印证。

## 第四节　果断处置严重暴力犯罪事件

西藏位于祖国西南边陲，面积 120 万平方公里，约占全国陆地总面积的 1/8；新疆地处祖国西北地区，面积 166 万平方公里，约占全国陆地总面积的 1/6。西藏和新疆，南北相连，都是中国不可分割的一部分，是我国重要的安全屏障和生态屏障，具有极其重要的战略地位，它们的发展、稳定、

① 中共中央马克思恩格斯列宁斯大林著作编译局编译《马克思恩格斯文集》第十卷，人民出版社 2009 年版，第 665 页。

安全，关系到民族团结、祖国统一、国家安全。但由于历史、自然、社会等多方面的原因，西藏和新疆分裂与反分裂斗争异常尖锐复杂。21世纪之初，在错综复杂的国内外形势下，境内外敌对势力相互勾结，加紧对我国进行渗透和破坏，西藏和新疆民族分裂势力不断进行捣乱以至猖狂进行暴力恐怖活动，成为影响我国社会政治稳定的突出问题。

## 一、坚决处置西藏“3·14”严重暴力犯罪事件

2008年3月14日，就在全国人民翘首以盼的北京奥运会日益临近之时，少数不法分子在西藏拉萨主要路段实施打砸抢烧暴力活动，使当地的社会秩序受到严重破坏，给人民群众生命财产造成重大损失。这次事件，导致无辜群众18人被烧死或砍死、382人受伤，公安民警和武警官兵1人牺牲、241人受伤；1000多家商铺、民房以及学校、医院、银行网点受损；暴徒纵火300余处，至少20处建筑物被烧成废墟，84辆警车和民用车辆被烧毁；直接经济损失近3亿元人民币。①

这起严重的打砸抢烧严重暴力犯罪事件，是由境内外达赖集团分裂势力蓄意制造的，是达赖集团有组织有预谋精心策划和煽动的。达赖集团制造这次暴力犯罪事件的目的，是企图利用2008年北京举办奥运会之机，搞乱人心、搞乱社会，破坏西藏等地区的稳定，借以向我国政府施压，妄图把西藏从祖国分裂出去。

西藏分裂和反分裂的斗争由来已久。1959年之前的西藏是一个黑暗、落后的政教合一的封建农奴制社会。十四世达赖喇嘛作为藏传佛教格鲁派首领，也是西藏地方政府首脑，集政教大权于一身，是西藏封建农奴主阶级的总代表。长期政教合一的封建农奴制统治窒息了西藏社会的生机和活力，使西藏社会日益走向没落和衰败。1951年，中央人民政府与西藏地方政府签订《关于和平解放西藏办法的协议》（简称《十七条协议》），西藏

① 胡锦涛：《胡锦涛文选》第三卷，人民出版社2016年版，第233页。

实现了和平解放。《十七条协议》肯定了改革西藏社会制度的必要性，强调“西藏地方政府应自动进行改革”，但是，考虑到西藏的特殊情况，中央人民政府对改革采取了十分慎重的态度，以极大的耐心、宽容和诚意，劝说、等待西藏地方上层统治集团主动进行改革。但是，在帝国主义势力策动支持下，西藏上层统治集团的一些人面对人民日益高涨的民主改革要求，根本反对改革，顽固坚持“长期不改，永远不改”，企图永远保持政教合一的封建农奴制度，于1959年3月10日公开撕毁《十七条协议》，悍然发动了全面武装叛乱。在这种情况下，为维护国家统一和西藏人民的根本利益，中央人民政府与西藏人民一道，坚决平息了武装叛乱。与此同时，在西藏掀起了一场轰轰烈烈的群众性民主改革运动，废除了政教合一的封建农奴制度，解放了百万农奴和奴隶，开创了西藏人民当家作主的新时代。

十四世达赖及其政治集团是旧西藏政教合一的封建农奴制度和极少数农奴主阶级的总代表，是旧西藏政治、经济和文化资源的垄断者和既得利益者。他们与占西藏人口绝大多数的广大劳动人民存在着根本的利害冲突，与西藏社会发展进步的要求存在着不可调和的深刻矛盾。这就决定了达赖集团顽固反对民主改革的必然性，决定了他们决不会自动退出历史舞台，决不会自动放弃自己的特权，也决不会甘心自己的失败。1959年逃亡国外后，十四世达赖及其政治集团从来没有放弃过恢复政教合一的封建农奴制的图谋，公然成立所谓“西藏流亡政府”，公开宣布“西藏独立”，重新组建叛乱武装，在西方反华势力的支持下，在中国边境进行多年的军事袭扰，在国际上长期从事反华活动，在西藏和其他藏区策动多起骚乱事件，在分裂祖国的道路上越走越远。

早在2007年5月，达赖集团和国际反华势力就在比利时首都布鲁塞尔举行“第五届国际声援西藏组织大会”，决定启动抵制2008年北京奥运会的运动。2008年3月10日，十四世达赖发表讲话，鼓动中国境内的不法分子采取暴力行动。“藏青会”则在同一天发表声明称，“目前应紧紧抓住过去独立斗争中从未有过的重要契机，即今年的奥运会”，为了“西藏独立”，“不惜流血和牺牲生命”。[1]在达赖集团的策划组织下，2008年北京奥运会筹办期间，“藏独”势力在国际上制造了一系列干扰破坏活动，包括冲击希腊的圣火采集仪式，在多国抢夺传递中的奥运火炬等野蛮行为。

西藏“3·14”严重暴力犯罪事件发生后，中共中央旗帜鲜明地提出要维护社会稳定、维护社会主义法制、维护人民群众根本利益，并迅速组织力量依法予以处置。在中央坚强领导下，西藏自治区党委、政府立即启动应急预案，采取了一系列坚决果断措施。3月14日晚，拉萨全市主要街道实施交通管制，抓捕不法分子的行动随即展开。3月15日，西藏自治区高级人民法院、人民检察院、公安厅发出通告，敦促组织、策划、参与这次打砸抢烧杀的犯罪分子停止一切犯罪活动，投案自首。与此同时，西藏自治区还迅速组织有关力量，在拉萨全城查扑着火点，救治受伤人员，并加强对学校、医院、银行和政府机关的安全保卫。拉萨各有关部门也积极展开救助行动，很多医院开设绿色就医通道，及时救治受伤群众。从3月17日起，西藏自治区和拉萨市的主要党政机关、企事业单位正常上班，高校、中小学校正常开课。到4月9日，西藏公安机关刑事拘留涉嫌打砸抢烧犯罪嫌疑人953人。[2]“3·14”事件基本平息，有力维护了西藏社会稳定和西藏各族群众的根本利益。

此后，中央及时研究解决深层次问题，深入开展反对“藏独”分裂势力的斗争，在西藏和其他藏区开展党员干部主题教育，深化藏传佛教寺庙法制宣传教育，依法强化寺庙管理，加强宗教界爱国力量建设。同时，采取积极措施促进西藏旅游等产业尽快恢复发展，加快重点项目实施进度，发挥对口帮扶作用，支持西藏经济社会发展。

为了澄清历史是非，让世人更好地了解一个真实的、发展变化的西藏，

---

① 中华人民共和国国务院新闻办公室：《西藏发展道路的历史选择》白皮书，《人民日报》2015年4月16日。

② 石国胜：《达赖发表“呼吁”和“声明”意在颠倒黑白继续煽动闹事》，《人民日报》2008年4月10日。

在西藏迎来民主改革50周年之际，2009年3月，国务院新闻办公室发布《西藏民主改革50年》白皮书，回顾西藏民主改革波澜壮阔的历史进程和50年来西藏广泛深刻的历史巨变，用事实揭穿了达赖集团在“涉藏问题”上散布的各种谎言。白皮书指出：民主改革50年来，西藏经济社会实现了跨越式发展，各项事业取得了举世瞩目的历史性成就。50年来，中央政府为促进西藏经济社会发展，对西藏实施了一系列优惠政策，在财力、物力、人力等方面给予强有力的支持。仅在基础设施建设方面，1951年至2008年，国家就累计投入1000多亿元。2001年至2008年，中央财政向西藏的财政转移支付累计达1541亿元。1994年至2008年，中央先后安排60多个中央国家机关、全国18个省市和17个中央企业对口支援西藏经济建设。在中央的关怀和全国的支援下，西藏经济社会发展突飞猛进。1959年至2008年，西藏生产总值由1.74亿元增长到395.91亿元，按可比价格计算，增长65倍，年均增长8.9%。旧西藏没有一条公路，到2008年，西藏基本实现了县县通公路；同时，以公路建设为重点，航空、铁路、管道运输协调发展，形成了以拉萨为中心的四通八达的交通运输网络。民主改革前，西藏农牧民没有生产资料，几乎终身负债，根本谈不上纯收入，2008年西藏农牧民人均纯收入达到3176元，2003年以来年均增长达到13.1%。2008年，西藏城镇居民人均可支配收入达到12482元，比1978年增长21倍。民主改革前，西藏90%以上的人没有自己的住房，农牧民居住条件极差，城镇居民人均居住面积不足3平方米。通过推进新农村建设、实施安居工程，到2008年，西藏农村居民人均居住面积达到22.83平方米，城镇居民人均居住面积达到33.00平方米。从城市到农村都初步建立起社会保障体系，2006年西藏在全国率先建立了农牧区最低生活保障制度。西藏传统民族文化得到保护和弘扬，宗教信仰自由受到充分尊重，现代教育和新闻文化事业全面发展，人民文化教育水平不断提高。旧西藏没有一所现代意义上的学校，适龄儿童入学率不足2%，文盲率高达95%。50年来，国家投入大量资金发展西藏教育事业，使西藏在全国率先实现城乡免费义务教育。从1985年开始，在农牧区实行以寄宿制为主的中小学校办学模式，并对义务教育阶段的农牧民子女实行包吃、包住、包学习费用的“三包”政策。2008年，西藏73个县（市、区）全部实现普及六年义务教育和基本扫除文盲，其中70个县完成普及九年义务教育，文盲率下降到2.4%。[①]

民主改革是西藏历史上最广泛、最深刻、最伟大的社会变革。50年沧桑巨变，西藏经历了从黑暗走向光明、从落后走向进步、从贫穷走向富裕、从专制走向民主、从封闭走向开放的光辉历程。为了永远牢记西藏民主改革这一重大历史性事件，2009年1月19日，西藏自治区九届人大二次会议决定，将每年的3月28日设为“西藏百万农奴解放纪念日”。这是西藏百万农奴翻身解放后设立的首个法定节日，反映了西藏各族人民的心声。

在西藏跨越式发展进入关键阶段、反分裂斗争尖锐复杂的形势下，2010年1月18日至20日，中共中央、国务院召开第五次西藏工作座谈会。这次会议全面分析西藏工作面临的形势和任务，明确了今后一个时期西藏工作的方针、思路、重点，对推进西藏跨越式发展和长治久安，以及加快四川、云南、甘肃、青海省藏区经济社会发展作出了全面部署。胡锦涛在座谈会上发表讲话，指出：经过民主改革50年特别是改革开放30多年的不懈努力，西藏已经基本实现了小康，西藏发展已经站在新的历史起点上。[②]他强调：“当前，西藏的社会主要矛盾仍然是人民日益增长的物质文化需要同落后的社会生产之间的矛盾。同时，由于达赖集团在国际敌对势力支持下一直没有停止渗透破坏活动，西藏还存在着各族人民同以达赖集团为代表的分裂势力之间的特殊矛盾。这一特殊矛盾是西藏各族人民同封建农奴主残余势力斗争的继续。西藏存在的社会主要矛盾和特殊矛盾决定了西藏工作的主题必须是推进跨越式发展和长治久安。”他指出，当前和今后一个时期，西藏工作要坚持走有中国特色、西藏特点的发展路子，以经济建设为中心，以民族团结为保障，以改善民生为出发点和落脚点，紧紧抓住发

---

① 中华人民共和国国务院新闻办公室：《西藏民主改革50年》白皮书，《人民日报》2009年3月3日。

② 《中共中央、国务院召开第五次西藏工作座谈会》，《人民日报》2010年1月23日。

展和稳定两件大事，确保经济社会跨越式发展，确保国家安全和西藏长治久安，确保各族人民物质文化生活水平不断提高，确保生态环境良好，努力建设团结、民主、富裕、文明、和谐的社会主义新西藏。[①]温家宝在座谈会上发表讲话，指出西藏正在从加快发展转向跨越式发展，从相对封闭转向全面开放，从单一农牧业转向多元经济共同发展，从自然保护为主转向全面加强生态环境建设，从解决温饱转向全面建设小康社会。当前和今后一个时期，推进西藏跨越式发展要重点抓好五方面工作：一是切实保障和改善民生；二是加快发展社会事业；三是加强基础设施建设；四是加快发展特色产业，增强自我发展能力；五是加强生态环境保护。他强调，要继续保持中央对西藏特殊优惠政策的连续性和稳定性，进一步加大政策支持和资金投入力度。[②]

雪域涌春潮，齐心谋跨越。第五次西藏工作座谈会的召开，对于加快西藏发展步伐、确保西藏稳定和国家安全具有重大意义。以此为标志，西藏站在了新的历史起点，吹响了全面建设小康社会、实现跨越式发展的新号角。

## 二、果断处理乌鲁木齐“7·5”事件

新疆地处祖国西北边陲，位于亚欧大陆腹地，与蒙古国、俄罗斯、哈萨克斯坦、吉尔吉斯斯坦、塔吉克斯坦、阿富汗、巴基斯坦、印度8个国家接壤，边界线长达5600公里，是我国陆地面积最大、陆地边境线最长、毗邻国家最多的省份，也是我国西北的战略屏障和对外开放的重要门户。历史上，新疆曾是欧亚大陆交通和文明交往的通道，连接古代东西方文明的著名的“丝绸之路”在此将古代中国与世界联系起来。特定的地理区位，使新疆呈现出鲜明的多民族并存与融合、多种文化兼容与并蓄的特色。

---

① 胡锦涛：《胡锦涛文选》第三卷，人民出版社2016年版，第311—312页。
② 《中共中央、国务院召开第五次西藏工作座谈会》，《人民日报》2010年1月23日。

在漫长的历史发展进程中，新疆的命运始终与伟大祖国和中华民族的命运紧密相连。然而，一个时期以来，境内外敌对势力，特别是民族分裂势力、宗教极端势力、暴力恐怖势力（简称“三股势力”），为了达到分裂、肢解中国的目的，蓄意歪曲历史、混淆是非。他们抹杀新疆是中国固有领土，否定新疆自古以来就是多民族聚居、多文化交流、多宗教并存等客观事实，妄称新疆为“东突厥斯坦”，鼓噪新疆“独立”，企图把新疆各民族和中华民族大家庭、新疆各民族文化和多元一体的中华文化割裂开来。

中国历史上，从来没有把新疆称为“东突厥斯坦”，更不存在所谓的“东突厥斯坦国”。18世纪至19世纪上半叶，随着西方对阿尔泰语系突厥语族各种语言的划分，一些国家的学者和作家频繁使用“突厥斯坦”一词，指代天山以南到阿富汗北部，大体包括新疆南部到中亚的地域，并且习惯以帕米尔高原为界，将这一地理区域分为“西突厥斯坦”和“东突厥斯坦”。19世纪末20世纪初，“泛突厥主义”“泛伊斯兰主义”思潮传入新疆以后，境内外分裂势力将这个地理名词政治化，将其内涵扩大化，鼓噪所有使用突厥语族语言和信奉伊斯兰教的民族联合起来，组成政教合一的“东突厥斯坦国”。所谓的“东突厥斯坦”论调，成为境内外民族分裂势力、国外反华势力企图分裂中国、肢解中国的政治工具和行动纲领。新疆形形色色的分裂分子打着“东突”的旗号，形成“东突”势力，企图建立所谓“东突厥斯坦国”分裂政权。

新中国成立后，新疆形成了民族团结和社会稳定的大好局面，但是从旧中国延续下来的“东突”势力依旧存在，潜流涌动。由于境内外敌对势力的策动，新疆始终处在分裂与反分裂斗争的前沿，同敌对势力的斗争一直没有停止过。20世纪70年代末80年代初以来，特别是冷战结束后，受国际宗教极端主义思潮影响，宗教极端主义在新疆滋生蔓延，导致暴恐案件多发频发，给新疆社会稳定和人民生命财产安全造成极大危害。宗教极端主义披着宗教外衣、打着宗教旗号，煽动暴力恐怖，制造族群对立。

新疆乌鲁木齐“7·5”事件就是在这种历史背景下发生的。2009年6

月 26 日，广东韶关旭日玩具厂发生一起维吾尔族、汉族员工械斗的普通治安事件，并很快得以平息。然而，境外“东突”分裂组织却利用这一事件，散布谣言，挑动民族仇恨，策划纠集境内骨干分子煽动不明真相的维吾尔族群众闹事。7 月 5 日晚，乌鲁木齐发生部分维吾尔族群众有组织聚集，随后，一些不法分子疯狂进行打砸抢烧暴力犯罪活动，残忍地杀害、殴打、伤害无辜群众。这次事件，共造成 197 人死亡，1800 多人受伤，380 家商店和 169 辆车被砸、被烧，给当地各族群众生命财产造成极大损失，对社会稳定造成严重破坏。①

乌鲁木齐“7·5”事件，是一起由境内外分裂势力、敌对势力勾联策动的有预谋有组织的严重暴力犯罪事件，也是新中国成立以来在新疆发生的人员伤亡最多、财产损失最重、社会影响最大的一次严重暴力犯罪事件。事件发生后，中共中央、国务院高度重视。正在意大利进行国事访问的胡锦涛立即作出指示，要求依法坚决制止犯罪，迅速平息事态，并防止事态蔓延。7 月 8 日，胡锦涛中断对意大利访问提前回国后，连夜主持召开中央政治局常委会会议，对切实做好新疆稳定工作作出 10 条重要指示。他强调：要深刻认识问题的严重性，“七五”事件有着复杂的政治背景，是分裂势力、敌对势力内外勾联策动的有预谋有组织的严重暴力犯罪事件。要尽快平息乌鲁木齐的事态，维护和保持新疆社会大局稳定，是当前新疆最重要最紧迫的任务。②

新疆维吾尔自治区党委和政府坚决贯彻落实中央部署，采取果断措施坚决制止暴力犯罪，全面加强社会管控，控制乌鲁木齐局势。7 月 6 日凌晨，新疆维吾尔自治区政府主要负责人发表电视讲话，向广大群众讲明“6·26”事件和“7·5”事件的真相和性质。7月6日，事态得到初步控制。7 月 7 日，部分情绪过激的汉族群众自发聚集上街游行，维汉群众对立情绪骤然升温。当日下午，新疆维吾尔自治区党委书记发表电视讲话，要求各

---

① 胡锦涛：《胡锦涛文选》第三卷，人民出版社 2016 年版，第 232—233 页。
② 胡锦涛：《胡锦涛文选》第三卷，人民出版社 2016 年版，第 227—228 页。

族干部群众不要搞对峙，并调集警力疏散聚集人群。与此同时，及时开展善后处理，依法处置涉案人员，深入开展群众工作。经过艰苦努力，乌鲁木齐事态迅速平息，社会秩序逐步恢复正常，新疆其他地州市社会大局保持稳定。

乌鲁木齐“7·5”事件的发生，使人们进一步认识到维护祖国统一、维护民族团结、维护社会稳定的极端重要性。2009 年 9 月 18 日，中共十七届四中全会第二次全体会议结束后，胡锦涛在关于新疆形势和新疆工作的讲话中强调：“在新疆、西藏等地，分裂和反分裂的斗争是长期的、复杂的、尖锐的，有时甚至是十分激烈的。这是不以我们的意志为转移的。全党同志首先是高级干部一定要增强政治意识、政权意识、忧患意识、责任意识，立足历史发展和国际局势变化的大背景来分析和把握反分裂斗争形势，充分认识我们同境内外分裂势力、敌对势力的斗争实质上是近代以来中国人民同帝国主义侵略势力分裂中国图谋斗争的继续，是维护祖国统一和国家安全的重大政治较量，是反对西方敌对势力对我国实施西化、分化战略的现实的具体的斗争，是坚持中国共产党的领导、坚持中国特色社会主义道路、坚持全国各族人民大团结的严肃政治斗争。进一步增强政治敏锐性和政治鉴别力，坚定不移维护祖国统一、维护民族团结、维护社会稳定，切实保障各族人民根本利益。”①

在新疆改革发展和团结稳定面临重大机遇和挑战的关键时刻，针对新疆工作的特殊性质、特殊地位，以及面临的特殊形势、特殊困难，2010 年 5 月 17 日至 19 日，中共中央、国务院在北京召开新疆工作座谈会。这是新中国成立以来党中央、国务院首次召开新疆工作座谈会。会议全面总结新中国成立以来特别是改革开放以来新疆发展和稳定取得的成绩和经验，深刻分析新疆工作面临的形势和任务，进一步明确了当前和今后一个时期做好新疆工作的指导思想、主要任务、工作要求，对推进新疆跨越式发展和长治久安作出了战略部署。胡锦涛在会上强调：“新疆发展和稳定，关系全

① 胡锦涛：《胡锦涛文选》第三卷，人民出版社 2016 年版，第 232 页。

国改革发展稳定大局，关系祖国统一、民族团结、国家安全，关系中华民族伟大复兴。做好新形势下新疆工作，不仅具有重大经济意义，而且具有重大政治意义。做好新疆工作绝不仅仅是新疆的事情，而是全党全国的事情。”他指出，要深入实施稳疆兴疆、富民固边战略，始终把推动科学发展作为解决一切问题的基础，始终把改革开放作为促进发展的强大动力，始终把保障和改善民生作为全部工作的出发点和落脚点，始终把加强民族团结作为长治久安的根本保障，始终把维护社会稳定作为发展进步的基本前提，努力推进新疆跨越式发展和长治久安。①

为了推动新疆经济社会加快发展，中共中央、国务院陆续出台一系列优惠政策措施。其中主要包括：在新疆率先进行资源税费改革，将原油、天然气资源税由从量计征改为从价计征；对新疆困难地区符合条件的企业给予企业所得税“两免三减半”②优惠；中央投资继续向新疆维吾尔自治区和兵团倾斜，“十二五”期间（2011年—2015年）新疆全社会固定资产投资规模将比“十一五”期间（2006年—2010年）翻一番；鼓励各类银行机构在偏远地区设立服务网点，鼓励股份制商业银行和外资银行到新疆设立分支机构；适当增加建设用地规模和新增建设用地占用未利用地指标；适当放宽在新疆具备资源优势、在本地区和周边地区有市场需求行业的准入限制；逐步放宽天然气利用政策，增加当地利用天然气规模等。③2011年9月30日，国务院出台《关于支持喀什霍尔果斯经济开发区建设的若干意见》，提出充分发挥喀什地区和伊犁州对外开放的区位优势，努力打造“外引内联、东联西出、西来东去”的开放合作平台，把喀什、霍尔果斯经济开发区建设成为我国向西开放的重要窗口和推动新疆跨越式发展新的经济增长点。④

中央制定的这些政策措施，把保障和改善民生作为新疆发展的首要目

① 胡锦涛：《胡锦涛文选》第三卷，人民出版社2016年版，第373—374页。

② “两免三减半”，指对相关企业自获利年度起两年免征、三年减半征收企业所得税。

③ 刘维涛：《中共中央、国务院召开新疆工作座谈会》，《人民日报》2010年5月21日。

④ 戴岚：《国务院出台意见　支持喀什霍尔果斯经济开发区建设》，《人民日报》2011年10月11日。

标，将加快经济发展同发展社会事业、解决关系人民生活的突出问题结合起来；把科学发展作为解决涉疆问题的根本举措，将解决短期突出困难同夯实经济长远发展基础结合起来；以改革开放破解发展难题，把有效发挥政府作用与充分运用市场机制结合起来；立足于增强新疆自我发展能力，把中央和各兄弟省市的支持帮助同充分发挥新疆自身的比较优势、后发优势结合起来。这些政策措施，力度之大、含金量之高、惠及民生之广，在新疆历史上是前所未有的，充分体现了党中央对新疆工作的高度重视和推动新疆加快发展的坚定决心。

以新疆工作座谈会为起点，新疆掀起了大建设、大开放、大发展、大团结的热潮，经济社会发展取得令人鼓舞的显著成绩。到 2012 年，新疆生产总值每年增加 1000 多亿元，连续两年保持两位数增长；城乡居民收入增幅连续两年超过全疆生产总值的增幅。[①] 新疆的人气旺了、动力强了、信心足了，天山南北呈现出一派勃勃生机。

## 第五节 加快转变经济发展方式和制定“十二五”规划

发展是党执政兴国的第一要务，是科学发展观的第一要义。随着改革开放的深入进行，特别是在应对国际金融危机的过程中，人们越来越深刻地认识到转变经济发展方式的必要性和紧迫性。为此，中共中央、国务院从我国经济社会发展面临的新形势新情况出发，通过实施扩大内需方针、推动产业结构优化升级、提高自主创新能力、节能减排和生态环境保护等一系列重大举措，努力提高经济发展的质量和效益，不断推进经济发展方式转变。

---

① 戴岚、胡仁巴：《奋力推进跨越式发展和长治久安——访新疆维吾尔自治区党委书记张春贤》，《人民日报》2012 年 9 月 11 日。

## 一、加快转变经济发展方式的提出

改革开放以后，中国经济创造了年均增长 9% 以上的奇迹，但在发展方式上却一直未能摆脱重低成本优势、轻自主创新能力，重物质投入、轻资源环境，重国际市场、轻国内需求的粗放型特征。这样粗放的发展方式，难以支撑经济长期持续健康发展。怎样提高经济发展质量和效益，增强经济国际竞争力和抗风险的能力，加快发展方式转变，是中国共产党人在经济工作中一直探索并着力加以解决的问题。

早在 1995 年 9 月，中共十四届五中全会通过的《中共中央关于制定国民经济和社会发展"九五"计划和 2010 年远景目标的建议》中，就明确提出要实现经济增长方式从粗放型增长向集约型增长的根本性转变。此后，中国采取了以加速信息化为重点调整产业结构、广泛采用先进技术装备社会生产各部门、大力发展教育科技、建立和完善社会主义市场经济体制等重大举措，力求实现集约型增长。经过多年努力，转变粗放型经济增长方式取得了初步效果，但还没有取得根本性突破。我国经济长期积累的结构性矛盾依然突出，经济增长方式粗放问题仍然严重，主要表现在：投资规模增长过快，消费需求特别是居民消费需求不足，自主创新能力还不强，经济增长的资源环境代价仍然过大。如果不加快转变经济发展方式，我国经济平稳较快发展的良好势头将难以长期保持下去。

为促进经济增长方式的转变，2002 年 11 月，中共十六大在部署经济建设和经济体制改革任务时，提出要走新型工业化道路、推进产业结构优化升级、加快城镇化进程、促进区域协调发展、健全社会保障体系等，这其实已经涵盖了有关转变经济发展方式的内容。2007 年 6 月 25 日，胡锦涛在中共中央党校省部级干部进修班上讲话，指出："实现国民经济又好又快发展，关键要在转变经济发展方式、完善社会主义市场经济体制方面取得重大新进展。这是关系经济发展全局的两大任务。"[①]这是第一次正式使用"转

① 胡锦涛：《胡锦涛文选》第二卷，人民出版社 2016 年版，第 546 页。

变经济发展方式”的提法，从而代替了袭用多年的“经济增长方式”的表述。2007年10月，中共十七大明确提出加快转变经济发展方式的战略任务，强调实现未来经济发展目标，关键要在加快转变经济发展方式、完善社会主义市场经济体制方面取得重大进展，“这是关系国民经济全局紧迫而重大的战略任务”。[①]

加快转变经济发展方式有三个方面的内涵：一是在需求结构转变方面，促进经济增长由主要依靠投资、出口拉动向依靠消费、投资、出口协调拉动转变；二是在产业结构方面，由主要依靠第二产业带动向依靠第一、第二、第三产业协同带动转变；三是在要素投入结构方面，由主要依靠增加物质资源消耗向主要依靠科技进步、劳动者素质提高、管理创新转变。

经济增长方式与经济发展方式，既相联系又有区别。一般来说，经济增长方式是指通过要素结构变化包括生产要素数量增加和质量改善来实现经济增长的方法和模式。通常把主要依靠增加生产要素投入、追求产品数量扩张的增长方式，称为粗放型增长方式；把注重依靠科技进步和提高劳动者素质、加强管理、改善效益的增长方式，称为集约型增长方式。经济发展方式的内涵更加丰富，既涵盖要素结构的变化，又包括产业结构、需求结构、城乡结构、区域结构的变化，也包括资源和生态环境的状况。转变经济发展方式，既要求从粗放型增长转变为集约型增长，又要求从通常的经济增长转变为全面协调可持续的经济发展。因此，从转变“经济增长方式”到“经济发展方式”，虽然只有两个字的调整，却更好地体现了深入贯彻落实科学发展观的要求，更深刻地反映了破解经济发展深层次矛盾的要求，更全面地反映了广大人民群众的根本要求，标志着党对经济发展的认识更加全面和深刻。

2008年国际金融危机发生后，我国发展面临的外部环境和内部条件都发生很大变化，转变经济发展方式问题更加突显出来。因此，在积极应对

① 中共中央文献研究室编《十七大以来重要文献选编》（上），中央文献出版社2009年版，第17页。

国际金融危机带来的严重冲击，全力保增长、保民生、保稳定的过程中，中央始终突出强调三个观点。一是国际金融危机对我国经济的冲击表面上是对经济增长速度的冲击，实质上是对经济发展方式的冲击。二是目前世界经济增长模式确实不可持续，发达国家过度消费模式难以为继，世界经济增长模式调整势在必行，必须见事早、行动快、积极应对，为我国加快转变经济发展方式、保持经济平稳较快发展增添推动力。三是国际金融危机形成的倒逼机制客观上为我国加快经济发展方式转变提供了难得机遇，必须紧紧抓住机遇，毫不动摇加快经济发展方式转变，在后国际金融危机时期的国际竞争中赢得主动，使我国发展质量越来越高、发展空间越来越大、发展道路越走越宽。总之，综合判断国际国内经济形势，转变经济发展方式已刻不容缓。

2010 年 2 月，中共中央举办省部级主要领导干部深入贯彻落实科学发展观、加快经济发展方式转变专题研讨班。胡锦涛在研讨班上讲话，明确指出：加快经济发展方式转变是贯彻落实科学发展观，推动科学发展、促进社会和谐的迫切要求。必须审时度势，顺势而为，趋利避害，加快经济发展方式转变，加快改革开放步伐，不断提高经济发展质量和效益，不断提高我国经济的国际竞争力和抗风险能力。他强调，转变经济发展方式关键是要在“加快”上下功夫、见实效；并部署了关于加快经济发展方式转变的八个方面的重点工作，即加快推进经济结构调整，加快推进产业结构调整，加快推进自主创新，加快推进农业发展方式转变，加快推进生态文明建设，加快推进经济社会协调发展，加快发展文化产业，加快推进对外经济发展方式转变。[①] 通过这次研讨，省部级主要领导干部对于加快经济发展方式转变的紧迫感进一步增强，思路进一步明确，工作重点进一步突出，形成了高度的思想共识。

---

① 胡锦涛：《胡锦涛文选》第三卷，人民出版社 2016 年版，第 341—356 页。

## 二、加快经济发展方式转变的重大举措和主要成效

在深化认识、统一思想的基础上，按照中共中央、国务院关于加快转变经济发展方式的部署和要求，2008 年以后，我国积极应对国际金融危机冲击，坚持在发展中促转变、在转变中谋发展，加快推进经济发展方式转变取得重要进展。

一是坚持实施扩大内需方针，内外需拉动经济增长的协调性显著增强。一段时间以来，我国资本形成对经济增长的贡献率不断提高，消费率特别是居民消费率的贡献率却持续降低。由于投资增长更快，使投资与消费出现了不协调，经济增长过多依靠资本形成。从消费领域自身来看，消费结构性不足的问题也比较突出，主要是农民和城市低收入者收入水平低、消费能力不强。这些问题都制约了经济的健康发展。因此，要保持持久稳定的增长而不是短期的繁荣，必须立足于扩大国内需求，把经济发展根植于国内需求特别是居民消费需求上，形成消费与投资、出口协调拉动经济增长的格局，这也是加快转变经济发展方式的内在需要。

为了扩大居民消费需求，我国在增加城乡居民收入、加快社会保障制度建设方面做了大量工作，进一步改善居民消费能力和消费预期。这一时期，积极促进家电、汽车、住房等热点消费，支持旅游、文化、信息等服务消费，扎实推进“万村千乡”市场工程[①]，努力释放农村消费潜力。随着城乡居民收入的增加和社会保障体系的完善，2008 年至 2012 年，社会消费品零售总额保持了较快增长，从 114830 亿元增长到 210307 亿元。扩大国内需求，有效应对了国际金融危机对外需的冲击，增强了我国经济的内生动力和抗冲击能力。特别是 2009 年，在外需对经济增长为负贡献的条件下，国内需求增长有效弥补了外需下降的影响，对经济增长的贡献率高达

---

① “万村千乡”市场工程，是为了满足农民消费需求，改善农村消费环境，商务部于 2005 年 2 月开始启动的工程。其主要内容是通过安排财政资金，以补助或贴息的方式，引导城市连锁店和超市等流通企业向农村延伸发展农家店，构建以城区店为龙头、乡镇店为骨干、村级店为基础的农村现代流通网络。

138.9%。[①]

二是积极推动产业结构优化升级，不断增强产业结构的协调性。产业结构不合理、产业竞争力不强，是我国国民经济发展中长期存在的一个问题。具体地说，农业基础薄弱，很大程度上依然是“靠天吃饭”。工业大而不强，制造业规模虽已位居世界第三，但缺乏自主知识产权、核心技术和世界知名品牌，消耗高、污染多的行业和企业所占比重过高。服务业发展滞后，特别是现代服务业的数量和质量远不能满足需求。与此同时，经济增长主要依靠第二产业带动的格局没有改变，第三产业对经济增长的贡献率不高。

针对产业发展中存在的问题，党中央、国务院采取了一系列政策措施。在发展第一产业方面，围绕巩固农业基础地位，中央大幅增加对“三农”的财政投入。在发展第二产业方面，以调整改造传统产业和培育发展战略性新兴产业为突破口，加快工业转型升级。2009年年初，国家从缓解企业困难和增强发展后劲入手，相继制定出台了汽车、钢铁、电子信息、物流、纺织、装备制造、有色金属、轻工、石化、船舶等十大重点产业调整和振兴规划，分别提出上百项政策措施，使一大批企业生产工艺技术水平得以提高。稳步推进煤炭、钢铁等行业兼并重组，淘汰落后产能，抑制部分行业产能过剩。同时，重点培育和发展节能环保、新一代信息技术、生物、高端装备制造、新能源、新材料、新能源汽车等新兴产业。在发展第三产业方面，国家陆续出台支持现代物流业、高技术服务业、节能服务业、家庭服务业、文化产业、体育产业发展的一系列政策措施，从市场准入、人才服务、数据服务等方面进一步改善服务业的发展环境。

在市场和政府等多方面因素的积极作用下，产业结构调整取得重要进展。到2011年，第三产业增加值占国内生产总值的比重由2007年的39.1%提高到43.1%，第二产业的比重由2007年的49.2%下降到46.8%，第一产

① 国家统计局：《“十一五”经济社会发展成就：新发展　新跨越　新篇章》，国务院新闻办公室门户网2011年3月3日。

业由2007年的11.7%下降到10.1%。[①]

三是加快提高自主创新能力，建设创新型国家。自主创新能力是科技发展的灵魂，是国家竞争力的核心。多年来，由于自主创新能力不强，缺乏核心技术，我国更多的是依靠廉价劳动力的比较优势参与国际经济分工和竞争。一个国家只有拥有强大自主创新能力，才能在激烈的国际竞争中把握先机、赢得主动，特别是在关系国民经济命脉和国家安全的关键领域，真正的核心技术、关键技术是买不来的，必须依靠自主创新。加快经济发展方式转变，根本出路在自主创新。为此，党中央、国务院作出建设创新型国家的战略决策，提出要“把增强自主创新能力作为科学技术发展的战略基点和调整产业结构、转变增长方式的中心环节”[②]，加强原始创新、集成创新和引进消化吸收再创新，走出中国特色自主创新道路。

为适应经济社会发展对科技进步和创新的迫切要求，2006年2月，国务院颁布实施《国家中长期科学和技术发展规划纲要（2006—2020年）》。这个纲要，确定了“自主创新、重点跨越、支撑发展、引领未来”的指导方针，提出了未来15年我国科技发展的总体目标和重点任务。以此为标志，我国进入提高自主创新能力、建设创新型国家的阶段。此后，又陆续颁布《国家中长期教育改革和发展规划纲要（2010—2020年）》《国家中长期人才发展规划纲要（2010—2020年）》。这三个纲要作为相互支撑的有机整体，确立了我国现代化建设全局中科技、教育、人才三个“优先发展”的战略，构成科教兴国、人才强国和建设创新型国家的顶层设计。十六大以后，国家制定和实施了鼓励自主创新的系列措施，在财政、金融、产业政策、高新技术产业开发区等方面提供政策支持。同时，加大对自主创新的资金投入，全国研发经费由2001年的1042亿元增加到2011年的8687亿元。[③]国

① 国家统计局：2007—2011年国民经济和社会发展统计公报。

② 中共中央文献研究室编《十六大以来重要文献选编》（中），中央文献出版社2011年版，第1064页。

③ 林琳、蒋建科：《为经济社会发展注入强劲动力　科技投入：居发展中国家首位》，《人民日报》2012年11月3日。

家对科技创新的支持，营造了良好的创新氛围，引导和带动了全社会尤其是企业创新投入的大幅增长。此外，国家全面启动实施16个科技重大专项，着力突破制约经济社会发展的关键技术。2008年，我国在深圳启动全国首个国家创新型城市试点工作；2010年年初，再次部署大连、青岛、厦门、沈阳、西安、广州、成都、南京、杭州、济南、合肥、郑州、长沙、苏州、无锡、烟台等16个城市开展创建国家创新型城市试点。

中共十六大至十八大的10年，沿着中国特色自主创新道路，我国整体科技实力和科技竞争力明显提升，重要科学前沿和战略必争领域取得一批重大创新成果。这10年，可谓星光熠熠的10年。其中，载人航天和绕月探测工程实现重大突破，成为自主创新的典范。从2003年“神舟五号”首次载人航天飞行，到2008年“神舟七号”中国人的第一次太空漫步，再到2012年“神舟九号”和“天宫一号”首次完成交会对接，我国顺利实现了从无人飞行到载人飞行、从一人一天到多人多天、从舱内实验到出舱活动、从单船飞行到组合体稳定运行等一次次重大跨越，空间技术发展跨入国际先进行列。2007年和2010年，我国成功发射“嫦娥一号”和“嫦娥二号”探测器，跨入世界上为数不多的具备深空探测能力的国家行列。同时，千万亿次超级计算机系统“天河一号”研制成功；载人潜水器“蛟龙”号创下7062米的下潜纪录；百亩超级杂交稻试验田亩产突破900公斤；三峡工程[①]胜利竣工，“高峡出平湖”成为现实；青藏铁路破解世界性工程难

---

① 三峡工程，是治理和开发长江的关键性骨干工程，是当今世界最大的水利枢纽工程。三峡工程从论证、选址、规划、建设到竣工，凝聚了历届中央领导集体的大量心血智慧和几代人的不懈努力，承载了中华民族的百年梦想。1992年4月，七届全国人大五次会议通过《关于兴建长江三峡工程的决议》。1994年12月，三峡工程正式开工。2006年5月，三峡工程大坝全线浇筑到设计高程。2008年10月，三峡工程左右岸26台机组全部投产发电。2012年7月，地下电站6台机组全部投产发电，标志着三峡工程圆满完成各项建设任务，顺利进入高效运行阶段。三峡大坝全长2309.5米，总库容450.5亿立方米，实现了高峡出平湖的宏伟蓝图，发挥了十分显著的防洪、发电、航运、水资源利用等综合效益。

题，顺利建成通车；世界上规模最大的跨流域调水工程——南水北调[①]进展顺利；高速铁路技术实现从追赶到领跑的跨越式发展，中国高铁惊艳世界。此外，我国在诱导多功能干细胞、中国实验快堆、铁基超导、量子通信等基础研究领域也取得一批重大创新成果。科技领域的一系列重大成就，显著增强了科技对经济社会发展的支撑能力，在应对国际金融危机冲击、促进经济平稳较快发展中发挥了至关重要的作用。

四是大力推进节能减排，建设资源节约型、环境友好型社会。我国人均资源占有量少，耕地、淡水、森林、石油和天然气等资源的人均占有量分别只有世界平均水平的1/3、1/4、1/5、1/10和1/22，铁、铜、铝等重要矿产的国内保障程度低，资源供给不足成为经济社会发展的重要制约因素。由于我国经济粗放型增长方式尚未根本转变，经济的快速增长在很大程度上靠大量消耗物质资源来实现，不仅使资源约束矛盾更加突出，环境压力加大，也制约了经济增长质量和效益的进一步提高。同时，我国环境形势十分严峻，一些地区环境污染和生态恶化已经到了相当严重的程度。主要污染物排放量超过环境承载能力，水、大气、土壤等污染日益严重，固体废物、汽车尾气、持久性有机物等污染持续增加。流经城市的河段普遍遭到污染，1/5的城市空气污染严重，1/3的国土面积受到酸雨影响。全国水土流失面积356万平方公里，沙化土地面积174万平方公里，90%以上的天然草原退化，生物多样性减少。发达国家上百年工业化过程中分阶段出现的环境问题，在我国已经集中出现。[②]

面对我国资源环境存在的突出问题，2005年10月，中共十六届五中全会提出了建设资源节约型、环境友好型社会的奋斗目标。2006年3月，十届全国人大四次会议批准的“十一五”规划纲要，将“建设资源节约型、

① 南水北调工程，是缓解我国北方水资源严重短缺局面的战略性工程。按照规划，工程分东、中、西三条线路从长江调水北送，总调水规模448亿立方米。南水北调工程于2002年12月27日举行开工典礼，分期建设，先期实施东、中线一期工程。东线一期工程干线全长1467公里，于2013年12月建成通水。中线一期工程干线全长1432公里，于2014年12月建成通水。

② 温家宝：《全面落实科学发展观　加快建设环境友好型社会》，《人民日报》2006年4月24日。

环境友好型社会”确定为国民经济和社会发展的一项重要内容和战略目标。2006 年 4 月，国务院召开第六次全国环境保护大会，提出要“加快实现三个转变”，即从重经济增长轻环境保护转变为保护环境与经济增长并重，把加强环境保护作为调整经济结构、转变经济增长方式的重要手段，在保护环境中求发展；从环境保护滞后于经济发展转变为环境保护和经济发展同步，做到不欠新账，多还旧账，改变先污染后治理、边治理边破坏的状况；从主要用行政办法保护环境转变为综合运用法律、经济、技术和必要的行政办法解决环境问题，自觉遵循经济规律和自然规律，提高环境保护工作水平。①2007 年，中共十七大首次将“生态文明”写入党的全国代表大会报告，明确提出了建设生态文明的重大战略任务，强调必须把建设资源节约型、环境友好型社会放在工业化、现代化发展战略的突出位置。

在实践中，我国充分运用法律、经济和必要的行政手段，推动资源节约和环境保护，努力使天更蓝、地更绿、水更清，促进人与自然和谐发展，生态文明建设取得重要进展。这一时期，我国逐步形成以节约能源法、水污染防治法、循环经济促进法等为代表的环境保护法律体系，资源能源节约和环保工作更加有法可依。2008 年，国家环境保护总局升格为环境保护部，并对节能减排实行严格的目标责任考核和问责制，政府在环保方面的职能切实加强。在运用行政和法律手段的同时，国家更加重视发挥税收、价格等经济杠杆的调节作用，稳步推进水电油气等能源资源价格和资源税改革。经过各方面共同努力，节能减排和生态环境建设取得明显成效。2008 年至 2011 年，全国万元国内生产总值能耗累计下降 12.81%。污染防治和生态建设力度不断加大，环境质量总体稳定。2007 年至 2011 年，城市污水处理率从 59% 提高到 82.6%；在监测城市中空气质量达到二级以上（含二级）标准的城市从 69% 提高到 88.8%。②大批落后生产能力被淘汰。仅在电力行业，2007 年以后共关闭落后小火电机组 8000 万千瓦，相当于欧洲一个中等国家的装机容量。水电、风电、核电、太阳能等清洁能源发展加快，

① 温家宝：《全面落实科学发展观　加快建设环境友好型社会》，《人民日报》2006 年 4 月 24 日。
② 国家统计局：2008—2011 年国民经济和社会发展统计公报。

能源利用效率不断提高。“经济增长是政绩，保护环境也是政绩”，“绿水青山就是金山银山”的理念开始逐步确立。

除上述领域之外，我国在完善区域发展政策、优化国土地开发格局，统筹城乡发展、加速推进城镇化进程等方面，加快转变经济发展方式也取得了扎实进展。

## 三、以加快转变经济发展方式为主线制定“十二五”规划

“十一五”时期（2006年至2010年），是我国改革发展史上极不容易、极不平凡的五年。面对国内外环境的复杂变化和重大风险挑战，全国人民在中共中央、国务院的正确领导下，齐心协力，攻坚克难，奋力作为，有效应对国际金融危机的巨大冲击，战胜汶川地震等重大自然灾害，坚持发展这个党执政兴国的第一要务，胜利完成了“十一五”规划确定的主要目标和任务，我国经济社会发展取得新的成就，国家面貌发生新的历史性变化。这五年，社会生产力快速发展，综合国力大幅提升，国际地位和影响力显著提高。国内生产总值年均增长11.3%。2010年我国国内生产总值超过40万亿元，经济总量由2005年的世界第五位跃升至第二位，先后超过德国和日本，成为仅次于美国的世界第二大经济体。各项社会事业加快发展，人民生活明显改善，城镇居民人均可支配收入和农村居民人均纯收入年均分别增长9.6%和9.4%。[①]

“十一五”期间，我国办好了许多喜事。在中国举办奥运会，是中华民族的百年期盼。2001年7月13日，国际奥委会作出决定，将第二十九届奥运会举办权授予中国北京。此后，中国政府坚持绿色奥运、科技奥运、人文奥运理念，依靠广大人民群众，坚持开展国际交流合作，全力做好各项筹办工作，为北京奥运会、残奥会的成功举办提供了坚强保障。2008年8

① 中共中央党史和文献研究院：《中国共产党的一百年》，中共党史出版社2022年版，第910—911页。

月8日至24日，第二十九届夏季奥运会在北京举行；9月6日至17日，第十三届残疾人奥运会举行。中国体育代表团勇创佳绩，在奥运会上居于金牌榜首位，在残奥会上居于金牌榜和奖牌榜首位。北京奥运会、残奥会的成功举办，弘扬了团结、友谊、和平的奥林匹克精神，促进了中国人民同世界各国人民的相互了解和友谊，展示了中国人民昂扬向上的精神风貌，让“同一个世界、同一个梦想”的口号响彻寰球。中国人民以坚忍不拔的执着和努力，实现了中华民族的百年期盼，完成了海内外中华儿女的共同心愿，赢得了国际社会高度评价，在现代奥林匹克运动史册上深深钤上了彤红的中国印。北京奥运会、残奥会的成功举办，还培育和弘扬了奥运精神，这就是：为国争光的爱国精神、艰苦奋斗的奉献精神、精益求精的敬业精神、勇攀高峰的创新精神、团结协作的团队精神。这是伟大的中华民族精神在当代中国的生动体现，是中国人民弥足珍贵的精神财富。

北京奥运会、残奥会能够取得成功，靠的是改革开放30年我国持续快速增强的综合国力，靠的是我国社会主义制度能够集中力量办大事的优越性，靠的是全国各族人民的团结奋斗，靠的是世界各国人民和国际社会的大力支持。北京奥运会、残奥会成功举办的事实再次向世人昭示：中国人民有能力为人类文明进步作出更大贡献。

2010年5月1日至10月31日，第41届世界博览会在上海举行。上海世博会是我国首次举办的综合性世界博览会，也是第一次在发展中国家举行的注册类世界博览会。在184天的时间里，有246个国家和国际组织参展，7308万人次参观展览，创造了世博会历史上的新纪录。上海世博会围绕“城市，让生活更美好”的主题，秉承和弘扬理解、沟通、欢聚、合作的世博理念，创造和演绎了一场精彩纷呈、美轮美奂的世界文明大展示，书写了中国人民同世界各国人民交流互鉴的新篇章，以一届成功、精彩、难忘的世博会载入世博会史册，为祖国和人民赢得了荣耀。

“十一五”时期各项建设取得的重大进展，充分展现了改革开放的伟大力量，极大激发了全国人民的自信心和自豪感，极大增强了中华民族的向心力和凝聚力，是中华民族实现伟大复兴征途上的重要标志。

随着“十一五”规划的胜利完成，中共中央综合判断国际国内形势，提出“十二五”时期我国发展仍处于可以大有作为的重要战略机遇期的重要判断。从国际上看，世界多极化、经济全球化深入发展，和平、发展、合作仍是时代潮流。同时，国际金融危机影响深远，世界经济增长速度放缓，全球需求结构出现明显变化，围绕市场、资源、人才、技术等的竞争更加激烈，全球性问题更加突出，各种形式的保护主义抬头，我国发展的外部环境更趋复杂。从国内看，我国发展的有利条件和长期向好的趋势没有改变，工业化、信息化、城镇化、市场化、国际化深入发展，资金充裕，科技和教育水平整体提升、劳动力素质提高，政府宏观调控和应对重大挑战能力明显增强。同时，我国发展中不平衡、不协调、不可持续问题依然突出，经济增长的资源环境约束强化，投资和消费关系失衡，社会矛盾明显增多，制约科学发展的体制机制障碍依然较多。

2010 年 10 月，中共十七届五中全会审议通过《中共中央关于制定国民经济和社会发展第十二个五年规划的建议》（以下简称《建议》）。《建议》指出，“十二五”时期是全面建设小康社会的关键时期，是深化改革开放、加快转变经济发展方式的攻坚时期。制定“十二五”规划，必须适应国内外形势新变化，顺应各族人民过上更好生活新期待，以科学发展为主题，以加快转变经济发展方式为主线，深化改革开放，保障和改善民生，巩固和扩大应对国际金融危机冲击成果，促进经济长期平稳较快发展和社会和谐稳定，为全面建成小康社会打下具有决定性意义的基础。按照以科学发展为主题、以加快转变经济发展方式为主线的要求，《建议》从经济发展、结构调整、人民生活、社会建设、改革开放等方面，提出了“十二五”经济社会发展的主要目标，明确了未来发展的方向和重点。

根据中共中央的建议，国务院制定了《中华人民共和国国民经济和社会发展第十二个五年规划纲要（草案）》。2011 年 3 月，十一届全国人大四次会议批准了这个规划纲要。

# 第六章

# 继续深化改革和全面扩大对外开放

改革是发展的不竭动力，是加快转变经济发展方式的关键。中共十七大以后，我国继续不失时机地推进经济体制改革。在这个阶段，社会主义基本经济制度进一步完善，财税体制改革继续深化，金融体制改革稳步推进，综合配套改革试验有序进行，农村改革发展取得新成就。改革的深化，促进了社会主义市场经济体制的进一步完善，为经济社会发展注入了新的动力和活力。与此同时，我国坚持对外开放的基本国策，紧紧抓住加入世界贸易组织的重大机遇，积极参与经济全球化进程，实施互利共赢的对外开放战略，着力完善对外开放的体制机制，加快转变外贸发展方式，促进“引进来”与“走出去”协调发展。我国开放型经济水平不断提高，有力地促进了经济社会发展。

## 第一节　进一步完善社会主义市场经济体制

加快推进经济发展方式转变，关键是深化经济体制改革，在国家宏观调控下充分发挥市场对资源配置的基础性作用，建立健全有利于全面协调可持续发展的体制机制，为科学发展提供制度基础。为此，中共十七大后，我国进一步完善社会主义市场经济体制，并在一些重点领域和关键环节取得新的突破。

### 一、坚持和完善社会主义基本经济制度

公有制为主体、多种所有制经济共同发展是中国的基本经济制度。十七大以后，面对国际金融危机的冲击，中共中央、国务院采取一系列政策措施，进一步巩固和发展公有制经济，鼓励、支持和引导非公有制经济健康发展。

中共十七大以后，我国进一步完善国有资产监管体制。2008 年 10 月，十一届全国人大常委会第五次会议通过《中华人民共和国企业国有资产法》，以法律形式确认了企业国有资产出资人制度。随后，《中央企业负责人经营业绩考核暂行办法》《中央企业综合绩效评价管理暂行办法》《中央企业资产损失责任暂行办法》《国家出资企业产权登记管理暂行办法》等一系列配套法规、规章相继出台。国有资产监管的法律法规体系基本形成，对国有资产的保护进一步加强。

我国坚持市场化的改革方向，不断推进国有企业股份制改革。按照健全现代企业制度的要求，通过引进战略投资者、推行规范改制和境内外资本市场上市，大多数国有企业实现了产权多元化，成为国有控股（参股）

公司。截至2012年，全国90%以上的国有及国有控股企业完成了公司制股份制改革，中央企业及其下属企业改制面从2006年的64.2%提高到2012年的72.3%。[①]同时，从2006年起，围绕做大做强主业，加大中央企业兼并重组力度，进一步优化国有经济布局和结构。经过调整，中央企业户数从2008年的150家减少到2012年的116家，并且有80%以上的资产集中在关系国家安全和国民经济命脉的重点行业和关键领域。此外，继续深化垄断行业的改革，大部分垄断行业企业实现政企分开，电信、电力、铁路、民航等行业经过企业重组，形成了竞争性市场格局。

总体上看，经过改革，国有企业的发展质量和经济效益大幅提高。从2006年到2010年，中央企业资产总额、营业收入、上缴税金和税后净利润等主要经营指标均实现了翻番，年均国有资产保值增值率达到115%。[②]2012年，进入世界500强的中央企业从2008年的19家增至43家。尽管有国际金融危机的冲击，有经济下行的压力，但国有企业克服多重困难，为稳定经济发展发挥了非常重要的作用。

在推进国有企业改革的同时，我国进一步改善非公有经济发展的体制环境，鼓励、支持和引导非公有制经济健康发展。

2008年以后，受国际金融危机冲击，我国中小企业生产经营困难，发展形势严峻。为了帮助中小企业克服困难，转变发展方式，实现又好又快发展，2009年9月，国务院发布《关于进一步促进中小企业发展的若干意见》，提出进一步营造有利于中小企业发展的良好环境，切实缓解中小企业融资困难，加大对中小企业的财税扶持力度，加快中小企业技术进步和结构调整，支持中小企业开拓市场，提高中小企业经营管理水平等一系列积极有效的政策措施。中小企业生产经营出现了积极变化。

中共中央、国务院高度重视鼓励和引导民间投资、促进非公有制经济

---

① 国务院研究室编《十二届全国人大一次会议〈政府工作报告〉辅导读本》，人民出版社、中国言实出版社2013年版，第71页。

② 白天亮：《珍惜“来之不易” 稳步推进改革》，《人民日报》2012年4月12日。

发展。为解决市场准入和融资难、合法权益得不到充分保障等限制民间投资发展的问题，2010 年 5 月 7 日，国务院出台《关于鼓励和引导民间投资健康发展的若干意见》(以下简称《意见》)。总体上看，《意见》主要提出了四个方面的政策措施：一是进一步拓宽民间投资的领域和范围，鼓励和引导民间资本进入基础产业和基础设施、市政公用事业和政策性住房建设、社会事业、金融服务、商贸流通、国防科技工业等领域。二是鼓励和引导民间资本重组联合和参与国有企业改革，支持有条件的民营企业通过联合重组方式做大做强。三是要推动民营企业加强自主创新和转型升级，支持民营企业参与国家重大科技计划项目和技术攻关，帮助民营企业建立工程技术研究中心、技术开发中心，不断提高企业技术水平和研发能力。四是建立健全民间投资服务体系，加强服务和指导，为民间投资创造良好环境。可以说，《意见》的出台，既是应对国际金融危机、稳固经济可持续发展的基础的迫切需要，也是坚持和完善社会主义初级阶段基本经济制度、完善社会主义市场经济体制的长久之策。

当时，受国内外复杂多变的经济形势影响，国内小型微型企业也面临着严峻的生产经营压力。为此，国家制定了一系列政策措施，加大对中小企业的扶持力度。2011 年，国家在“中小企业划型标准”中新增“微型企业”一类，使相关扶持政策更有针对性。在此基础上，2012 年 4 月，国务院又出台《关于进一步支持小型微型企业健康发展的意见》，进一步加大对小型微型企业的财税支持力度，努力缓解小型微型企业融资困难，推动小型微型企业创新发展和结构调整，支持小型微型企业开拓市场。中央出台的这些促进非公经济发展的政策措施，对诸多面临融资难、经营难、生存难的中小企业来说，无疑是十分必要和及时的，中小企业的发展环境因此得到进一步改善。

改革极大地促进了非公有制经济的发展。中共十七大后的五年，我国个体私营企业数量规模大幅增长。截至 2012 年年底，私营企业达 1086 万户，个体工商户达 4059 万户，分别比 2008 年年底增长 65.2% 和 39.1%。随着市场准入范围的扩大，民间资本投资迸发出强大活力，到 2012 年，非公有制经济固定资产投资超过全国的 60%。非公有制经济的作用不断增强，占国内生产总值的比重快速上升，2012 年已经超过 60%。①

## 二、继续深化财税体制改革

2007 年以后，围绕推进基本公共服务均等化和主体功能区建设，我国不断深化财税体制改革，进一步完善公共财政体系。

一是进一步深化预算管理制度改革。为规范财政资金的分配和管理、提高财政管理的透明度和依法理财水平，国家重点开展了把预算外资金全部纳入预算管理、推进政府预算决算公开、建立国有资本经营预算的工作。2011 年，全面取消预算外资金，所有政府性收入全部纳入了预算管理。预决算公开范围逐步扩大，财政公开取得积极的效果。其中，中央部门自 2010 年起向社会公开预算，2011 年起向社会公开决算；2011 年后，各省也普遍公开了地方公共财政预算。2011 年，98 个中央部门和北京、上海、广东、陕西等省市首次公开“三公经费”，保障了公民的知情权、参与权和监督权。2007 年 9 月，按照先中央、后地方的顺序，国有资本经营预算制度开始正式建立。

二是完善财政转移支付制度，深化省以下财政体制改革。2003 年全面推开农村税费改革后，乡镇财政收入大幅下降，县乡财政困难状况日益突出，规范中央和地方的收支关系成为进一步完善财政体制的主要内容。为此，2007 年以后，国家在保持分税制基本稳定的前提下，进一步完善财政转移支付制度，不断深化省以下财政体制改革。在转移支付方面，主要是完善转移支付结构，不断扩大一般性转移支付规模，进一步加大归并和清理专项转移支付力度。在省以下财政体制方面，继续推进“省直管县”“乡

① 国务院研究室编《十二届全国人大一次会议〈政府工作报告〉辅导读本》，人民出版社、中国言实出版社 2013 年版，第 74 页。

财县管”等财政管理方式改革。从2009年起，开始建立县级基本财力保障机制，极大调动了地方各级政府加强县乡财政建设、保障和改善民生的积极性。到2011年年底，全国27个省份1080个县实行了省直管县改革，实行乡财县管的乡镇有2.93万个[①]，地方政府提供公共服务的能力逐步增强。

三是积极稳妥推进个人所得税、增值税、资源税改革。在个人所得税改革方面，按照高收入者多缴税、中等收入者少缴税、低收入者不纳税的原则，国家先后三次修改个人所得税法，减轻了中低收入者的税收负担。在增值税转型改革方面，继2004年开始试点、2007年扩大试点范围后，从2009年1月起，全国所有地区的所有行业全面实现增值税由生产型转为消费型。这一改革，消除了重复征税因素，每年为企业减轻税负上千亿元。在资源税改革方面，2010年6月，在新疆率先进行原油、天然气资源税从价计征改革试点。2011年9月，全国原油、天然气资源税征收方式全部由从量计征改为从价计征。实施从价计征，使得资源税负与资源价格变动联系起来，对促进资源节约、保护环境和调整经济结构意义重大。

此外，国家还顺利推进了统一内外资企业和个人的房产税、城建税、教育费附加和完善车船税的改革，营业税改征增值税也从2012年1月1日起开始在上海市交通运输业和部分现代服务业试点。通过税制改革，政府与企业、个人之间的分配关系进一步规范。

## 三、稳步推进金融体制改革

在推进财政体制改革的同时，金融体制改革也继续推进。除了进一步推进国有大型商业银行股份制改革、政策性金融机构改革和农村信用社改革，还在新型农村金融机构、创业板市场、跨境人民币结算等方面取得重要进展。

---

① 杨亮：《近3万个乡镇实现“乡财县管”》，《光明日报》2012年9月1日。

一是继续深化金融机构改革。这一阶段，大型商业银行股份制改革取得进展。2009 年 1 月，中国农业银行整体改制为股份有限公司，完成了从国有独资银行向现代化股份制商业银行的跨越。2010 年 7 月，中国农业银行在内地和香港上市。至此，我国大型商业银行股份制改革基本完成。与此同时，政策性金融机构改革也稳步推进，2008 年国家开发银行成功改制为股份制商业银行，中国进出口银行、中国出口保险公司改革方案获国务院批准后稳步落实。

这个阶段，在建立新型农村金融机构方面进行了积极探索。为解决农村地区银行业金融机构网点覆盖率低、金融供给不足、竞争不充分的问题，2006 年年底，国家决定调整放宽农村地区银行业金融机构准入政策，以改善农村金融服务，更好地支持社会主义新农村建设。具体内容是，按照“低门槛、严监管；先试点、后推开”的原则，探索建立以村镇银行、贷款公司、农村资金互助社为主的新型农村金融机构。这项改革，先在四川、青海、甘肃等六省（区）的农村地区开展试点，2007 年试点扩大到全国。农村金融机构组建后，近 90% 的贷款用于发放农户和小企业贷款，有效引导了资金返流农村。另外，针对许多偏远农村地区属于金融机构空白乡镇的情况，2009 年 10 月，还启动了全国金融机构空白乡镇基础金融服务全覆盖工作。到 2011 年年底，全国金融机构空白乡镇从工作启动时的 2945 个减少到 1696 个。①

二是不断深化人民币汇率形成机制改革。2005 年 7 月，我国开始实行以市场供求为基础、参考一篮子货币进行调节、有管理的浮动汇率制度。此后，由于国际金融危机爆发，许多国家货币对美元大幅贬值，为稳定市场预期，人民币汇率再度收窄了浮动空间，不参与竞争性贬值。随着全球经济企稳复苏，中国经济回升向好的基础进一步巩固，2010 年 6 月，中国宣布进一步推进人民币汇率形成机制改革。2012 年 4 月，中国决定将外汇

① 中共中央党史和文献研究院：《中国共产党的一百年》，中共党史出版社 2022 年版，第 907 页。

市场人民币兑美元汇率浮动幅度由千分之五扩大至百分之一。通过改革，人民币汇率弹性逐步增强，并实现了双向波动，人民币汇率形成的市场基础逐步扩大，进出口企业应对汇率波动的能力逐步提高。

三是不断加强资本市场建设，顺利推出创业板市场。早在2000年，深圳证券交易所就开始筹建创业板。但由于当时股市尚未成熟等原因，创业板计划一度被搁置。直到2009年3月，证监会发布《首次公开发行股票并在创业板上市管理暂行办法》，对拟到创业板上市企业的发行条件、发行程序、信息披露、监督管理和法律责任等进行了详细规定。2009年10月，酝酿多年的创业板在深圳证券交易所终于正式上市。作为多层次资本市场体系的重要组成部分，创业板市场的推出，为创新型、成长型企业开辟了新的融资链条，促进了资本资源与技术创新的有机融合。

四是跨境贸易人民币结算取得突破。2009年之前，中国跨境贸易不能使用人民币结算，进出口企业面临着很大的汇率风险。为抵御国际金融危机对出口的巨大冲击，降低贸易成本，灵活应对汇率变动，稳定对外贸易增长，2009年4月，国务院抓住时机，决定在上海市和广东省广州、深圳、珠海、东莞四城市开展跨境贸易人民币结算试点。跨境贸易人民币结算试点后，受到了试点企业的普遍欢迎。2010年6月，试点范围进一步扩大，跨境结算的境外地域由港澳、东盟地区扩展到所有国家和地区，境内地域扩大到20个省。2011年8月，国家决定将跨境贸易人民币结算地区扩大至全国。跨境贸易人民币结算，是人民币走向国际化的关键一步，有利于发挥人民币结算对贸易和投资便利化的促进作用。

### 四、推进综合配套改革试验

在新的发展阶段，进一步深化改革，需要更加注重经济社会各个层面的体制创新、相互之间的配套。为此，国家适时推出了以全方位改革为主要特征的综合配套改革试验。

2005年6月21日，国务院批准上海浦东新区进行综合配套改革试点，浦东由此成为全国首个综合配套改革试点地区。这是中共中央、国务院对新一轮改革开放的重大部署，也是浦东开发开放的一个新的里程碑。中央提出，浦东综合配套改革试点要着力转变政府职能，着力转变经济运行方式，着力改变二元经济与社会结构；要把改革和发展有机结合起来，把解决本地实际问题与攻克面上共性难题结合起来，把实现重点突破与整体创新结合起来，把经济体制改革与其他方面改革结合起来，率先建立起完善的社会主义市场经济体制，为推动全国改革起示范作用。中央强调，浦东综合配套改革试点不给优惠政策，但国家一些重要改革试点项目可优先在浦东新区试行，希望上海可以为全国建立完善的社会主义市场经济体制试出一条新路来。2006年3月6日，胡锦涛在参加十届全国人大四次会议上海代表团审议时，对上海发展提出了“四个率先”的期望，即率先转变经济增长方式，把经济社会发展切实转入科学发展轨道；率先提高自主创新能力，为全面建设小康社会提供强有力的科技支撑；率先推进改革开放，继续当好全国改革开放的排头兵；率先构建社会主义和谐社会，切实保证社会主义现代化建设顺利进行。这是对浦东改革创新的新定位，标志着浦东由过去享受国家政策优势的地区转向探索体制优势的地区，为上海加快发展提供了强大动力和重要机遇。

此后，浦东新区在着力转变政府职能、着力转变经济运行方式、着力改变城乡二元结构等方面，进行了大量改革探索，取得了积极进展。在着力转变政府职能方面，浦东新区积极推进行政管理体制改革，建立覆盖全区的六大功能区域，探索“职能互补、条块整合”的行政管理体制，对区域发展进行统一规划、统筹管理，为实现城郊一体化发展提供体制保障。在着力转变经济运行方式方面，浦东新区金融市场体系建设加快，金融机构集聚功能逐步增强。在国家有关部门的支持下，浦东实施了一系列重要的金融改革和创新举措，如成立金融期货交易所、推出外汇市场做市商制度、上海银行间同业拆借利率、试行外汇“九条”措施等；深入推进科技体制改革，自主创新能力得到进一步提升；涉外经济体制改革不断取得新进展，上海口岸的国际竞争力进一步提高。在着力改变城乡二元结构方面，浦东新区积极探索“区镇合一、镇管社区、社区共治”管理体制，将城市管理社区的先进理念引入农村，提高了行政效能，社区社会管理和公共服务能力明显提升，农村公共服务得到加强。

推进天津滨海新区开发开放，是中共中央、国务院从经济社会发展全局出发作出的重要战略部署。滨海新区位于天津东部临海地带，这里曾是一片望不到边的盐碱地。2006 年 5 月 26 日，国务院下发《关于推进天津滨海新区开发开放有关问题的意见》(以下简称《意见》)，确定天津滨海新区的功能定位是：依托京津冀、服务环渤海、辐射“三北”、面向东北亚，努力建设成我国北方对外开放的门户、高水平的现代制造业和研发转化基地、北方国际航运中心和国际物流中心，逐步成为经济繁荣、社会和谐、环境优美的宜居生态型新城区。《意见》提出，推进天津滨海新区开发开放的主要任务是：以建立综合配套改革试验区为契机，探索新的区域发展模式，为全国发展改革提供经验和示范。由此，天津滨海新区成为继上海浦东新区后，我国第二个综合配套改革试验区，肩负起在深化改革开放中发挥示范和带动作用的使命。

在国家支持下，滨海新区先行先试，迈开了体制机制改革的新步伐。比如，2008 年 9 月，国内首家排放权交易所在滨海新区挂牌成立，开启了通过市场化手段和金融创新方式治理环境污染的新篇章。2009 年起，滨海新区在全国率先形成比较完善的促进私募股权基金发展的制度环境，成为全国私募股权基金重要聚集地。2010 年、2011 年，滨海新区先后启动“十大改革”①，努力探索创新机制。在改革创业者的艰苦努力下，短短几年时间，天津滨海新区从昔日的盐碱滩涂，发展为全国最具潜力、最有活力的现代化新区之一，综合实力不断增强，成为带动区域发展新的经济增长极。

---

① 滨海新区的“十大改革”，是指在行政管理、医疗卫生教育等社会事业、金融改革创新、涉外经济体制、深化科技体制、土地管理体制和城乡一体化、行政审批制度、国有企业改革、社会管理创新和公共服务等 10 个方面，进行规范化、法制化改革。

深圳作为中国第一个经济特区，改革开放后取得举世瞩目的巨大成就，创造了世界工业化、城市化、现代化发展史上的罕见奇迹，很好地发挥了改革开放“窗口”“试验田”和“排头兵”的作用。但与此同时，深圳在经济社会转型时期的各种矛盾和问题也不断凸显，面临着发展空间趋紧、资源能源制约加强、人口管理负荷过重、特区内外发展不平衡等一系列新的困难和挑战，影响科学发展的体制机制性问题仍未从根本上消除。

为了进一步促进深圳改革发展，2009 年 5 月，国务院批准实施《深圳市综合配套改革总体方案》（以下简称《方案》），从国家层面上明确了深圳新一轮改革发展的战略地位、总体思路和主要任务。深圳发展的目标定位是：“争当科学发展示范区、改革开放先行区、自主创新领先区、现代产业集聚区、粤港澳合作先导区、法治建设模范区，强化全国经济中心城市和国家创新型城市地位、加快建设国际化城市和中国特色社会主义示范市。”《方案》提出，深圳在综合配套改革中要做到“四个先行先试”：一是对国家深化改革和扩大开放的重大举措先行先试；二是对符合国际惯例和我国未来发展方向，需要试点探索的制度设计先行先试；三是对深圳经济社会发展有重要影响，对全国具有重大示范带动作用的体制创新先行先试；四是对国家加强内地与香港经济合作的重要事项先行先试。通过先行先试，深圳要在行政管理体制改革、经济体制改革、社会领域改革、完善自主创新体制机制、创新对外开放与区域合作、建立资源节约环境友好的体制机制等六个重要领域和关键环节，取得新突破、新进展。从“经济特区”到“国家综合配套改革试验区”，可以看出，中央对深圳的定位既一脉相承，又有了新要求。

除上海浦东、天津滨海新区和深圳外，中央还批准了重庆市、成都市、武汉城市圈、长株潭城市群、沈阳经济区、山西省、义乌市、厦门市等 8 个综合配套改革试点地区，形成了东中西互动试点的格局。11 个试点地区在综合配套改革的具体任务和分工上具有不同的重点。其中，上海浦东新区、天津滨海新区和深圳市，主要对加快开发开放，率先完善社会主义市场经济体制进行全面改革探索；武汉城市圈和长株潭城市群，开展以资源节约型和环境友好型社会建设为主要内容的改革试验；重庆市和成都市的改革重点是统筹城乡发展；沈阳经济区的改革主题是新型工业化；山西省是在资源型转型上寻求破题；义乌市是围绕国际贸易进行改革；厦门市综合配套改革的主线则是深化两岸交流合作。总的来看，除了上海浦东新区、天津滨海新区和深圳市属于全面型综合配套改革试点，其余 8 个地区属于专题性综合配套改革试点。

与 20 世纪 80 年代经济特区设立时国家给予一定的优惠政策和财政支持不同，综合配套改革试点地区都不再拥有特殊政策，而只拥有改革先行先试的权力。总的来看，2005 年以后，各试验区对制约中国经济社会发展的重点难点问题进行改革探索，在转变政府职能、调整产业结构、深化金融体制改革、提升对外开放水平、统筹城乡发展、建设资源节约型和环境友好型社会等方面，都取得了积极进展。

## 第二节 中共十七届三中全会与推进农村改革发展

2008 年，在我国迎来改革开放 30 周年之际，中共中央决定，中共十七届三中全会专题研究推进农村改革发展问题。之所以作出这一决策，主要是考虑 30 年来我国农村改革发展取得了巨大成就，有许多经验值得总结；当时的农业和农村工作还面临不少深层次矛盾和新挑战，有许多难题需要破解；全面建设小康社会最艰巨最繁重的任务在农村，有许多举措需要谋划；国际国内经济环境面临着严峻的挑战，有许多应对之策需要从固本强基的“三农”抓起，农村改革发展亟待加快向前推进。

十七届三中全会召开前夕，2008 年 9 月 30 日，胡锦涛专程到安徽省考察农村改革发展情况，在凤阳县小岗村同农村干部群众进行座谈。在谈到大家希望农村基本经营制度能够保持长期不变时，胡锦涛明确告诉乡亲们，以家庭承包经营为基础、统分结合的双层经营体制是党的农村政策的基石，不仅现有土地承包关系要保持稳定并长久不变，而且要赋予农民更加充分、有保障的土地承包经营权。同时，要根据农民意愿，允许农民以多种形式流转土地承包经营权，发展适度规模经营。就大家提出的希望党和政府能够强化强农惠农政策，他明确告诉乡亲们，随着经济发展和国家财力增加，中央将不断加大强农惠农政策力度，促进农业发展、农民增收、农村繁荣。就大家提出的希望自己的生活能够不断得到改善，他明确告诉乡亲们，中央对提高广大农民生活水平高度重视，将继续采取有效政策措施，积极推动社会主义新农村建设，不断改善农民生产生活条件，不断提高农民收入水平，让广大农民共享改革发展成果，最终实现共同富裕。[①]

2008 年 10 月 9 日至 12 日，中共十七届三中全会在北京召开。会议通过《关于推进农村改革发展若干重大问题的决定》（以下简称《决定》），对农村改革发展作出了新的战略部署。

十七届三中全会系统回顾 30 年农村改革发展的光辉历程，全面总结农村改革发展取得的伟大成就和宝贵经验，冷静剖析农村改革发展面临的主要问题。全会鲜明指出：农业基础仍然薄弱，最需要加强；农村发展仍然滞后，最需要扶持；农民增收仍然困难，最需要加快。全党必须深刻认识到，农业是安天下、稳民心的战略产业，没有农业现代化就没有国家现代化，没有农村繁荣稳定就没有全国繁荣稳定，没有农民全面小康就没有全国人民全面小康。[②]这充分表明新形势下推进农村改革发展的艰巨性和繁重性，再次警示全党务必保持清醒头脑，切实增强忧患意识，毫不松懈地推进农村改革发展。在此基础上，全会《决定》明确作出了我国总体上“三个进入”的基本判断，即我国总体上已进入以工促农、以城带乡的发展阶段，进入加快改造传统农业、走中国特色农业现代化道路的关键时刻，进

---

① 胡锦涛：《胡锦涛文选》第三卷，人民出版社 2016 年版，第 116—116 页。

② 中共中央文献研究室编《十七大以来重要文献选编》（上），中央文献出版社 2009 年版，第 671 页。

入着力破除城乡二元结构、形成城乡经济社会发展一体化新格局的重要时期。[①]“三个进入”的基本判断，是对我国发展阶段性特征的准确把握，是建立健全统筹城乡制度的基本依据。

从全面建设小康社会战略全局出发，全会阐述了新形势下推进农村改革发展的指导思想、目标任务和重大原则。《决定》提出，要“深入贯彻落实科学发展观，把建设社会主义新农村作为战略任务，把走中国特色农业现代化道路作为基本方向，把加快形成城乡经济社会发展一体化新格局作为根本要求，坚持工业反哺农业、城市支持农村和多予少取放活方针，创新体制机制，加强农业基础，增加农民收入，保障农民权益，促进农村和谐，充分调动广大农民的积极性、主动性、创造性，推动农村经济社会又好又快发展”。[②]这个指导思想，把建设社会主义新农村、走中国特色农业现代化道路、加快形成城乡经济社会发展一体化新格局三者有机联系在一起，并上升到“战略任务”“基本方向”“根本要求”的高度，完整阐述了推进农村改革发展“以什么为指导、围绕什么任务、沿着什么方向、按照什么要求、达到什么目标”等一系列问题，构成了推进农村改革发展的总体思路。

根据中共十七大提出的全面建设小康社会的新要求和建设社会主义新农村的部署，全会《决定》提出了到2020年农村体制改革、现代农业建设、增加农民收入、农村民主政治建设、繁荣农村文化、强化农村基本公共服务、加强农村生态文明建设的目标任务。其中，到2020年农民人均纯收入比2008年翻一番[③]的目标，既鼓舞人心、催人奋进，又符合实际、切实可行。

---

① 中共中央文献研究室编《十七大以来重要文献选编》(上)，中央文献出版社2009年版，第671页。

② 中共中央文献研究室编《十七大以来重要文献选编》(上)，中央文献出版社2009年版，第671—672页。

③ 中共中央文献研究室编《十七大以来重要文献选编》(上)，中央文献出版社2009年版，第672页。

全会《决定》提出，推进农村改革发展必须遵循“五个必须、五个始终”的原则，即必须巩固和加强农业基础地位，始终把解决好十几亿人口吃饭问题作为治国安邦的头等大事；必须切实保障农民权益，始终把实现好、维护好、发展好广大农民根本利益作为农村一切工作的出发点和落脚点；必须不断解放和发展农村社会生产力，始终把改革创新作为农村发展的根本动力；必须统筹城乡经济社会发展，始终把着力构建新型工农、城乡关系作为加快推进现代化的重大战略；必须坚持党管农村工作，始终把加强和改善党对农村工作的领导作为推进农村改革发展的政治保证。①

对于当前和今后一个时期推进农村改革发展，全会进行全面部署，提出了一系列重大举措，强调要大力推进改革创新，加强农村制度建设；积极发展现代农业，提高农业综合生产能力；加快发展农村公共事业，促进农村社会全面进步。这些部署和举措，注重制度建设，力求在体制机制创新上取得突破；注重抓住关键，力求解决带方向性、战略性、根本性的问题；注重突出重点，力求集中力量办好关系全局、影响长远的大事。

例如，《决定》首次系统提出加强农村“六大制度”建设，为加快农村发展提供制度保障。其中，关于稳定和完善农村基本经营制度，在充分强调“毫不动摇”的基础上，鲜明提出了“一个长久不变”“两个转变”。“毫不动摇”，就是以家庭承包经营为基础、统分结合的双层经营体制，是党的农村政策的基石，必须毫不动摇地坚持。“一个长久不变”，就是赋予农民更加充分而有保障的土地承包经营权，现有土地承包关系要保持稳定并长久不变。这是一大政策亮点，目的是给农民吃长效“定心丸”。“两个转变”，就是家庭经营要向采用先进科技和生产手段的方向转变，统一经营要向形成多元化、多层次、多形式经营服务体系的方向转变。这是对今后完善农村基本经营制度作出的一个方向性概括。

关于健全严格规范的土地管理制度，重点提出实行“两个最严格制

① 中共中央文献研究室编《十七大以来重要文献选编》（上），中央文献出版社 2009 年版，第 672—673 页。

度”、建立“两个市场”和保障“两个权益”。“两个最严格制度”，就是坚持最严格的耕地保护制度和实行最严格的节约用地制度，坚决守住18亿亩耕地红线。“两个市场”，就是建立健全土地承包经营权流转市场和逐步建立城乡统一的建设用地市场。对土地承包经营权流转，鲜明提出“一个允许”“三个不得”，就是按照依法自愿有偿原则，允许农民以多种形式流转土地承包经营权，但不得改变土地集体所有性质、不得改变土地用途、不得损害农民土地承包权益。对改革征地制度，强调征地要按照同地同价原则给农村集体组织和农民合理补偿，让农民分享土地增值收益。保障“两个权益”，就是依法保障农民对承包土地的占有、使用、收益等权利和农户宅基地用益物权，明确了完善土地承包经营权权能、保障农户宅基地权益的政策指向。

关于完善农业支持保护制度，明确农业投入保障、农业补贴、农产品价格保护、农业生态环境补偿“四项制度”。提出“三个大幅度”的要求，即大幅度增加国家对农村基础设施建设和社会事业发展的投入，大幅度提高政府土地出让收益、耕地占用税新增收入用于农业的比例，大幅度增加对中西部地区农村公益性建设项目的投入；明确国家对农民实行直接补贴是一项长期政策，要求逐年较大幅度增加农民种粮补贴，完善与农业生产资料价格上涨挂钩的农资综合补贴动态调整机制；强调稳步提高粮食最低收购价格，理顺比价关系，保持农产品价格合理水平。

此外，在加强农村制度建设方面，全会《决定》对建立现代农村金融制度、建立促进城乡经济社会发展一体化制度、健全农村民主管理制度，也都作出了政策安排。

为了加快发展农村公共事业，全会《决定》从繁荣发展农村文化、大力办好农村教育事业、促进农村医疗卫生事业发展、健全农村社会保障体系、加强农村基础设施和环境建设、推进农村扶贫开发、加强农村防灾减灾能力建设、强化农村社会管理等8个方面作出了部署。这里面有很多政策亮点，比如：首次提出重点加快发展农村中等职业教育并逐步实行免费；

巩固和发展新型农村合作医疗制度，提高筹资标准和财政补助水平，坚持大病住院保障为主、兼顾门诊医疗保障；建立个人缴费、集体补助、政府补贴相结合的新型农村社会养老保险制度；明确提出5年内解决农村饮水安全问题，确保“十一五”期末基本实现乡镇通油（水泥）路，进而普遍实现行政村通油（水泥）路；强调坚持开发式扶贫方针，实现农村最低生活保障制度和扶贫开发政策有效衔接，实行新的扶贫标准，对农村低收入人口全面实施扶贫政策。

总之，中共十七届三中全会《关于推进农村改革发展若干重大问题的决定》，适应我国农村发展的阶段性特征和亿万农民的共同心愿，充分反映了中国共产党解决好“三农”问题的坚定信心。这一纲领性文件，对于推进农村改革发展发挥了重要作用。

这里，有必要对农村改革发展的成就进行一个系统总结。中共十六大至十八大这10年，中共中央顺应时代要求，遵循发展规律，坚持统筹城乡发展，与时俱进加强“三农”工作。可以说，这是农业生产奋力攻坚、艰难爬坡的10年，也是农业农村发展实现新跨越、取得巨大成就的10年。

10年间，我国粮食连年稳定增产，实现历史罕见的“九连增”，是新中国成立以来增产幅度最大的时期之一。2012年粮食总产量达到11791亿斤[①]，比2003年提高3177亿斤，连续9年增产，连续6年稳定在1万亿斤以上并逐步增加，时间之长、幅度之大历史罕见，标志着我国粮食综合生产能力跃上了新台阶。同时，其他重要农产品供给充足，很多农产品的产量位居世界第一。在国际社会普遍担忧发生新一轮粮食危机的情况下，中国人把饭碗牢牢端在了自己手中。“手中有粮、心中不慌，丰衣足食、喜气洋洋”，对我们这个13亿人口的大国来讲，极为难得，极为重要。

10年间，农民收入持续较快增长，实现“九连快”，生活水平显著提

① 张顺喜：《农业基础进一步巩固和加强》，载国务院研究室编《十二届全国人大一次会议〈政府工作报告〉辅导读本》，人民出版社、中国言实出版社2013年版，第35页。

高。农民人均纯收入从2003年的2622元提高到2011年的6977元，扣除价格因素后年均增长8.6%，[①]增幅之大前所未有，增速之快历史少见。特别是2010年以后，农民人均纯收入实际增长速度连续3年超过城镇居民，中西部地区农民收入增速普遍超过东部地区，多年期盼的城乡和区域收入差距缩小的态势初步呈现。在农民收入来源中，家庭经营性收入稳定增加，工资性收入成为重要来源和支柱。农民吃穿住用等有了很大改善，日子越过越好，越来越多的农民从温饱走向富裕。

10年间，现代农业建设取得重大进展，生产方式发生了阶段性变化。这10年，我国农业设施装备条件、良种良法推广应用、生产经营管理等方面都有长足进步。2004年到2011年，农业科技对生产的贡献率从不足45%提高到53.5%，科技成为农业发展的主要支撑。2011年，农业机械化水平达到54.8%，标志着我国农业生产方式实现了由千百年来以人力畜力为主向以机械作业为主的重大转变。[②]

10年间，农村基础设施和社会事业快速发展，极大地改变了农村的面貌和农民的生产生活条件。这10年，全国新建改建290万公里农村公路，解决了3.96亿人饮水安全问题，新增沼气用户3180万户，1020万农户从首次开展的农村危房改造中受益。农村用电条件大为改善，世界上规模最大的水利基础设施体系基本建成。[③]免费义务教育惠及1.5亿农村学生，新型农村合作医疗覆盖97%的农民，农村最低生活保障制度覆盖5300多万人，新型农村社会养老保险试点覆盖60%的县、7800多万农民领取了养老金，[④]农村贫困人口减少了近2.5亿。中国农民几千年来学有所教、老有所养、病有所医、困有所济的愿望得以实现。

需要指出的是，农业农村发展的巨大成就，是在极为不利的条件下取

---

① 《温家宝在联合国粮农组织颁奖仪式上的答辞》，《人民日报》2012年10月3日。

② 韩长赋：《“重中之重”话“三农”》，《人民日报》2012年11月12日。

③ 回良玉：《深入学习贯彻党的十八大精神 巩固和发展农业农村大好形势》，《人民日报》2013年2月4日。

④ 高云才等：《“三农”发展进入黄金期》，《人民日报》2012年9月14日。

得的。这些年，我国既经历了种类多、范围广、程度深、危害大的各种自然灾害尤其是水旱灾害频繁发生的严峻考验，又经受了耕地数量不断减少、农业劳动力大量转移、农业生产成本持续攀升的巨大挑战，还承受了宏观经济下行、国内农产品市场剧烈波动和国际竞争骤然加剧的空前压力。在这样的情况下，能够实现农业稳定发展、农民持续增收、农村繁荣稳定的好局面，实为不易。最根本的原因是中央政策对头、措施得力，坚持在工业化、信息化、城镇化深入发展中同步推进农业现代化，集中力量办成了一些关系农业农村长远发展、关系农民切身利益的大事，为促进农业农村发展奠定了坚实基础、营造了良好环境、注入了强大动力。

“安民则惠，黎民怀之。”这 10 年，从彻底取消农业税到实行农业“四补贴”，从建立农村社会保障制度到实行真正意义上的义务教育，一系列具有里程碑和划时代意义的新政策新举措，极大地惠及了亿万农民，使他们分享到经济快速发展的成果，调动了发展农业生产、建设美好家园的积极性。正如安徽小岗农民编的“惠农政策顺口溜”所说：“种田不交税、种粮有补贴、看病有农合、养老有保险、上学免学费、走路‘村村通’、家电还下乡。”

实践证明，中共十六大至十八大的这 10 年，是我国农业农村发生历史性巨变、农民得实惠较多的时期，是“三农”发展的又一个“黄金期”。农业农村发展的好形势，有力地支撑了人类历史上最大规模的工业化城镇化，为战胜各种风险挑战奠定了坚实基础，为促进国民经济平稳较快发展提供了有力支撑，为保持社会稳定作出了突出贡献。

## 第三节　从容应对加入世界贸易组织新变化

融入世界经济是历史大方向，中国经济要发展，就要敢于到世界市场的汪洋大海中去游泳。2001 年 12 月 11 日，历经 15 年的艰苦谈判，中国成为世界贸易组织第143个成员。这是中国改革开放进程中的一件大事，标志着对外开放进入新的历史阶段。加入世界贸易组织后，中国将享受多边贸易体系多年来促进贸易自由化的成果，享受多边的、稳定的、无条件的最惠国待遇，有助于我国商品进入国际市场，进一步扩大对外开放。但与此同时，加入世界贸易组织也给中国政府和企业带来了压力和挑战，对进一步深化经济体制和外贸体制改革提出了新的要求。

为此，中共十六大以后，我国坚持享受权利和履行义务相结合、实现自身发展和促进世界共同发展相结合，积极化挑战为机遇，变压力为动力，积极适应加入世界贸易组织新变化，全面履行加入世界贸易组织承诺，扩大在工业、农业、服务业等领域的对外开放，加快推进贸易自由化和贸易投资便利化。在履行承诺过程中，中国深化外贸体制改革，完善外贸法律法规体系，减少贸易壁垒和行政干预，理顺政府在外贸管理中的职责，促进政府行为更加公开、公正和透明，推动开放型经济进入一个新的发展阶段。这一阶段，我国对外贸易体制最明显的特征是，外贸政策体制改革与国际贸易体制接轨，既遵守国际贸易规范和市场经济要求，又符合中国国情和特点，为外贸发展创造了良好环境。这主要体现在以下几个方面。

一是适应加入世界贸易组织的新要求，改革行政管理组织机构。长期以来，我国国内贸易和对外贸易分别由原国家经济贸易委员会、原国家计划委员会和原对外贸易经济合作部负责。加入世贸组织后，中国市场与世界市场进一步融合，这种内外贸分割、国内外市场分割的管理体制，显然已不能适应新形势的需要，也不能适应建立健全统一、开放、竞争、有序的现代市场体系的要求。为此，2003年，国务院在新一轮政府机构改革中，将原国家经济贸易委员会内负责贸易的部门和原对外贸易经济合作部合并，组建商务部，统一负责国内外经贸事务。商务部整合了原国家经济贸易委员会、原国家计划委员会和对外贸易经济合作部的职能，主要负责研究拟定规范市场和流通秩序的政策法规，促进市场体系的建立和完善，深化流通体制改革、管理对外贸易和组织开展国际经济合作等。这一改革是完善社会主义市场经济体制的重要一步，有利于国内外市场的统一，有利于我国更好地履行入世承诺，也有利于更好地利用国内国际两个市场、两种资源，发展中国经济。

二是加快对外经济贸易法制化建设。加入世界贸易组织后，我国按照法制统一、非歧视和公开透明的要求，大规模开展法律法规清理修订工作。10年间，中央政府共清理各种法律法规和部门规章2300多件，地方政府共清理地方性政策和法规19万多件，使国内涉外经济法律法规与我国加入世贸组织承诺相一致。[①] 为了履行入世有关承诺，充分运用世贸组织规则促进我国对外贸易健康发展，2004年4月，十届全国人大常委会第八次会议通过新修订的《中华人民共和国对外贸易法》。与原外贸法相比，新的外贸法增加和修订了许多新内容，如放开外贸经营权，将授权审批制改为依法登记制；增加与对外贸易有关的知识产权保护、对外贸易调查等内容；补充完善对外贸易促进、对外贸易救济等条款，为合理保护国内市场，维护国家经济安全提供了科学依据和有效手段。

加强知识产权保护，是中国履行国际义务的需要，更是转变经济发展方式、建设创新型国家的内在要求。我国高度重视知识产权保护工作，根据世界贸易组织《与贸易有关的知识产权协议》，对与知识产权相关的法律法规和司法解释进行了修改和完善，基本形成体系完整、符合中国国情、与国际惯例接轨的保护知识产权法律法规体系。与此同时，在实践中，不断加强知识产权保护的执行力度。2004年，成立国家保护知识产权工作组，负责统筹协调全国知识产权保护工作。2008年，中国制定《国家知识产权战略纲要》，把保护知识产权提升到国家战略的高度加以推进。从2004年开始，中国将每年的4月20日至26日确定为“保护知识产权宣传周”，在全社会开展知识产权保护宣传教育活动，营造尊重劳动、尊重知识、尊重人才、尊重创造的良好社会氛围，提高广大公众的知识产权意识。

---

① 温家宝：《中国面向世界的大门将永远敞开——温家宝总理在第110届中国进出口商品交易会开幕式暨中国加入世界贸易组织10周年论坛上的讲话》，《人民日报》2011年10月15日。

三是进一步降低关税，削减非关税措施。按照《中国加入世界贸易组织议定书》中所作的承诺，我国分步降低关税。在加入世界贸易组织过渡期，进口商品关税总水平从2001年的15.3%逐步降低到2005年的9.9%。到2005年1月，中国绝大多数关税削减承诺执行完毕。与此同时，根据承诺，中国自2005年1月起全部取消对424个税号产品的进口配额、进口许可证和特定招标等非关税措施，仅仅保留了依据国际公约以及在世界贸易组织规则下为保证生命安全、保护环境实施进口管制产品的许可证管理。2010年，中国关税总水平已经降至9.8%，其中农产品平均税率降至15.2%，工业品平均税率降至8.9%。关税约束率自2005年起一直维持在100%。[①]

四是改革行政审批制度，全面放开外贸经营权。加入世界贸易组织后，我国行政权的行使必须同世界贸易组织以及发达国家的相关规则接轨。世界贸易组织相关规则对成员进出口贸易方面的行政审批作了严格规定，我国必须逐步放宽经营限制，从审批制向国际通行的登记制过渡。为此，2004年，我国修订了《中华人民共和国对外贸易法》，中国政府对企业的外贸经营权由审批制改为备案登记制，所有对外贸易经营者均可以依法从事对外贸易。随后，商务部颁布《对外贸易经营者备案登记办法》，法人、其他组织包括个人全面进入外贸流通领域。至此，我国实现对所有的经济实体提供进出口贸易权，提前履行了中国加入世贸组织的承诺。取消外贸经营权审批，促进了国有企业、外商投资企业和民营企业多元化外贸经营格局的形成。在国有企业和外商投资企业进出口持续增长的同时，民营企业对外贸易发展迅速，进出口市场份额持续扩大，成为对外贸易的重要经营主体。2010年，国有企业、外商投资企业和民营企业进出口分别占中国进出口总额的20.9%、53.8%和25.3%。[②]

五是进一步扩大服务市场开放。中国认真履行加入世界贸易组织的承

---

①　中华人民共和国国务院新闻办公室：《中国的对外贸易》白皮书，《人民日报》2011年12月8日。

②　中华人民共和国国务院新闻办公室：《中国的对外贸易》白皮书，《人民日报》2011年12月8日。

诺，为境外服务商提供了包括金融、电信、建筑、分销、物流、旅游、教育等在内的广泛的市场准入机会。在世界贸易组织服务贸易分类的160个分部门中，中国开放了100个，占62.5%，开放范围接近发达国家的平均水平。2010年，中国服务业新设立外商投资企业13905家，实际利用外资487亿美元，占全国非金融领域新设立外商投资企业和实际利用外资的比重分别为50.7%和46.1%。①

六是营造更为公平的市场竞争环境。中国通过建立、完善公平贸易法律制度和执法、监督机制，遏制与打击对外贸易经营中的侵权、倾销、走私、扰乱市场秩序等不公平贸易行为，努力为境内外企业提供一个宽松、公平、稳定的市场环境。中国政府依据国内法律和国际贸易规则，加强预警监测，同时利用贸易救济和反垄断调查等措施，对贸易伙伴的不公平贸易行为予以纠正，维护国内产业和企业的合法权益。在应对国际金融危机过程中，中国与国际社会一起坚决反对任何形式的贸易保护主义，严格遵守世界贸易组织相关规定，在实施经济刺激计划时平等地对待境内外产品，促进了境内外企业的公平竞争。

截至2010年，中国加入世界贸易组织的所有承诺全部履行完毕。兑现了加入世界贸易组织时作出的郑重承诺，证明中国是说话算数、信守规则的国家。2006年、2008年和2010年，中国政府接受了世界贸易组织的三次贸易政策审议，中国认真履行承诺的实际行动得到世界贸易组织大多数成员的肯定。世界贸易组织所倡导的非歧视、透明度、公平竞争等基本原则已经融入中国的法律法规和有关制度，中国对外开放政策的稳定性、透明度、可预见性不断提高。加入世贸组织，给中国人民带来许多看得见、摸得着的好处，更重要的是开阔了人们的视野，改变了人们的思想观念，市场意识、开放意识、公平竞争意识、法治精神和知识产权观念更加深入人心，促进了中国体制改革和制度创新，大大增强了中国发展的内在动力。

---

① 中华人民共和国国务院新闻办公室：《中国的对外贸易》白皮书，《人民日报》2011年12月8日。

## 第四节　不断提高开放型经济水平

中共十六大以后，随着经济全球化深入发展和我国社会主义市场经济体制不断完善，我国对外开放面临的内外条件发生深刻变化。这一时期，我国对外开放进入商品和要素双向流动的新阶段，内外经济联系日益紧密，相互影响不断加深，经济利益相互交织。因此，必须树立全球视野，加强战略思维，注重全局谋划，统筹利用好两个市场、两种资源，统筹把握好国内产业发展和全球国际分工，统筹处理好完善社会主义市场经济体制和参与国际经贸规则制定。面对复杂多变的国内外形势，以胡锦涛同志为总书记的党中央适应经济全球化和加入世贸组织的新情况，毫不动摇坚持对外开放的基本国策，坚持把"引进来"和"走出去"相结合，在更大范围、更广领域和更高层次上参与国际经济技术合作和竞争，大力发展开放型经济，引领我国对外开放不断走向深入。

2003 年 10 月，中共十六届三中全会提出"五个统筹"，其中之一就是"统筹国内发展和对外开放"①。2003年11月，中央经济工作会议提出，要在国际生产要素重组和产业转移加快的新形势下，善于用全球战略眼光，从更大范围和更宽视野想问题、办事情，提高应变能力，增强风险意识，统筹国内发展和对外开放；要进一步扩大开放，坚持利用国际有利条件和充分发挥我国优势相结合，坚持扩大引进技术和全面增强自主创新能力相结合，坚持利用外资和大力促进国内产业结构优化升级相结合，增强我国经济的整体竞争力，开创对外开放的新局面。②2005 年 5 月，十六届中央政治局以经济全球化趋势与当前国际贸易发展的新特点为主题，专门进行集体学习。胡锦涛在主持学习时强调，要从树立和落实科学发展观的战略高度，立足国情，扬长避短，趋利避害，坚持用全球战略眼光观察和谋划国内发

① 中共中央文献研究室编《十六大以来重要文献选编》(上)，中央文献出版社 2011 年版，第 465 页。

② 《中央经济工作会议在北京召开》,《人民日报》2003 年 11 月 30 日。

展和对外开放，努力实现我国经济社会又快又好地发展。[①]同年10月，中共十六届五中全会第一次正式提出“实施互利共赢的开放战略”，提出要不断提高对外开放水平，增强在扩大开放条件下促进发展的能力。

2007年10月，中共十七大进一步强调，要“拓展对外开放广度和深度，提高开放型经济水平”，“把‘引进来’和‘走出去’更好结合起来，扩大开放领域，优化开放结构，提高开放质量，完善内外联动、互利共赢、安全高效的开放型经济体系，形成经济全球化条件下参与国际经济合作和竞争新优势”[②]。进入2008年，在发生国际金融危机并造成国际市场收缩和贸易保护主义抬头的新情况下，当年年底召开的中央经济工作会议进一步明确提出，要“转变对外经济发展方式，走以质取胜、集约化、多元化的发展路子，努力保持出口稳定增长，增加进口先进技术、关键设备、重要能源原材料，提高利用外资质量，更加积极稳妥地实施‘走出去’战略，在对外开放中不断提高我国经济的国际竞争力和抗风险能力”[③]。2010年10月，中共十七届五中全会提出，适应我国对外开放由出口和吸收外资为主转向进口和出口、吸收外资和对外投资并重的新形势，必须实行更加积极主动的开放战略，不断拓展新的开放领域和空间，扩大和深化同各方利益的汇合点，完善更加适应发展开放型经济要求的体制机制，有效防范风险，以开放促发展、促改革、促创新。[④]

根据中央的决策部署，中共十六大至十八大的10年间，我国积极拓展对外开放的广度和深度，努力提高对外开放的质量和水平。中国对外开放在对外贸易、利用外资、对外投资等领域取得重要进展，开放型经济水平不断提高。

---

① 《始终坚持对外开放的基本国策　全面提高我国对外开放的水平》，《人民日报》2005年6月2日。

② 中共中央文献研究室编《十七大以来重要文献选编》（上），中央文献出版社2009年版，第21页。

③ 马占成：《中央经济工作会议在北京召开》，《人民日报》2008年12月11日。

④ 中共中央文献研究室编《十七大以来重要文献选编》（中），中央文献出版社2011年版，第996页。

## 一、对外贸易实现跨越式发展

发展对外贸易是我国对外开放的核心内容，也是参与国际经济合作的重要渠道。中共十六大以后，我国以加入世界贸易组织为契机，着力解决对外贸易发展中的突出问题，对外贸易规模不断扩大，对外贸易质量和效益明显提高，贸易大国地位进一步巩固。

首先，货物贸易总量跻身世界前列。2002 年至 2011 年中国加入世界贸易组织的 10 年间，出口和进口分别以年均 21.7% 和 21.8% 的速度增长，远高于同期世界 11.5% 和 11.1% 的年平均增长速度，也远高于中国国内生产总值的增长速度。① 中国在世界货物贸易中的排名大幅提升。2001 年时，中国进出口总额居世界第 6 位；从 2009 年起，中国连续 3 年稳居全球对外贸易第二大国的位置，连续 3 年成为世界第一出口大国和第二进口大国。

其次，贸易结构进一步优化。我国始终坚持开放的贸易政策，把扩大进口与稳定出口结合起来，努力促进国际收支基本平衡。在出口方面，实施市场多元化战略，巩固发展美国、欧盟、日本传统市场的同时，加大对东盟、俄罗斯、巴西等新兴市场的出口力度；保持轻工、纺织等传统行业比较优势的同时，提高机电产品和高新技术产品的出口比重，有效控制高能耗、高污染和资源性产品的出口。在进口方面，我国把积极扩大进口作为转变外贸发展方式的重要内容，支持先进技术装备、关键零部件和国内紧缺物资的进口，适时增加战略资源的进口和储备，注意清理进口环节的不合理限制。

值得提出的是，中国高度重视对外贸易发展中的不平衡问题，既重视出口，也重视进口，不刻意追求贸易顺差。例如，1957 年在广州创办的中国出口商品交易会（广交会），是中国对外开放的标志。为了更好地适应对外开放的新形势，推动进出口贸易的协调平衡发展，2006 年，中国政府决

① 中共中央党史和文献研究院：《中国共产党的一百年》，中共党史出版社 2022 年版，第 909 页。

定，将广交会更名为中国进出口商品交易会，增加了进口展区。这是中国促进平衡增长的一个最好诠释。在实践中，中国采取一系列措施抑制顺差过快增长。通过调整经济结构、努力扩大内需、提高进口便利化程度、调整出口退税等政策，从 2009 年起，我国的贸易顺差开始下降，贸易平衡状况得到改善。

再次，服务贸易的国际竞争力不断增强。加入世界贸易组织后，我国深度开放服务领域，服务贸易规模迅速扩大，结构逐步优化，排名也进入世界前列。截至 2012 年，我国服务贸易开放部门超过 100 个，已达到发达国家水平。其中，旅游、运输等领域的服务贸易增势平稳，建筑、通讯、保险、金融、计算机和信息服务、专有权利使用费和特许费、咨询等领域的跨境服务以及承接服务外包快速增长。2001 年至 2010 年，中国服务贸易总额（不含政府服务）从 719 亿美元增加到 3624 亿美元，增长了 4 倍多。中国服务贸易出口在世界服务贸易出口中的比重从 2.4% 提高到 4.6%，从世界第 12 位上升到第 4 位；服务贸易进口比重从 2.6% 提高到 5.5%，从世界第 10 位上升到第 3 位。①

对外贸易的发展，有力推动了中国的现代化建设，使中国成长为一个开放的经济体。参与国际分工与竞争，极大促进了技术进步和产业升级，提高了企业管理水平和市场竞争力。加工贸易迅速发展壮大，使中国劳动力充裕的比较优势得以发挥，加快了中国的工业化和城镇化进程。对外贸易直接带动就业人口超过 8000 万，其中 60% 以上来自农村，就业者的收入和生活得到显著改善。对外贸易与国内投资、消费一起，成为中国经济增长的三大引擎。

中国对外贸易的发展，不仅推动了中国经济的现代化和综合国力的提升，提高了 13 亿多中国人民的生活水平，也使中国经济成为世界经济一部分，促进了经济全球化向有利于世界各国和地区共同繁荣的方向发展。加

---

① 中华人民共和国国务院新闻办公室：《中国的对外贸易》白皮书，《人民日报》2011 年 12 月 8 日。

入世界贸易组织后，中国与其他新兴经济体一起，成为推动世界经济增长日益重要的力量。2008 年国际金融危机爆发以后，中国政府及时采取一系列政策措施刺激经济，扩大内需，稳定进出口规模。2009 年，世界货物贸易进口量下降 12.8%，中国进口量增长 2.9%，是世界主要经济体中唯一保持增长的国家。[①] 中国因素支撑了许多受危机冲击国家的出口，刺激了全球大宗商品市场需求，提振了人们的信心，对世界经济复苏和增长起到巨大拉动作用，为世界经济稳定作出了重要贡献。同时，中国加入世贸组织也为世界各国带来了实实在在的利益。中国每年平均进口 7500 亿美元的商品，相当于为贸易伙伴创造 1400 多万个就业岗位。中国物美价廉的商品为国外消费者带来了巨大实惠。此外，中国还是对最不发达国家开放市场程度最大的发展中国家之一，并承诺对同中国建交的最不发达国家 97% 的税目的产品给予零关税待遇[②]，增强了受援国自主发展能力。

对外贸易的快速发展，充分证明中国已经成为推动全球经济贸易发展的重要力量，是国际经济贸易体系中负责任的贸易大国，是世界经济和全球贸易增长中的一个重要变量。

## 二、利用外资的规模和质量全面提升

“引进来”是我国对外开放基本国策的重要组成部分。改革开放初期，中国进行社会主义现代化建设，面临资金短缺、技术与管理落后等问题。中共中央、国务院正确决策，扩大开放，积极利用外资特别是外商直接投资，有效弥补了资金和技术缺口，为促进经济快速增长发挥了重要作用。

进入 21 世纪，随着经济的发展，我国对利用外资作出新的战略部署。2002 年中共十六大提出，要“进一步吸引外商直接投资，提高利用外资的

---

① 中华人民共和国国务院新闻办公室：《中国的对外贸易》白皮书，《人民日报》2011 年 12 月 8 日。

② 中华人民共和国国务院新闻办公室：《中国的对外贸易》白皮书，《人民日报》2011 年 12 月 8 日。

质量和水平”[①]。2007年中共十七大强调，要“创新利用外资方式，优化利用外资结构，发挥利用外资在推动自主创新、产业升级、区域协调发展等方面的积极作用”[②]。在党的方针政策指引下，中共十六大以后，我国利用外资实现新发展，从弥补“双缺口”为主转向优化资本配置、促进技术进步和推动市场经济体制完善，从规模速度型向质量效益型转变，利用外资的规模和质量全面提升。

首先，利用外资规模跃居全球第二位。2003年至2011年，我国共计批准设立外商投资企业31.4万家，实际利用外资金额7192.2亿美元。2011年与2002年相比，实际利用外资金额增长了120.0%，年均增长9.2%，在全球的排名由第四位上升至第二位，并连续20年保持发展中国家首位。[③]即使在国际金融危机冲击较为严重的2009年，外商直接投资仍然超过900亿美元，降幅远远低于全球平均水平。2010年，外商直接投资突破1000亿美元，达到1057亿美元，是2001年的2.25倍。[④]

其次，利用外资结构更加优化。2002年以后，我国先后四次修订《外商投资产业指导目录》，引导外资更好地与我国产业结构升级、技术水平提高相结合，鼓励外商将高新技术、节能环保产业和高端制造业作为投资的重点领域，取消了部分领域对外资的限制。10年来，外商投资产业构成显著改善，投向服务业和中西部地区的比重逐步提高。第一、三产业中，投向现代农业、商贸服务和民生服务领域的外资明显增多。第二产业中，电子信息、集成电路、家用电器、汽车制造等技术资金密集型产业继续发展，新能源、新材料、生物医药、节能环保等行业的外资日益形成规模。截至2011年年底，全球500强企业有490多家到中国落户，在华设立研发中心

① 中共中央文献研究室编《十六大以来重要文献选编》（上），中央文献出版社2011年版，第22页。

② 中共中央文献研究室编《十七大以来重要文献选编》（上），中央文献出版社2009年版，第21页。

③ 杜海涛、王珂：《对外开放，中国迈上新舞台》，《人民日报》2012年11月6日。

④ 姚景源：《入世10年：成就、问题及展望》，光明网2011年10月31日。

累计超过 1400 家，比 2001 年增加近 1 倍，[①] 其技术外溢和示范效应有力提升了我国产业发展水平和自主创新能力。

积极有效利用外资，有力支持了国内经济建设。同时，也带动了全球生产链条向中国的快速延伸，加深了我国参与经济全球化的程度，使我国能更充分地利用国际国内两个市场、两种资源，以更加积极的姿态走向世界。吸收外资还促进了资本、劳动力、技术、信息等要素市场的建立，加速了社会主义市场经济体制的建设与完善，促进了国民经济持续快速健康发展。

## 三、“走出去”迈出新步伐

实施“走出去”战略，不仅是推动我国经济持续快速发展的客观需要，也是提高我国国际影响力的必然要求。早在 1996 年 7 月，江泽民在河北唐山考察工作时就提出了“走出去”的思想，他说：“要加紧研究国有企业如何有重点有组织地走出去，做好利用国际市场和国外资源这篇大文章。”[②]1997 年 12 月，江泽民在接见全国外资工作会议代表时，明确提出“引进来”和“走出去”是我们对外开放基本国策两个紧密联系、相互促进的方面，缺一不可。这是一个大战略，既是对外开放的重要战略，也是经济发展的重要战略。[③]2000 年以后，“走出去”战略被写入国民经济计划和党的代表大会文件中。

中共十六大以后，我国从经济发展的战略需要出发，深入实施“走出去”战略，不断完善企业“走出去”的政策促进体系、服务保障体系和风险控制体系，支持有条件的企业按照国际通行规则对外直接投资和跨国经营。中国企业对外投资快速发展，对外经济合作保持良好势头，“走出去”

---

① 龚雯、崔鹏：《改革开放的新航程——我国加入世界贸易组织十周年述评》，《人民日报》2011 年 12 月 9 日。

② 江泽民：《江泽民文选》第二卷，人民出版社 2006 年版，第 94 页。

③ 江泽民：《江泽民文选》第二卷，人民出版社 2006 年版，第 92 页。

步伐阔步向前。

首先，对外投资的规模不断扩大。这一阶段，我国对外直接投资稳步快速发展，从2003年的28.5亿美元增长到2012年的878亿美元。截至2012年年底，中国13500多家境内投资者在国（境）外设立对外直接投资企业2.2万家，对外直接投资累计净额5319.4亿美元。[①]即使受到国际金融危机的严重影响，对外投资、对外经济合作仍实现逆势上扬，为促进国民经济平稳较快发展发挥了积极作用。2010年，中国对外直接投资净额达688亿美元，首次超过日本、英国等传统对外投资大国，位居全球第五。

其次，对外投资的领域不断拓宽，呈现出市场多元化发展态势。至2010年年底，中国对外投资覆盖全球178个国家和地区，涉及的领域不断拓宽。

再次，对外投资方式由单一向多样发展。10年间，无论形式还是内容，"走出去"的质量都发生了明显变化，对外投资方式由单一的直接投资向跨国并购、境外上市等多种方式扩展，跨国并购等新型投资方式渐成主流。2010年，中国企业以并购方式实现的投资比重超过四成，并购领域涉及采矿、制造、电力生产和供应、专业技术服务和金融等行业。在"走出去"的过程中，华为、联想、海尔等企业初具跨国公司规模，在国际市场崭露头角。例如，2005年，联想完成对"PC产业缔造者"——美国IBM——的收购业务，2011年第三季度联想"打败"戴尔，成为全球第二大个人电脑制造商。与此同时，对外经济合作发展势头良好，对外承包工程和外派劳务发展迅速。

## 四、不断完善国际经济合作机制

作为迅速成长的发展中大国，中国勇于担当，努力承担与自身发展水

---

① 国家发展和改革委员会国际合作中心对外开放课题组：《中国对外开放40年》，人民出版社2018年版，第168页。

平及国力相适应的国际责任，全面参与并推动全球经济治理机制的改革。这一时期，中国坚定支持世贸组织多哈回合谈判，积极参与国际宏观经济政策协调，参与二十国集团等全球经济治理机制建设，推动国际金融体系改革，以实际行动促进国际经济秩序朝着公正、合理、共赢的方向发展。在国际金融危机蔓延之际，中国积极采取一系列重大政策措施，组织30多个大型采购团赴海外采购，同国际社会一道应对国际金融危机，着力推动世界经济强劲、可持续、平衡增长。中国高举自由贸易旗帜，反对各种形式的保护主义，推动建立公平、合理、非歧视的国际贸易体系。在解决与贸易伙伴的争议时，中国坚持兼顾和平衡各方利益，在世界贸易组织规则和体制内，利用多边、双边渠道，通过对话、协商和谈判来解决争议。在协商不能解决争端的情况下，通过世界贸易组织争端解决机制，妥善处理与贸易伙伴的贸易争端，维护多边贸易体制的稳定。

中国是致力于共同发展的国家，始终奉行平等互利、合作共赢的对外开放政策，扩大同各方的利益汇合点，构建全方位互利合作经贸关系。这一阶段，中国与发达国家贸易持续稳定增长，实现了优势互补和互惠互利。同时，与新兴市场和发展中国家加强务实合作，贸易增长强劲，发展潜力巨大。中国还积极主动参与并推动区域经济一体化进程。截至2010年年底，中国与五大洲28个国家和地区进行了15个自由贸易协定或紧密经贸关系安排谈判，与东盟、巴基斯坦、智利、新加坡、新西兰、秘鲁、哥斯达黎加、中国香港、中国澳门、中国台湾签订和实施了10个自由贸易协定或紧密经贸关系安排。其中，2002年11月，中国和东盟10国领导人共同签署《中国—东盟全面经济合作框架协议》，这是中国第一个真正意义上的自由贸易协定。[①]2010年，中国与东盟自由贸易协定全面实施，90%的商品实现零关税，有力地推动了中国东盟双边贸易迅速增长。

总之，中共十六大至十八大的10年，我国积极参与经济全球化，“中国制造”遍及全球，“中国创造”熠熠生辉；从产品出口到企业并购、对外

① 傅自应主编《中国对外贸易三十年》，中国财政经济出版社2008年版，第329页。

投资，一批批企业走出国门，成为响当当的品牌。对外开放的扩大，大大缓解了国内市场的不足和能源资源的紧张状况，有效利用了国外资金、市场、技术和管理经验，有力地推动了我国产业结构的升级、自主创新能力的提高。通过内外统筹，在国际国内市场相互补充中拓展发展空间，在国际国内资源相互流动中实现优势互补，为国民经济发展提供了坚实的内外保障。10 年来的实践，丰富了我国在经济全球化条件下发展自己的认识，坚定了实施对外开放基本国策的信心。实践证明，中国扩大对外开放，惠及 13 亿中国人民，也惠及各国人民；中国的发展是和平的发展、开放的发展、合作的发展、共赢的发展，向世界展示了中国这个东方文明古国的勃勃生机和巨大潜力。

第七章

# 推进政治体制改革
# 发展社会主义民主政治

政治发展道路是一个国家基本政治制度及其实现方式和发展方向的总称。政治发展道路是否正确，对一个国家盛衰兴亡具有决定性意义。对于中国这样一个人口众多的发展中大国来说，始终坚持正确政治发展道路，更是一个关系全局的重大问题。中共十六大以后，以胡锦涛同志为总书记的党中央坚定不移走中国特色社会主义政治发展道路，充分发挥社会主义政治制度的特点和优势，以保证人民当家作主为根本，以增强党和国家活力、调动人民积极性为目标，不断扩大社会主义民主，建设社会主义法治国家，推进社会主义民主政治制度化规范化程序化，为党和国家各项事业发展提供了有力政治保障。

## 第一节　发展社会主义民主政治的战略思想和部署

以什么样的战略思想来谋划和推进我国社会主义民主政治建设，是管根本、管方向、管全局、管长远的。只有进一步把发展社会主义民主政治的战略思想认识清、把握准、贯彻好，才能增强发展社会主义民主政治的自觉性和坚定性，确保我国社会主义民主政治建设沿着正确方向前进。中共十六大以后，为适应不断变化的经济、政治和社会发展形势，中共中央高瞻远瞩、与时俱进，先后提出并全面阐述政治文明建设、中国特色社会主义政治发展道路等一系列关于发展社会主义民主政治的新思想新论断。

一是鲜明提出发展人民民主是中国共产党始终不渝的奋斗目标。十一届三中全会以后，中国共产党在吸取正反两方面经验的基础上，把加强社会主义民主法制建设摆到事关社会主义现代化建设成败的高度，在全力推进经济体制改革、推动经济发展的同时，积极稳妥推进政治体制改革，更加自觉、更加主动地发展社会主义民主政治，人民民主不断扩大，人民权益得到保障。

然而，由于政治体制改革具有的复杂性和敏感性，长期以来，国内外不少人在这个问题上存在各种各样的看法和议论。针对中国改革主要是经济体制改革、政治体制改革滞后于经济体制改革等观点，2004 年 1 月，胡锦涛明确指出："中国的改革是全面改革，涉及经济、政治、文化等各个领域。我们不仅进行经济体制改革，也进行政治体制改革。发展社会主义民主政治，是我们始终不渝的奋斗目标……我们积极推进政治体制改革，完善社会主义民主的具体制度，保证人民充分行使民主选举、民主决策、民主管理、民主监督的权利。”[①]2008年2月，在中共十七届二中全会上，胡锦涛重申：“我们要始终牢记，发展社会主义民主政治是党始终不渝的奋斗目标，必须更高举起人民民主旗帜。”他指出，人民民主是社会主义的生命，发展社会主义民主政治是一个历史过程，需要在发展中国特色社会主义总进程中不断推进；一定要更高举起人民民主旗帜，加强人民民主制度建设，坚持以扩大党内民主带动人民民主，最广泛地动员和组织人民依法管理国家事务和社会事务、管理经济和文化事业，更好保障人民民主权利、维护社会公平正义。[②]这些论述，阐明了政治体制改革在中国整个改革中的地位和作用，充分表明了中国共产党在发展社会主义民主问题上的坚定立场和鲜明态度。

二是全面阐述政治文明建设的思想内涵。2002年10月，中共十六大报告指出：“发展社会主义民主政治，建设社会主义政治文明，是全面建设小康社会的重要目标。”[③]这是党的代表大会报告第一次使用“政治文明”的提法，标志着党对发展社会主义民主政治取得的新认识。

如何正确认识和把握建设社会主义政治文明的任务，把社会主义政治文明建设切实推向前进？这是在实践中需要明确回答的问题。2003年2月26日，胡锦涛在中共十六届二中全会第二次全体会议上发表讲话，对此进行了全面阐述。他指出，提出建设社会主义政治文明是我们党对自己一贯坚持和实行的发展人民民主的方针的新总结新概括[④]。他强调：建设社会主义政治文明，必须坚持社会主义方向。坚持政治文明建设的正确方向，关键是要把握好三点：一是，推进政治文明建设，最根本的是要坚持党的领导、人民当家作主、依法治国有机统一。这是我们推进政治文明建设必须遵循的基本方针，也是我国社会主义政治文明区别于资本主义政治文明的

① 胡锦涛：《在法国国民议会的演讲》，《人民日报》2004年1月29日。

② 胡锦涛：《胡锦涛文选》第二卷，人民出版社2016年版，第72—73页。

③ 中共中央文献研究室编《十六大以来重要文献选编》（上），中央文献出版社2011年版，第24页。

④ 胡锦涛：《胡锦涛文选》第二卷，人民出版社2016年版，第31页。

本质特征。二是，推进政治文明建设，要坚持走中国特色政治发展道路。我们党和人民选择的政治发展道路，是党领导人民经过长期探索和实践而开辟出来的，是一条符合中国特色社会主义事业发展要求的政治发展道路，也是一条充分体现全国各族人民根本意愿和根本利益的政治发展道路，要始终不渝走下去。三是，推进政治文明建设，要坚持和发展我国社会主义政治制度特点和优势。[①]此外，他还特别指出，推进社会主义政治文明建设，涉及政治思想、政治制度、行政管理、法制建设等方面，是一个内容广泛的系统工程，需要我们进行多方面长期努力，需要有领导有步骤全面加以推进。[②]这些论述，进一步丰富和发展了关于政治文明建设的思想内涵，为社会主义政治文明建设提供了思想指导。

三是系统论述中国特色社会主义政治发展道路。发展社会主义民主政治是中国共产党始终不渝的奋斗目标，但选择什么样的发展道路和体制模式，必须从本国国情出发，充分考虑国家的社会历史背景、经济发展水平、文化发展水平等重要因素。这一点，已经为世界许多国家的发展经验和教训反复证明。对此，党中央始终保持着高度清醒。2003 年 2 月，胡锦涛在中共十六届二中全会第二次全体会议上告诫全党："我们要借鉴人类政治文明有益成果，但绝不能照搬西方政治制度模式。世界上一些发展中国家盲目照搬西方政治制度模式，导致了严重的社会政治后果，这方面教训我们一定要引为警戒。"[③]2006 年 7 月，他在全国统战工作会议上，重申了这一立场："我们要借鉴人类政治文明有益成果，但绝不照搬别国政治制度和政党制度模式，绝不搞西方式的多党制和议会制。"[④]

中国特色社会主义民主政治应该走什么道路？2007 年 10 月，中共十七大报告鲜明提出并系统论述了中国特色社会主义政治发展道路的内容，指出："要坚持中国特色社会主义政治发展道路，坚持党的领导、人民当家

① 胡锦涛：《胡锦涛文选》第二卷，人民出版社 2016 年版，第 32 页。
② 胡锦涛：《胡锦涛文选》第二卷，人民出版社 2016 年版，第 33 页。
③ 胡锦涛：《胡锦涛文选》第二卷，人民出版社 2016 年版，第 33 页。
④ 胡锦涛：《胡锦涛文选》第二卷，人民出版社 2016 年版，第 472 页。

作主、依法治国有机统一，坚持和完善人民代表大会制度、中国共产党领导的多党合作和政治协商制度、民族区域自治制度以及基层群众自治制度，不断推进社会主义政治制度自我完善和发展。”[①]2008年2月，胡锦涛在中共十七届二中全会第二次全体会议上讲话，再次强调“要始终牢记，中国特色社会主义政治发展道路是我国发展社会主义民主政治的正确道路，必须更加坚定不移走中国特色社会主义政治发展道路”。他明确指出，坚持中国特色社会主义政治发展道路，关键是要坚定不移坚持党的领导、人民当家作主、依法治国有机统一。党的领导是人民当家作主和依法治国的根本保证，人民当家作主是社会主义民主政治的本质和核心，依法治国是党领导人民治理国家的基本方略。中国共产党的领导，人民当家作主，依法治国基本方略，决定了我国社会主义国家政权的性质，什么时候都不能动摇。[②]

党的领导、人民当家作主、依法治国有机统一，是中国特色社会主义政治发展道路最鲜明的特征，也是推进中国民主政治建设必须遵循的基本原则。在这三者之中，党的领导是人民当家作主和依法治国的根本保证。在中国这样一个人口众多、经济社会发展不平衡的大国，人民利益的广泛性和多样性，实现人民利益的复杂性和艰巨性，必然要求有一个能够真正反映和有效代表全国各族人民共同意志的政治核心，在民主集中制的基础上，团结、凝聚和带领人民把实现民族复兴的伟业不断推向前进。在当代中国，既能够最广泛地集中民意，又能够最普遍地发扬民主，从而能够担当起这一重任的唯一政治力量，是中国共产党。党的领导使民主与集中相统一、民主与科学相统一、个人的正当利益与社会整体利益相统一；使人民的各种愿望、诉求转化为人民的整体利益和共同意志，并进一步转化为国家的法律和政策；使人民当家作主的民主实践沿着正确方向扎实有效推进并获得可靠的保障。人民当家作主是社会主义民主政治的本质要求。人民当家作主，就是全体人民在中国共产党的领导下，发挥积极性主动性创造性，通过人民代表大会制度、中国共产党领导的多党合作和政治协商制

① 胡锦涛：《胡锦涛文选》第二卷，人民出版社2016年版，第634—635页。
② 胡锦涛：《胡锦涛文选》第三卷，人民出版社2016年版，第73—74页。

度、民族区域自治制度以及基层群众自治制度的形式，掌握国家政权，行使民主权利，依法管理国家和社会事务，管理经济文化各项事业。依法治国是党领导人民治理国家的基本方略，是党的领导、人民当家作主的根本手段和重要保障。依法治国，就是广大人民群众依照宪法和法律规定，通过各种途径和形式管理国家和社会事务，保证国家各项工作和社会政治生活都依法运转，逐步实现社会主义民主的制度化、法律化。宪法和法律是党的主张和人民意志相统一的体现，无论是党的领导，还是人民当家作主、行使民主权利，都必须在宪法和法律范围内进行，都必须严格依法办事，任何组织和个人都不允许有超越宪法和法律之上的特权。推进政治体制改革，发展社会主义民主政治，共产党领导、人民当家作主和依法治国，三者有机统一，缺一不可。

四是强调必须深化政治体制改革。进入21世纪，随着经济社会的不断发展，尤其是人民群众参与民主政治热情的不断提高，我国政治体制需要进一步改革和完善，以适应新的形势发展要求，满足人民的民主诉求，保障人民的民主权利。鉴于西方国家长期以来对社会主义国家实施全盘西化的图谋，企图改变社会主义的发展方向，以及一些社会主义国家在政治体制改革问题上陷入歧途的经验教训，党中央更加深刻地认识到，中国作为社会主义国家，既要避免政治体制的僵化，更要解决好政治体制改革改什么、朝什么方向改的问题，这才是问题的核心，也关系到改革的性质和成败。

对于这个问题，2007年10月，中共十七大报告明确提出：政治体制改革作为我国全面改革的重要组成部分，必须随着经济社会发展而不断深化，与人民政治参与积极性不断提高相适应。[①]2008年2月27日，胡锦涛对政治体制改革问题作了进一步深刻阐述。他指出："政治体制改革事关党和国家工作全局，事关最广大人民根本利益，既要坚定不移，又要积极稳妥，特别是要坚持正确政治方向。对于我国政治体制改革，国内外高度关

① 胡锦涛：《胡锦涛文选》第二卷，人民出版社2016年版，第634页。

注，各种议论很多。对那些正确的有益的意见，我们要认真听取、认真研究；对那些错误的别有用心的言论，我们要心明眼亮、站稳脚跟。核心的问题不是政治体制要不要改，而是朝着什么方向改。”在这次讲话中，他明确了我国政治体制改革的性质，指出“我们进行政治体制改革，目的是不断推进社会主义政治制度自我完善和发展”。①

关于如何深化政治体制改革，胡锦涛提出了四点具体要求：一是要坚持发挥党总揽全局、协调各方的领导核心作用。从提高党的执政能力、巩固党的执政地位、履行党的执政使命的高度，改进和完善党的领导方式和执政方式，提高党科学执政、民主执政、依法执政水平，保证党领导人民有效治理国家，使党始终成为中国特色社会主义事业的坚强领导核心。二是要切实保证国家一切权力属于人民。扩大人民民主，健全民主制度，丰富民主形式，拓宽民主渠道，从各个层次各个领域扩大公民有序政治参与，推进决策科学化、民主化，保证人民依法实行民主选举、民主决策、民主管理、民主监督，保障人民享有更多更切实的民主权利，保障人民的知情权、参与权、表达权、监督权。三是要全面落实依法治国基本方略。加快建设社会主义法治国家，树立社会主义法治理念，弘扬法治精神，坚持科学立法、民主立法，完善中国特色社会主义法律体系；加强宪法法律实施，推进依法行政，坚持执法为民，深化司法体制改革，实现国家各项工作法治化；维护社会公平正义，完善制约和监督机制，建立健全决策权、执行权、监督权既相互制约又相互协调的权力结构和运行机制，完善各类公开办事制度，切实保障人民经济、政治、文化、社会权益。四是要充分发挥社会主义政治制度特点和优势。以坚持和完善人民代表大会制度、中国共产党领导的多党合作和政治协商制度、民族区域自治制度以及基层群众自治制度为重点，推进社会主义民主政治制度化、规范化、程序化，进一步把我国社会主义政治制度优越性发挥出来，为党和国家兴旺发达、长治久安提供政治和法律制度保障。②

---

① 胡锦涛：《胡锦涛文选》第三卷，人民出版社 2016 年版，第 75 页。
② 胡锦涛：《胡锦涛文选》第三卷，人民出版社 2016 年版，第 75—76 页。

上述关于发展社会主义民主政治的战略构想，集中反映了以胡锦涛同志为总书记的党中央坚定不移发展社会主义民主政治、坚定不移走中国特色社会主义政治发展道路的决心，既是发展社会主义民主政治的重大部署，也是推进政治体制改革的指导方针。这些战略思想和部署，描绘了民主政治发展的宏伟蓝图，规划了民主政治的发展目标和建设任务，对于深化政治体制改革、推动中国特色社会主义民主政治建设，具有重要指导意义。

## 第二节　坚持和完善中国特色社会主义政治制度

人民代表大会制度、中国共产党领导的多党合作和政治协商制度、民族区域自治制度和基层群众自治制度，是中国特色社会主义民主政治的基本制度框架，也是我国人民民主的主要实现形式。中共十六大以来，以胡锦涛同志为总书记的党中央为坚持和完善我国民主政治的这一基本制度框架做了大量工作，民主政治建设取得显著成效。

### 一、坚持和完善人民代表大会制度

人民代表大会制度是我国的根本政治制度，是人民当家作主的基本途径和最高实现形式。其主要内容是：全国人民代表大会和地方各级人民代表大会都由民主选举产生，对人民负责，受人民监督；各级人民代表大会及其常委会实行民主集中制，代表人民的利益，按照人民的意志制定法律法规，决定重大事项，选举和任免国家机构领导人员，监督国家行政机关、审判机关和检察机关的工作等。人民代表大会制度体现了社会主义制度的优越性和社会主义民主的广泛性，坚持和完善这一制度，是建设社会主义政治文明的重要内容。

为了支持、保证人大代表依法行使职权、充分发挥作用，切实加强人民代表大会及其常委会的制度建设，使人民代表大会及其常委会更好地发挥国家权力机关的作用，2005 年 5 月 26 日，中共中央转发《中共全国人大常委会党组关于进一步发挥全国人大代表作用，加强全国人大常委会制度建设的若干意见》（以下简称《若干意见》）。《若干意见》提出了进一步发挥全国人大代表作用的五项具体措施：保障代表的知情权，提高代表审议议案、报告的水平和效能；改进代表议案工作，提高议案提出和处理的质量；完善有关工作制度，提高代表建议、批评和意见提出及处理的质量；加强和规范代表在大会闭会期间的活动，增强代表活动的实效；为代表在大会闭会期间的活动提供必要的条件和保障。[①] 这五个方面的措施，对于进一步发挥全国人大代表作用，具有很强的指导意义。

同时，《若干意见》还就加强全国人大常委会的制度建设作出明确规定：一是认真落实法律规定的立法制度，继续推进立法工作的民主化；二是进一步健全监督机制、完善监督制度，改进和加强监督工作；三是规范专门委员会的工作制度，发挥专门委员会的作用；四是建立和完善全国人大常委会全体会议和委员长会议、信访工作制度、对全国人大代表的系统培训制度等具体工作制度，加强全国人大常委会机关建设；五是从制度上保证和加强党对全国人大工作的领导。全国人大会议的召开，全国人大常委会会议的议程安排，全国人大及其常委会的五年立法规划、准备制定的政治性法律和重大的经济法律，有关法律起草中遇到的重大问题，法律审议中重大的分歧意见，以及监督和决定重大事项、干部任免等工作中的重大问题，由全国人大常委会党组报请党中央决定或者批准后再进入法定程序。[②]

中共中央转发全国人大常委会党组的《若干意见》，是坚持和完善人民代表大会制度、做好人大工作的指导性文献。此后，围绕贯彻落实《若干意见》，十届全国人大常委会先后制定涉及 6 个方面的 13 个配套文件，加强

---

① 中共中央文献研究室编《十六大以来重要文献选编》（中），中央文献出版社 2011 年版，第 887—894 页。

② 中共中央文献研究室编《十六大以来重要文献选编》（中），中央文献出版社 2011 年版，第 894—897 页。

了全国人民代表大会的制度化和规范化建设。

监督权是宪法和法律赋予人民代表大会及其常委会的一项重要职权，是党和国家监督体系的重要组成部分。人大作为国家权力机关对政府、法院、检察院进行监督，目的在于确保宪法和法律得到正确实施，确保行政权、审判权、检察权得到正确行使，确保公民、法人和其他组织的合法权益得到尊重和维护。为了保障人大常委会依法行使监督职权，2006 年 8 月 27 日，十届全国人大常委会第二十三次会议通过《中华人民共和国各级人民代表大会常务委员会监督法》（以下简称《监督法》）。《监督法》完善了人大常委会对“一府两院”工作实施监督的形式和程序，对听取和审议“一府两院”专项工作报告、审查和批准决算、检查法律法规的实施情况、备案审查规范性文件、询问和质询、调查特定问题、审议和决定撤职案等一系列监督，都作了规范化、程序化的规定。《监督法》的颁布实施，对于各级人大常委会依法行使监督职权，增强监督实效，更好地发挥人民代表大会制度的特点和优势，推进社会主义民主政治制度化规范化程序化，都具有重要意义。

选举权是人民当家作主的基本权利。为适应我国经济社会发展变化，根据中共十七大关于“逐步实行城乡按相同人口比例选举人大代表”[①]的建议，2010 年 3 月，十一届全国人大三次会议通过《中华人民共和国全国人民代表大会和地方各级人民代表大会选举法》修正案，完善了人大代表选举办法，规定“全国人民代表大会代表名额，由全国人民代表大会常务委员会根据各省、自治区、直辖市的人口数，按照每一代表所代表的城乡人口数相同的原则，以及保证各地区、各民族、各方面都有适当数量代表的要求进行分配”[②]。这一新规定，使得 1953 年、1995 年以后我国农村和城市

---

① 中共中央文献研究室编《十七大以来重要文献选编》（上），中央文献出版社 2009 年版，第 23 页。

② 王兆国：《关于〈中华人民共和国全国人民代表大会和地方各级人民代表大会选举法修正案（草案）〉的说明——2010 年 3 月 8 日在第十一届全国人民代表大会第三次会议上》，《人民日报》2010 年 3 月 9 日。

每一名全国人大代表所代表的人口数比例从 8∶1、4∶1 变成 1∶1，从而首次实现了城乡居民选举“同票同权”。实行城乡按相同人口比例选举人大代表，进一步完善了中国特色社会主义选举制度，更好地体现了人人平等、地区平等和民族平等原则，有利于进一步扩大人民民主，保证人民当家作主。

在不断完善各项制度的基础上，人民代表大会在充分保障人民民主权利、保障经济社会发展等方面发挥出更加重要的作用。越来越多的人大立法实行开门立法，建立了立法论证听证制度，鼓励公众参与立法，收集立法信息，尽力使各方面的利益和要求都能得到体现和表达，制定出符合公众利益的法律、政策。《物权法》的诞生，就是人大立法践行民主的一个范例。这部法律从研究起草到通过，历时 13 年，召开上百次座谈会和论证会。2005 年 7 月，物权法草案向社会全文公布征求意见，前后收到从机关单位到公司企业，从法律专家到普通百姓的意见 1.1 万多件。引人注目的是，物权法草案经全国人大常委会 7 次审议，才由全国人民代表大会通过，其间广泛听取和充分吸收了社会各方面意见。

与此同时，人大监督工作围绕中央重大决策部署，把关系改革发展稳定全局、人民群众反映强烈的突出问题作为监督重点，努力增强监督实效。这一时期，人大监督助力解决城乡居民饮用水安全、保障性住房建设、农村社会保障体系、义务教育公平等关系人民群众切身利益的现实问题。对“三农”、资源环境保护等重大问题，积极开展跟踪监督。出口退税、拖欠农民工工资和职工工资、加强安全生产、促进司法公正等一批事关全局而又长期得不到解决的问题，通过人大监督工作得到推动解决，并督促有关方面建立长效机制，取得了实实在在的效果，切实保障了人民民主权利。

## 二、坚持和完善中国共产党领导的多党合作和政治协商制度

中国共产党领导的多党合作和政治协商制度作为我国的一项基本政治

制度，是中国共产党、中国人民和各民主党派、无党派人士的伟大政治创造，是从中国的社会土壤中生长出来的新型政党制度。在长期的革命、建设和改革实践中，中国共产党同各民主党派长期共存、互相监督、肝胆相照、荣辱与共，形成了“共产党领导、多党派合作，共产党执政、多党派参政”的政治格局。在多党合作制度框架下，中国共产党作为执政党，是中国特色社会主义事业的领导核心，引领多党合作正确的政治方向；八个民主党派是接受中国共产党领导的中国特色社会主义参政党，同中国共产党亲密合作、团结奋斗，共同致力于中国特色社会主义事业。这种政党制度，既不同于西方国家的两党或多党竞争制，也有别于有的国家实行的一党制，它有效地避免了多党竞争、相互倾轧造成的政治动荡，也有效避免了一党专制、缺少监督导致的种种弊端。《中华人民共和国宪法》规定：“中国共产党领导的多党合作和政治协商制度将长期存在和发展。”

中共十六大以后，以胡锦涛同志为总书记的党中央坚持中国共产党领导的多党合作和政治协商制度，并在深刻总结以往实践经验的基础上，着力推进多党合作和政治协商的制度化、规范化、程序化建设。

2005 年 2 月，中共中央颁布《关于进一步加强中国共产党领导的多党合作和政治协商制度建设的意见》①。这个《意见》，就推进新形势下多党合作和政治协商制度建设，提出一系列新的理论观点和政策思想，概括起来，主要有以下方面：一是明确多党合作制度是建设社会主义政治文明的重要内容。提出要扩大各界人士有序的政治参与，拓宽社会利益表达渠道，促进社会和谐发展，实现中国共产党的领导、人民当家作主和依法治国的有机统一。二是概括了我国多党合作和政治协商的重要政治准则。即坚持以马克思列宁主义、毛泽东思想、邓小平理论和“三个代表”重要思想为指导，坚持中国共产党的领导，坚持社会主义初级阶段的基本路线、基本纲领和基本经验，坚持长期共存、互相监督、肝胆相照、荣辱与共的基本方

① 中共中央文献研究室编《十六大以来重要文献选编》(中)，中央文献出版社 2011 年版，第 672—683 页。

针，保持宽松稳定、团结和谐的政治环境。中国共产党和各民主党派都必须以宪法为根本活动准则，负有维护宪法尊严、保证宪法实施的职责。三是提出发展是中国共产党执政兴国的第一要务，也是各民主党派参政议政的第一要务。强调多党合作和政治协商要牢牢把握发展这个根本任务，树立和落实科学发展观，紧紧围绕经济建设这个中心，自觉服务改革发展稳定的大局，把各方面的智慧和力量凝聚到实现全面建设小康社会的奋斗目标上来。四是完善了对我国民主党派性质的表述。即民主党派是各自所联系的一部分社会主义劳动者、社会主义事业建设者和拥护社会主义爱国者的政治联盟，是接受中国共产党领导、同中国共产党通力合作的亲密友党，是进步性与广泛性相统一、致力于中国特色社会主义事业的参政党。五是进一步明确了无党派人士在多党合作中的地位、职能和作用。指出无党派人士是“没有参加任何党派、对社会有积极贡献和一定影响的人士，其主体是知识分子”。发挥无党派人士作用是坚持和完善中国共产党领导的多党合作和政治协商制度的必然要求，要鼓励和支持无党派人士在民主监督、参政议政中发挥积极作用。六是进一步完善了政治协商的内容、形式和程序。首次明确“把政治协商纳入决策程序，就重大问题在决策前和决策执行中进行协商”作为政治协商的重要原则，提出政治协商包括中国共产党同民主党派之间的协商和中国共产党在人民政协与各民主党派、各界代表人士的协商两种基本方式，并对协商的准备、过程、反馈三个阶段提出了明确要求。七是进一步提出要充分发挥民主党派、无党派人士的参政议政作用。对民主党派和无党派人士在人大、政府、政协和司法机关中担任领导职务作了具体规定，并强调要切实为民主党派和无党派人士履行职能、发挥作用创造条件。八是进一步明确了民主监督的若干理论和政策。指出中国共产党与民主党派实行互相监督，这种监督是在四项基本原则基础上，通过提出意见、批评、建议的方式进行的政治监督，并对民主监督的内容、形式作出明确规定。九是进一步提出要加强与党外人士的合作共事。强调这是我们党坚定不移的方针，并明确培养选拔党外干部的总体要求和具体政策，拓宽党外干部的选配领域，充分发挥党外干部的作用，努力建设一支政治坚定、素质优良、结构合理、代表性强、同中国共产党亲密合作的党外干部队伍。十是进一步强调要发挥人民政协的作用。提出人民政协要围绕团结和民主两大主题，认真履行政治协商、民主监督、参政议政的职能。十一是进一步提出要支持民主党派加强自身建设。强调要按照参政党建设的目标和原则，支持民主党派以思想建设为核心，以组织建设为基础，以制度建设为保障，把自身建设提高到新的水平。十二是进一步明确了加强和改善中国共产党对多党合作和政治协商的领导。指出坚持中国共产党的领导是多党合作的首要前提和根本保证，明确中国共产党对民主党派的领导是政治领导，并对改进领导方法提出了具体要求。可以说，《意见》提出的新思想和新观点，是我国多党合作和政治协商实践经验的总结和发展，为推动新世纪新阶段多党合作事业发展，提供了重要的政治规范和政策依据。

为了加强新形势下的人民政协工作，2006 年 2 月，中共中央颁布《关于加强人民政协工作的意见》。该《意见》对人民政协的性质进行完整表述，指出中国人民政治协商会议是中国人民爱国统一战线的组织，是中国共产党领导的多党合作和政治协商的重要机构，是我国政治生活中发挥社会主义民主的重要形式。《意见》明确，人民政协是我国政治体制的重要组成部分；人民通过选举、投票行使权利和人民内部各方面在重大决策之前进行充分协商，尽可能就共同性问题取得一致意见，是我国社会主义民主的两种重要形式。[①] 同时，《意见》对搞好人民政协的政治协商、推进人民政协的民主监督、深入开展人民政协的参政议政、抓好人民政协的自身建设、加强和改善党对人民政协的领导都作了具体要求，强调要“善于运用人民政协这一政治组织和民主形式为实现党的总任务、总目标服务”。[②]

随着我国进入全面建设小康社会新的发展阶段，统一战线也进入一个

---

① 中共中央文献研究室编《十六大以来重要文献选编》(下)，中央文献出版社 2011 年版，第 259—260 页。

② 中共中央文献研究室编《十六大以来重要文献选编》(下)，中央文献出版社 2011 年版，第 261—266 页。

新的发展阶段，呈现出一些新的阶段性特征。2006年7月，中共中央召开全国统战工作会议，对新世纪新阶段统一战线工作进行全面规划。7月10日，胡锦涛在会上发表讲话，深刻阐述统一战线带有根本性、全局性、战略性的重大理论和实践问题。他明确指出，政党关系、民族关系、宗教关系、阶层关系、海内外同胞关系，是政治领域和社会领域中涉及党和国家工作全局的一些重大关系，也是统一战线需要全面把握和正确处理的重大关系。[①]在讲到政党关系时，他强调，巩固和发展我国社会主义政党关系，实现我国政党关系长期和谐，根本在于坚持走中国特色社会主义政治发展道路，关键在于坚持和完善中国共产党领导的多党合作和政治协商制度。对于如何巩固和发展我国社会主义政党关系，他明确指出：既要坚持中国共产党领导，又要促进多党派团结合作；既要提高党的执政能力，又要发挥民主党派参政议政作用；既要重视做好民主党派思想引导工作，又要真诚接受他们的民主监督；既要全面推进党的建设新的伟大工程，又要积极支持民主党派加强自身建设。[②]随后，7月24日，中共中央发布《关于巩固和壮大新世纪新阶段统一战线的意见》。全国统战工作会议的召开和《关于巩固和壮大新世纪新阶段统一战线的意见》的发布，对巩固壮大新世纪新阶段最广泛的爱国统一战线，广泛凝聚人心、汇聚力量，产生了重要影响。

中共十六大以来多党合作和人民政协的理论探索，进一步丰富和完善了政治协商、民主监督、参政议政的内容与形式，推动了中国特色政党制度的发展，使多党合作和政治协商在实践中焕发出蓬勃生机。

在政治协商方面，中共中央加强同各民主党派的协商，内容不断充实，程序逐步规范。无论是党和国家的重大方针政策、国家领导人选的酝酿、重要会议及通过的文件决定、宪法和重要法律的修改，还是国民经济和社会发展的中长期规划、政府工作报告的出台，中国共产党在作出重大决策之前和决策执行过程中，都坚持同各民主党派和无党派人士充分协商、广

---

① 胡锦涛：《胡锦涛文选》第二卷，人民出版社2016年版，第471页。

② 胡锦涛：《胡锦涛文选》第二卷，人民出版社2016年版，第472—474页。

求良策。特别是中共十七大以后，人民政协协商民主在实践中有了进一步发展，专题协商、界别协商、对口协商、提案办理协商等协商平台得以创立和广泛运用。各民主党派、无党派人士在协商中就关系国计民生重大问题提出的意见和建议，许多被中共中央、国务院及有关部门所采纳。

在参政议政方面，对民主党派和无党派人士在人大、政府、政协和司法机关中担任领导职务进行具体规定，对各级中共组织和政府加强同民主党派的联系提出明确要求，进一步拓宽了民主党派、无党派人士发挥作用的渠道。各民主党派、无党派人士围绕三峡工程、西部大开发、振兴东北地区等老工业基地、抗击非典，完善国家宏观调控、建设社会主义新农村、应对国际金融危机等一系列具有全局性、战略性、前瞻性的重大问题，提出了许多重大意见和建议，对党和政府科学决策发挥了重要作用。

在合作共事方面，明确与党外人士合作共事是中国共产党的一项坚定不移的方针，进一步拓宽党外干部的选拔渠道，形成有利于优秀党外干部脱颖而出的机制。截至2009年，全国民主党派成员和无党派人士共有18万多人当选为各级人大代表，35万多人担任各级政协委员，3.2万人担任县处级以上领导职务，30个省区市政府有党外副省长、副主席、副市长。[①]越来越多的党外干部还担任了各级政府部门正职，在各自领导岗位上发挥了重要作用。各民主党派根据各自特点，与国务院有关部门建立了联系，就推进素质教育、建设星火科技产业带、发展现代农业、推广生态家园富民计划、加强海洋资源保护与开发、完善鼓励科技自主创新的财税政策、改革科技奖励制度、实施国家知识产权战略、解决水资源短缺等课题，进行合作和共同研究。

在民主监督方面，提出中国共产党与民主党派实行互相监督是我国社会主义监督体系的重要组成部分，监督的内容和形式得到进一步明确。具体实践中，民主党派成员和无党派人士中的人大代表参与各级人大组织开

① 中共中央文献研究室编《十七大以来重要文献选编》（中），中央文献出版社2011年版，第244—245页。

展的执法检查，对有关工作进行监督。此外，政府有关部门和司法机关还聘请民主党派成员担任特约人员，邀请他们参与法律法规的制定，参加对重大案情的调查，使其发挥了参谋咨询作用和联系人民群众的桥梁纽带作用。

### 三、坚持和完善民族区域自治制度

在中国，民族区域自治是指在国家的统一领导下，各少数民族聚居地方实行区域自治，设立自治机关，行使自治权。在国家统一领导下实行民族区域自治，体现了国家尊重和保障少数民族自主管理本民族内部事务的权利，体现了民族平等、民族团结、各民族共同繁荣发展的原则，体现了民族因素和区域因素、政治因素和经济因素、历史因素和现实因素的统一。这一制度，符合中国国情和各族人民根本利益，具有强大生命力。

民族、宗教问题历来是十分复杂的问题，也是当今世界许多国家面临的普遍性问题。特别是冷战结束后，民族因素、宗教因素在国际环境中的影响明显上升，一些地区民族主义思潮和活动日趋活跃，民族分裂势力、宗教极端势力、暴力恐怖势力相互勾结、相互利用，使民族因素、民族问题、民族矛盾呈现出更为复杂的局面。在这种背景下，中共十六大以后，以胡锦涛同志为总书记的党中央，深刻把握我国民族问题发展的客观规律和世界民族问题发展的宏观趋势，把加快少数民族和民族地区经济社会发展摆在更加突出的位置，对新世纪新阶段民族工作作出一系列重大决策部署，提出一系列重要观点和论断，使我国民族工作在理论和实践上都取得了突破。

2003 年 3 月 4 日，胡锦涛在参加全国政协十届一次会议少数民族界委员联组讨论时指出，“实现全面建设小康社会宏伟目标，就是要更好实现各民族共同繁荣发展。实现各民族共同繁荣发展，需要各民族共同团结奋斗。共同团结奋斗，共同繁荣发展，这就是我们新世纪新阶段民族工作的主题”[①]。这是首次明确提出“两个共同”的民族工作主题。将“两个共同”辩证有机地统一起来，确立为民族工作主题，体现了党的民族理论的一脉相承而又与时俱进，赋予了解决民族问题鲜明的实践特色。

2005 年 5 月 27 日，胡锦涛在中央民族工作会议暨国务院第四次全国民族团结进步表彰大会上发表讲话，进一步分析了“两个共同”的科学内涵及其辩证关系，强调新世纪新阶段的民族工作必须把各民族共同团结奋斗、共同繁荣发展作为主题。[②]围绕这个主题，他阐明了新形势下做好民族工作的指导原则和主要任务，明确提出要牢固树立和全面落实科学发展观，加快少数民族和民族地区经济社会发展；加强民族地区人才资源开发和少数民族干部队伍建设；加强民族团结、维护祖国统一；坚持和完善民族区域自治制度。[③]在这次讲话中，胡锦涛第一次提出“和谐”是社会主义民族关系的基本特征之一，强调要“坚持巩固和发展平等、团结、互助、和谐的社会主义民族关系”[④]；第一次提出坚持和完善民族区域自治制度“三个不容”，即“民族区域自治，作为党解决我国民族问题的一条基本经验不容置疑，作为我国的一项基本政治制度不容动摇，作为我国社会主义的一大政治优势不容削弱”。[⑤]这些重要观点，从根本上指明了新形势下做好民族工作的现实途径。

随后，5 月 31 日，中共中央、国务院作出《关于进一步加强民族工作加快少数民族和民族地区经济社会发展的决定》。这是新中国成立以来中共中央、国务院关于民族工作全局的第一个决定。从内容上看，《决定》主要提出了“两个 12 条”：一个是关于理论政策的“12 条”。这 12 条，总结概括了中国共产党关于民族问题的基本理论和基本政策，涉及民族工作理论与实践的各个方面，科学回答了当代中国民族工作最根本最主要的问题，

① 胡锦涛：《胡锦涛文选》第二卷，人民出版社 2016 年版，第 314 页。
② 胡锦涛：《胡锦涛文选》第二卷，人民出版社 2016 年版，第 314 页。
③ 胡锦涛：《胡锦涛文选》第二卷，人民出版社 2016 年版，第 316—323 页。
④ 胡锦涛：《胡锦涛文选》第二卷，人民出版社 2016 年版，第 315 页。
⑤ 胡锦涛：《胡锦涛文选》第二卷，人民出版社 2016 年版，第 322—323 页。

即什么是民族问题、怎样解决我国现阶段的民族问题。这是马克思主义民族理论中国化的新成果，标志着党对中国民族问题发展规律的认识达到了一个新高度。另一个是关于加快发展的“12 条”。《决定》把重点放在加快少数民族和民族地区经济社会发展上，从基础设施建设、结构调整、财政投入、生态建设、扶贫开发、兴边富民、扶持人口较少民族、社会事业等方面，提出了支持少数民族和民族地区加快发展的 12 条政策措施。这些措施，针对性和操作性很强，受到民族地区干部群众的热烈欢迎。可以说，《关于进一步加强民族工作加快少数民族和民族地区经济社会发展的决定》是指导新世纪新阶段民族工作的纲领性文件。

中央高度重视《中华人民共和国民族区域自治法》配套法规和政策措施的制定和完善。2005 年 5 月，国务院出台《实施〈中华人民共和国民族区域自治法〉若干规定》，明确规定上级人民政府支持和帮助民族自治地方的职责，标志着落实民族区域自治法迈出重大步伐。这是自 1984 年《中华人民共和国民族区域自治法》颁布之后，国务院制定的第一个配套行政法规。同时，国务院还制定并组织实施关于少数民族发展的三个专项规划，即《扶持人口较少民族发展规划（2005—2010 年）》《兴边富民行动“十一五”规划》《少数民族事业“十一五”规划》。这些规划，对于有重点、有步骤地推进少数民族和民族地区经济社会发展发挥了重要作用。2006 年，全国人大常委会开展了民族区域自治法执法检查，这是自 1984 年《中华人民共和国民族区域自治法》颁布实施 22 年来，由全国人大常委会组织的第一次执法检查，对保证民族自治地方依法行使自治权起到了推动作用。

十六大以后，中共中央进一步加大对少数民族和民族地区的扶持力度。2000 年实施西部大开发战略后，国家把支持少数民族和民族地区加快发展作为西部大开发的首要任务。为了让少数民族和民族地区在西部大开发中得到切实的利益，国家采取了许多照顾措施，5 个自治区、30 个自治州、120 个自治县全部纳入西部大开发范围或者参照享受西部大开发的有关优惠政策。从实施西部大开发至 2008 年，民族地区固定资产投资累计达到

77899亿元。其中，2008年达18453亿元，比2000年增长5倍，年均增长23.7%。[①]此外，国家还在扶贫、教育、文化、卫生等方面，不断加大对民族地区的财政转移支付力度。同时，推动对口支援不断向纵深发展，东部15省市对口帮扶西部10省区的机制不断完善，中央各部门对口帮扶贫困地区的力度不断加大。

在中央政府的领导下，在全国各地的大力支持下，经过民族地区各族人民的艰苦努力和团结奋斗，少数民族和民族地区经济社会发展取得巨大成就，城乡面貌发生翻天覆地的变化。民族地区总体呈现出经济繁荣、政治安定、文化发展、社会和谐、民族团结的喜人景象。2005年以后，民族地区的地区生产总值、财政收入每年均以两位数的速度增长，高于全国平均增速，综合经济实力大幅提升。2009年，民族8省区地区生产总值达到34619亿元，年均增长13.1%。[②]特别是西部大开发战略的实施，为民族地区带来了看得见、摸得着的实惠。民族地区的基础设施建设得到加强，生产生活条件明显改善。西气东输、西电东送等重点工程相继建成，一批机场、高速公路、水利枢纽等基础设施项目得以修建。2007年，青藏铁路铺轨到拉萨，结束了西藏没有铁路的历史。青藏铁路的建成，从根本上改变了西藏交通落后的状况，使西藏与内地之间有了一条经济、快速、全天候、大能力的运输通道，为西藏经济腾飞插上了翅膀。

我国是一个多宗教的国家，宗教工作是党和国家工作的重要组成部分。2006年7月10日，胡锦涛在全国统战工作会议上，第一次将"宗教关系"提升为我国政治领域和社会领域中涉及党和国家工作全局的五个重大关系之一，强调要正确认识和处理信教群众和不信教群众、信仰不同宗教群众的关系，积极引导宗教与社会主义社会相适应。关于在新形势下全面理解和认真贯彻党的宗教工作基本方针，他明确指出：一是要全面正确贯彻党

---

① 中华人民共和国国务院新闻办公室：《中国的民族政策与各民族共同繁荣发展》白皮书，《人民日报》2009年9月28日。

② 杨晶：《国务院关于加快少数民族和民族地区经济社会发展工作情况的报告——2010年12月22日在第十一届全国人民代表大会常务委员会第十八次会议上》，中国人大网2010年12月25日。

的宗教信仰自由政策，既尊重群众信仰宗教的自由，又尊重群众不信仰宗教的自由；二是要坚持依法管理宗教事务，保护合法，制止非法，打击犯罪，确保宗教活动规范有序进行；三是要坚持独立自主自办的原则，保证宗教组织领导权牢牢掌握在爱国爱教人士手中；四是要积极引导宗教与社会主义社会相适应，使信教群众在全面建设小康社会宏伟目标下最大限度团结起来。①

为了依法管理宗教，2004 年 11 月，国务院颁布《宗教事务条例》（以下简称《条例》）。这是我国第一部以宪法为依据的综合性宗教行政法规。《条例》明确规定了宗教团体和信教公民在举行宗教活动、开办宗教院校、出版宗教书刊、管理宗教财产、开展对外交往活动等方面的权利，同时规范了政府有关行政管理部门的行政行为。它的实施，对保障公民的宗教信仰自由权利，构建积极健康的宗教关系，维护宗教和睦与社会和谐具有重要意义，也标志着我国规范宗教事务管理的法制建设取得重要进展。此后，与《条例》相衔接的一系列规章和配套办法陆续出台。宗教事务逐步被纳入依法管理的轨道，宗教在服务改革开放和社会主义现代化建设方面的积极作用得到了充分发挥。

## 四、坚持和完善基层群众自治制度

基层群众自治制度，主要包括农村村民自治、城市社区居民自治、企事业单位职工代表大会制度，是我国直接体现人民当家作主的一项基本政治制度。广大城乡群众通过基层自治，依法直接行使民主选举、民主决策、民主管理、民主监督等权利，是中国特色社会主义民主最直接、最广泛、最生动的实践。2007 年 10 月，中共十七大首次把“基层群众自治制度”确定为中国特色社会主义政治制度的重要组成部分，把坚持和完善基层群众自治制度作为坚持中国特色社会主义政治发展道路的重要内容，丰富了中

① 胡锦涛：《胡锦涛文选》第二卷，人民出版社 2016 年版，第 477—480 页。

国特色社会主义民主政治的内涵，对扩大基层民主产生了重要影响。

实行村务公开和民主管理，是维护农民群众根本利益的具体体现，也是完善村民自治，发展社会主义民主的重要内容。中共十六大以后，随着党和国家一系列扶持农业和农村政策的落实，以及农村城镇化步伐的加快，农民群众对建立公正透明的决策管理机制的要求越来越高。为适应农村发展的新形势，进一步推进农村社会主义物质文明、政治文明和精神文明协调发展，2004 年 6 月，中共中央办公厅、国务院办公厅联合下发《关于健全和完善村务公开和民主管理制度的意见》①（以下简称《意见》）。《意见》明确指出，要进一步健全村务公开制度，保障农民群众的知情权；规范民主决策制度，保障农民群众的决策权；完善民主管理制度，保障农民群众的参与权；强化村务管理的监督制约机制，保障农民群众的监督权。针对农民群众广泛关注的热点问题，《意见》提出了许多新的政策措施。例如，在保障知情权方面，明确提出要完善村务公开的内容，规范村务公开的形式、时间和基本程序，设立村务公开监督小组；要把财务公开作为村务公开的重点。同时，要根据农村改革发展的新形势、新情况，及时丰富和拓展村务公开内容。在保障决策权方面，明确规定凡是与农民群众切身利益密切相关的事项，都要实行民主决策，不能由个人或少数人决定。同时，要建立决策责任追究制度，等等。这些具体规定，进一步丰富和发展了村民自治的内容，为推进和完善农村基层民主建设打下了坚实基础。

进入 21 世纪，随着农村经济社会的发展，特别是城乡户籍制度、农村税费制度改革的深化，村民自治在实行过程中遇到一些新的情况和问题。在总结实践经验的基础上，2010 年 10 月，十一届全国人大常委会第十七次会议通过修订的《中华人民共和国村民委员会组织法》。修订后的《村民委员会组织法》，增加选民登记的内容，从而进一步完善了村民委员会成员的选举和罢免程序；充实村民会议讨论决定的事项，完善村民代表会议的组

---

① 中共中央文献研究室编《十六大以来重要文献选编》（中），中央文献出版社 2011 年版，第 121—130 页。

成和议事程序，增加村民小组会议制度，从而进一步完善了民主议事制度；增加村务监督机构，增加村务档案制度，完善村民委员会成员任期和离任审计制度，从而进一步完善了民主管理和民主监督制度。①

在法律法规日渐完备的基础上，党领导广大农民不断丰富民主管理的内容和形式，基层民主建设取得切实成效。截至 2010 年 10 月，全国 59.9 万个村委会中，85% 以上的村建立了村民会议或者村民代表会议制度，92% 以上的村建立了村民理财小组、村务公开监督小组等组织。在民主选举方面，农村普遍开展了 8 轮以上的村委会选举，98% 以上的村委会依法实行直接选举，村民参选率达到 95%。在民主决策方面，以村民会议、村民代表会议、村民议事为主要形式的民主决策实践不断深化。全国 35%的村每年都召开村民会议，57%的村每年都召开一次以上村民代表会议，一些地方创造了“村务大事村民公决”、农村“民主日”等办法。在民主管理方面，随着社会生活和公共需求的发展，民主管理的内容逐渐充实，基本实现了农民群众普遍关心的问题在哪里，民主管理就延伸到哪里。农村土地征用补偿及分配、村集体债权债务、农村最低生活保障、新型农村合作医疗、村内“一事一议”筹资筹劳等农民群众关注的新热点，都被纳入农村基层民主管理的范围。在民主监督方面，以村务公开、财务监督、群众评议为主要内容的民主监督实践不断深化。全国 95% 的村实现村务公开，91% 的村建立村务公开栏。全国每年约有 170 万名村干部进行述职述廉，对 23 万多名村干部进行经济责任审计，村民评议村干部 200 多万人次。②

城市居民委员会是我国城市居民实现自我管理、自我教育、自我服务的基层群众性自治组织，是在城市基层实现直接民主的重要形式。进入新世纪，城市社区居民委员会建设面临许多新情况新要求。首先，随着我国城镇化和老龄化快速发展，社区居民委员会的工作对象发生了深刻变化，

---

① 李学举：《关于〈中华人民共和国村民委员会组织法（修订草案）〉的说明——2009 年 12 月 22 日在第十一届全国人民代表大会常务委员会第十二次会议上》，中国人大网 2010 年 12 月 9 日。

② 《阳光照亮农村事务》，中国日报网 2012 年 9 月 3 日。

居民服务需求日趋多样。其次，随着社会转型、企业转制和政府职能转变，社区居民委员会的工作内容发生了深刻变化，社会管理任务日趋繁重。另外，随着改革不断深化和经济快速发展，社区居民委员会的工作职责发生了深刻变化，维护稳定的责任明显加重。

面对这些新情况新要求，党对城市社区居民自治进行了积极探索。2007 年 10 月，中共十七大从健全基层群众自治制度的角度出发，提出“把城乡社区建设成为管理有序、服务完善、文明祥和的社会生活共同体”的战略目标，为新形势下城市社区建设指明了路径。为了完善城市居民自治制度，针对实际工作中存在的突出问题，2010 年 8 月，中共中央办公厅、国务院办公厅下发《关于加强和改进城市社区居民委员会建设工作的意见》[①]（以下简称《意见》），为未来10年城市社区居委会改革绘制了蓝图。《意见》从八个方面提出了加强和改进城市社区居民委员会建设的政策，在城市社区居委会的工作职责、组织机构、队伍建设、设施建设以及体制机制建设上都有许多创新亮点，特别是对长期以来困扰城市社区居民委员会建设的人、财、物等难点问题、瓶颈问题，都作出硬性规定，提出了量化指标。这在居民委员会建设历史上还是第一次。

经过多年努力，我国城市居民自治建设取得积极进展，初步形成社区党组织领导的富有活力的社区居民自治机制。截至 2012 年 10 月，在我国城市 89480 个社区中，99% 的社区建立了社区党组织和居民委员会，90% 以上的社区建立了居民（成员）代表大会，64% 以上的社区建立了协商议事委员会，30% 以上的社区建立了业主委员会，社区民主管理制度基本建立。[②]同时，城市社区民主选举也呈现多种形式，如直接选举、户代表选举、居民代表选举等。随着实践发展，民主管理的内容不断充实，凡是涉及居民利益的重大事项，基本通过居民会议、居民代表会议、社区协商议

① 中共中央文献研究室编《十七大以来重要文献选编》（中），中央文献出版社 2011 年版，第 900—912 页。

② 潘跃：《民主管理成为社区和谐标志——访民政部基层政权和社区建设司司长詹成付》，《人民日报》2012 年 10 月 11 日。

事会、社区听证会等形式讨论决定。城市居民关心的低保户评定、物业管理等热点难点问题，都能及时向居民公开，接受监督。此外，一些地方还试行“民评民”、“民评官”、楼宇自治等办法，通过网上论坛、民情恳谈、社区对话等形式，切实保障社区居民的知情权、参与权、决策权、监督权，有力促进了社区民主管理的发展。

以职工代表大会为基本形式的企事业单位民主管理制度，是广大人民群众实现当家作主民主权利的基本途径之一，是我国基层民主制度的重要组成部分。2007 年 6 月，十届全国人大常委会第二十八次会议通过《中华人民共和国劳动合同法》，明确规定用人单位在制定、修改或者决定有关直接涉及劳动者切身利益的规章制度或者重大事项时，应当经职工代表大会或者全体职工讨论，提出方案和意见，与工会或者职工代表大会平等协商确定。同年 10 月，中共十七大明确提出：“全心全意依靠工人阶级，完善以职工代表大会为基本形式的企事业单位民主管理制度，推进厂务公开，支持职工参与管理，维护职工合法权益。”[①]为贯彻落实十七大精神，中央纪委等六部门联合下发《关于进一步做好职工代表大会民主评议国有企业领导人员工作的意见》《关于学习青岛港实行厂务公开民主管理构建和谐劳动关系经验的通知》《企业民主管理规定》等文件，为不同所有制企业开展厂务公开民主管理，提供了有力的政策依据。

经过努力，我国以职工代表大会为基本形式的企事业单位民主建设取得很大进展。一是各企事业单位职代会、厂务公开建制率有了大幅度的提高，民主管理的覆盖面进一步扩大。截至 2012 年年底，全国已建立工会的企业中，有 88.08% 的公有制企业和 85.53% 的非公有制企业建立了职工代表大会制度，有 84.50% 的公有制企业和 84.63% 的非公有制企业建立了厂务公开制度。[②]二是民主管理的内容得到进一步丰富。特别是中共十七大以

---

① 中共中央文献研究室编《十七大以来重要文献选编》（上），中央文献出版社 2009 年版，第 23 页。

② 陈豪：《努力开创厂务公开民主管理工作新局面》，中国共产党新闻网 2013 年 10 月 12 日。

后，在应对国际金融危机影响和推动国有企业、事业单位改革过程中，通过开展“公开解难题、民主促发展”等主题活动，厂务公开民主管理的内容从侧重关注职工切身利益问题，向企业经营管理的重大问题延伸、向职工关心的热点难点问题延伸、向反腐倡廉和党风建设的重点领域延伸、向企业文化建设的重要环节延伸，有力地维护了职工合法权益和劳动关系稳定，推动企业又好又快发展。三是民主管理的运行得到进一步规范。各地根据不同类型企事业单位特点，不断探索区域（行业）职代会制度、职工代表巡视制度、职工代表竞选制度等一系列民主管理制度化建设，推动厂务公开民主管理制度融入现代企业经营管理制度之中，为广大职工充分行使各项民主权利提供了制度保障。

## 第三节　全面实施依法治国方略

依法治国，是社会主义民主政治的基本要求，是党领导人民治理国家的基本方略。中共十六大以后，以胡锦涛同志为总书记的党中央以科学发展观为统领，全面落实依法治国基本方略，形成中国特色社会主义法律体系，全面推进依法行政，深化司法体制改革，开展法制宣传教育，社会主义法治国家建设取得重大成就。

### 一、中国特色社会主义法律体系的形成

依法治国的基本前提是有法可依，建设社会主义法治国家的首要环节是完善社会主义法律体系。1997 年，中共十五大站在实行依法治国、建设社会主义法治国家的战略高度，明确提出到 2010 年形成有中国特色社会主义法律体系的立法工作目标。在此基础上，2002 年，中共十六大将“社会主义法制更加完备，依法治国基本方略得到全面落实”作为全面建设小康社会的重要目标，提出要“加强立法工作，提高立法质量，到 2010 年形成

中国特色社会主义法律体系”[①]。

在当代中国，全国人民代表大会是最高国家权力机关，全国人大及其常委会行使国家立法权。中共十六大以后，根据中央的统一部署，十届全国人大常委会自 2003 年 3 月组成之日起，就明确提出任期内“以基本形成中国特色社会主义法律体系为目标、以提高立法质量为重点”[②]的立法思路，把在中国特色社会主义法律体系中起支架作用、现实生活迫切需要、立法条件比较成熟的立法项目作为立法重点，在加强经济领域立法的同时着力加强社会领域立法，在制定新法的同时注重现行法律的修改完善，相继完成一批重要立法。

其中，具有标志性的立法有：2004 年 3 月，十届全国人大二次会议通过的《中华人民共和国宪法修正案》，首次把“国家尊重和保障人权”载入宪法。2005 年 3 月，十届全国人大三次会议通过《反分裂国家法》，把党和国家对台工作的大政方针和政策措施以法律形式固定下来，为反对和遏制“台独”分裂活动、促进祖国和平统一提供了有力法律保障。2005 年 4 月，十届全国人大常委会第十五次会议通过《公务员法》，把对全国 700 多万公务员的管理纳入法治轨道。2005 年 12 月，十届全国人大常委会第十九次会议决定，自 2006 年 1 月 1 日起废止《中华人民共和国农业税条例》，在中国延续 2600 年的农业税被取消。2006 年 8 月，十届全国人大常委会第二十三次会议通过《企业破产法》，规范企业破产程序，确立了企业有序退出市场的法律制度。2007 年 3 月，十届全国人大五次会议通过《物权法》，规定“国家、集体、私人的物权和其他权利人的物权受法律保护，任何单位和个人不得侵犯”[③]。2007年6月，十届全国人大常委会第二十八次会议通过《劳

① 中共中央文献研究室编《十六大以来重要文献选编》(上)，中央文献出版社 2011 年版，第 25—26 页。

② 中共中央文献研究室编《十七大以来重要文献选编》(上)，中央文献出版社 2009 年版，第 330 页。

③ 中共中央文献研究室编《十六大以来重要文献选编》(下)，中央文献出版社 2011 年版，第 993 页。

动合同法》，有针对性地解决劳动合同制度中存在的主要问题，更好地保护劳动者合法权益。2007 年 8 月，十届全国人大常委会第二十九次会议通过《反垄断法》，确立了与我国经济发展阶段相适应的预防和制止垄断、保护和促进公平竞争的法律制度。

中共十七大以后，按照“加快建设社会主义法治国家”的要求，十一届全国人大常委会在提高立法质量的前提下，抓紧制定经济社会发展迫切需要的重要法律，立法工作进一步提速。其中，具有标志性的立法包括：2009 年 2 月，十一届全国人大常委会第七次会议通过《食品安全法》，从食品安全上保障公众身体健康和生命安全。2009 年 12 月，十一届全国人大常委会第十二次会议通过《侵权责任法》，预防并制裁侵权行为，减少和化解社会矛盾。2010 年 8 月，十一届全国人大常委会第十六次会议通过《中华人民共和国人民调解法》，有效预防和化解矛盾纠纷，促进社会和谐稳定。2010 年 10 月，十一届全国人大常委会第十七次会议通过《社会保险法》，维护公民参加社会保险和享受社会保险待遇的合法权益，这部着力保障和改善民生的法律，也是新中国成立以来第一部关于社会保险制度的综合性法律。2011 年 2 月，十一届全国人大常委会第十九次会议通过《刑法修正案（八）》，将醉酒驾车、飙车、拒不支付劳动报酬等严重危害群众利益的行为规定为犯罪，并细化惩治危害食品安全、生产销售假药和破坏环境资源等方面犯罪的规定，进一步强化了《刑法》对民生的保护。

同时，为节约资源，保护环境，建设资源节约型、环境友好型社会，全国人大常委会制定了《可再生能源法》《循环经济促进法》《环境影响评价法》等法律。此外，还制定和修改了一批加强社会管理、维护社会秩序等方面的法律。

新中国成立以来特别是改革开放 30 多年来，在中国共产党领导下，经过各方面坚持不懈的共同努力，我国立法工作取得巨大成就。到 2010 年年底，我国制定现行有效法律 236 件、行政法规 690 多件、地方性法规 8600 多件，并全面完成了对现行法律和行政法规、地方性法规的集中清理工作。

涵盖社会关系各个方面的法律部门已经齐全，各法律部门中基本的、主要的法律已经制定，相应的行政法规和地方性法规比较完备，法律体系内部总体做到科学和谐统一。[①]一个立足中国国情和实际、适应改革开放和社会主义现代化建设需要、集中体现党和人民意志的，以宪法为统帅，以宪法相关法、民法商法等多个法律部门的法律为主干，由法律、行政法规、地方性法规等多个层次的法律规范构成的中国特色社会主义法律体系已经形成，国家经济建设、政治建设、文化建设、社会建设以及生态文明建设的各个方面实现有法可依。中共十五大提出的到2010年形成中国特色社会主义法律体系的立法工作目标如期完成。

中国特色社会主义法律体系，是中国特色社会主义永葆本色的法制根基，是中国特色社会主义创新实践的法制体现，是中国特色社会主义兴旺发达的法制保障。它的形成，是中国社会主义民主法制建设的一个重要里程碑，体现了改革开放和社会主义现代化建设的伟大成果，具有重大现实意义和深远历史意义。

## 二、全面推进依法行政，加快建设法治政府

在我国，行政机关承担着各个领域的繁重管理任务，负责实施大部分法律法规，其行政能力和执法水平与人民群众的生产生活息息相关。因此，政府必须带头守法、严格执法。行政机关建设法治政府，就是为了使行政权力授予有据、行使有规、监督有效，做到依法治“官”、依法治权，防止行政权力的缺失和滥用，带动全社会尊重法律、遵守法律、维护法律。这对于推进社会主义政治文明建设，具有重要意义。

中共十六大以后，党中央对落实依法治国基本方略、推进依法行政作出一系列部署。2003年，中共十六届三中全会把“推进依法行政，严格按

① 中共中央文献研究室编《十七大以来重要文献选编》（下），中央文献出版社2013年版，第118页。

照法定权限和程序行使权力、履行职责”[①]，作为落实科学发展观、完善社会主义市场经济体制的重要保证。2004 年，中共十六届四中全会将“督促、支持和保证国家机关依法行使职权，在法治轨道上推动各项工作的开展”[②]，作为提高党的执政能力的重要内容。

根据中央的统一部署，2003 年新一届国务院成立后，就提出了“实行科学民主决策、坚持依法行政、加强行政监督”三项基本准则，将“依法行政”确定为政府工作的基本准则之一。建设法治政府是一项系统工程，最重要的是坚持做到职权法定、依法行政、有效监督、高效便民。也就是说，行政机关的权力来自法律，行政行为应当遵守法律，行政违法必须承担责任，行政管理要提供优质服务。为此，围绕建设法治政府这一目标，国务院和地方各级政府全面深入推进依法行政，在加强立法工作、改进行政执法、强化法制监督等方面采取了一系列重大举措。

一是加强制度建设，做好政府立法工作。制度建设是依法行政的基础，因为依法行政首先要解决有法可依的问题。中共十六大以后，国务院反复强调，提出法律草案和制定行政法规规章，不仅要符合宪法和法律的规定，遵循社会经济发展规律，反映最广大人民的根本利益和意愿，而且要增强针对性、可操作性，有效解决实际问题。这一阶段，在继续加强经济调节、市场监管方面立法的同时，更加注重社会管理、公共服务方面的立法，高度重视直接关系人民群众切身利益方面的立法。从 2003 年至 2012 年 10 月，国务院共提请全国人大及其常委会审议法律议案 66 件，制定行政法规 246 部。[③]各级人民政府的行政权力逐步纳入法治化轨道，规范政府权力的法律制度基本形成。

这一时期，国务院特别加强了政府自身建设的立法。2004 年 3 月，国

① 中共中央文献研究室编《十六大以来重要文献选编》(上)，中央文献出版社 2011 年版，第 479 页。

② 中共中央文献研究室编《十六大以来重要文献选编》(中)，中央文献出版社 2011 年版，第 281 页。

③ 张洋:《转变职能，清明政风扑面来》,《人民日报》2012 年 11 月 7 日。

务院颁布《全面推进依法行政实施纲要》，首次明确提出经过10年左右坚持不懈的努力，基本实现建设法治政府的目标，并对今后10年全面推进依法行政的指导思想、具体目标、基本原则和主要任务进行了规划。作为我国第一部全面规划建设法治政府蓝图的纲领性文件，《全面推进依法行政实施纲要》的制定和实施具有里程碑意义，标志着法治政府建设开始步入系统化、规范化和程序化的阶段。在我国，市县两级政府处在政府工作的第一线，市县政府能否切实做到依法行政，很大程度上决定着政府依法行政的整体水平和法治政府建设的整体进程。为提高市县政府依法行政的能力和水平，2008年5月，国务院作出《关于加强市县政府依法行政的决定》，针对市县政府的特殊地位和工作特点，从8个方面就市县政府依法行政作出规定。2010年10月，国务院颁布《关于加强法治政府建设的意见》，对提高行政机关工作人员特别是领导干部依法行政的意识和能力、加强和改进制度建设、坚持依法科学民主决策、严格规范公正文明执法、全面推进政务公开、强化行政监督和问责、依法化解社会矛盾纠纷等7个方面，进行明确规定。可以说，这些法律法规的出台，对规范政府行为、推进依法行政发挥了重要作用。

建立健全应对自然灾害、事故灾难、公共卫生和社会安全等方面的社会预警体系，形成统一指挥、功能齐全、反应灵敏、运转高效的应急机制，是政府全面履行职能，特别是加强社会管理和公共服务职能的一项重要工作。2003年的非典疫情，暴露出我国应急管理体系比较薄弱。为此，2003年11月，国务院成立应急预案工作小组，以制定、修订应急预案和建立健全应急体制、机制、法制（简称“一案三制”）为核心的中国应急管理体系建设全面起步。经过一年多时间的努力，《国家突发公共事件总体应急预案》和应对自然灾害、事故灾难、公共卫生和社会安全等方面的105个专项和部门应急预案，以及绝大部分省级应急预案的编制基本完成。2005年4月，国务院作出《关于实施国家突发公共事件总体应急预案的决定》；其后，105个专项和部门应急预案以及省级总体应急预案也相继发布。至此，全国应急预案框架体系初步建立。应急预案的发布和实施，使应对各类突发公共事件有了总的行动纲要和有效的处置原则。实践证明，这套应急管理体系经受住了检验，在预防和处置突发事件、保护人民群众利益和处置公共安全方面发挥着越来越重要的作用。

二是加强和改善行政执法，确保法律法规正确实施。行政执法是行政机关大量和经常性的管理活动，与人民群众的切身利益密切相关，是全面推进依法行政、建设法治政府的重要环节。经济社会生活中出现的许多问题，很多都与执法不力有关。为此，国务院总理温家宝强调，政府各项工作都必须尊重、遵守宪法和法律，严格按照法定权限和程序行使职权、履行职责，各级行政机关及其工作人员一定要认真履行法律赋予的职责，根据法律授予的权限管理经济社会事务和其他行政事务，既不能失职不作为，又不能越权乱作为。①

为进一步规范和监督行政执法活动，2005 年 7 月 9 日，国务院办公厅印发《关于推行行政执法责任制的若干意见》，就推行行政执法责任制作出明确规定。此后，各地方和各部门依法界定执法职责，科学设定执法岗位，规范执法程序，建立健全行政执法评议考核制和错案追究制。特别是针对人民群众反映强烈的突出问题，各地进一步规范了征地拆迁、安全生产、食品药品安全、环境保护等方面的行政执法行为，强化行政执法责任。行政执法开始逐步改变传统的效率优先、以管制为中心的执法模式，不再以强制、处罚为基本手段，开始注重采用说服、指导、协商、对话等管理方式，滥执法、乱执法、暴力执法等状况得到改善。

三是完善行政监督机制，加强对行政权力的监督制约。历史经验证明，权力不受制约和监督，必然导致滥用和腐败。建设法治政府，确保执政为民，必须强化对行政权力的监督。只有人民群众监督政府，政府才不会懈怠，政府工作人员才不会滥用手中的权力。

---

① 温家宝：《全面推进依法行政　努力建设法治政府——温家宝总理在全国依法行政工作电视电话会议上的讲话》，《人民日报》2004 年 7 月 5 日。

长期以来，“拍脑袋决策”为人民群众所诟病。为增强决策的科学性，中共十六大以后，国务院和地方各级政府逐步建立了群众参与、专家咨询和政府决策相结合的决策机制，完善重大决策的规则和程序。国务院坚持实行科学民主决策，定期向全国人大、全国政协通报工作；每季度都要召开经济形势分析会；对事关经济社会发展全局的重大战略问题，认真组织专家学者和有关研究、咨询机构论证评估。各级政府建立健全重大事项调查研究和集体决策制度，对重大事项、重要人事任免、重大项目安排等，要求在充分调查研究的基础上由集体讨论决定。建立健全重大决策专家咨询制度，对涉及经济社会发展的重大决策事项和技术性较强的决策事项，请专家进行可行性研究和论证。建立健全社会听证和公示制度，对涉及面广、与人民群众利益密切相关的决策事项，广泛征求社会各方面意见。同时，还建立健全决策跟踪反馈和责任追究制度，定期对决策执行情况进行调查了解和评价，发现问题及时调整和完善，重大决策失误追究决策人的责任，防止决策的随意性。到 2012 年 10 月，全国约 80% 的市县建立了政府决策合法性审查制度，超过 70% 的市县建立了政府决策公开听取群众意见制度和政府决策责任追究制度。①

总体上看，经过 10 年的不懈努力，我国在推进依法行政、建设法治政府方面取得显著成效。各级行政机关依法行政的意识普遍增强，依法行政的能力和水平进一步提高，依法行政成为绝大多数行政机关工作的基本准则。政府立法的针对性和可操作性明显增强，政府决策的科学化、民主化程度明显提高。同时，政府职能进一步转变，行政管理方式不断创新；政府执法监督得到加强，行政执法状况不断改善。

## 三、推进司法体制改革

作为国家政治制度的重要组成部分，司法制度是社会公平正义的重要

① 白龙、黄庆畅：《依法治国：公平发展的中国抉择——十六大以来重大战略述评之九》，《人民日报》2012 年 11 月 1 日。

保障。我国的司法体制是根据宪法和法律设定的，总体上与社会主义初级阶段的政治经济制度和基本国情相适应。然而，随着改革开放的不断深入特别是社会主义市场经济的发展，随着社会主义民主法治建设的推进，司法环境发生许多新变化，司法工作出现许多新情况，人民群众对司法工作提出了许多新要求。同时，司法体制中有法不依、执法不严和司法实践中裁判不公、处理不当、效率不高等不同程度地存在，成为广大人民群众普遍关注、各方面反映强烈的问题。在这种背景下，推进司法体制改革，逐渐提上议事日程。

2002 年 11 月，中共十六大作出推进司法体制改革的战略决策，将司法体制改革作为落实依法治国基本方略的重大举措和政治体制改革的重要组成部分，进行了相应部署。此后，中共中央专门成立司法体制改革领导小组，具体负责领导和部署司法体制改革工作。这在党的历史上是第一次。2004 年 12 月，中共中央转发中央司法体制改革领导小组《关于司法体制和工作机制改革的初步意见》，提出了改革和完善诉讼制度、诉讼收费制度、检察监督体制，以及改革劳动教养制度等 10 个方面的 35 项改革任务。由此，我国司法改革走向整体统筹、有序推进的阶段。这一阶段的改革，主要是从人民群众反映的突出问题和影响司法公正的关键环节入手，按照公正司法和严格执法的要求，完善司法机关的机构设置、职权划分和管理制度，健全权责明确、相互配合、相互制约、高效运行的司法体制。

经过两年的努力，各项改革任务大都完成或基本完成。在此基础上，2007 年 10 月，中共十七大作出深化司法体制改革的重大决策。从十六大时的“推进”到十七大时的“深化”，表明党中央推进司法体制改革的目标更远，方向更明，决心更大。

从 2008 年开始，新一轮司法体制改革启动。这年 12 月，中共中央转发中央政法委员会《关于深化司法体制和工作机制改革若干问题的意见》。在继续抓好 2004 年中央确定的司法体制和工作机制改革事项的基础上，该《意见》围绕优化司法职权配置、落实宽严相济刑事政策、加强政法队伍建设、加强政法经费保障 4 个方面，提出了 60 项改革任务。由此，司法改革进入重点深化、系统推进的新阶段。这一阶段的改革，紧紧抓住影响司法公正、制约司法能力的关键环节，进一步解决体制性、机制性、保障性障碍，优化司法职权配置，规范司法行为。

在中央的坚强领导下，我国以维护司法公正为目标，以优化司法职权配置、加强人权保障、提高司法能力、践行司法为民为重点，积极稳妥推进司法体制改革，为经济发展和社会稳定提供了有力的司法保障。

维护社会公平正义，是司法改革的价值取向。在司法改革中，我国从解决影响司法公正的体制性障碍出发，加强司法机关内部机构制约，理顺上下级法院、检察院的审判、检察业务关系，规范完善再审程序，建立统一的执行工作体制和司法鉴定管理体制。这些改革，提高了司法机关公正司法的能力，有助于维护社会公平正义，满足民众对司法公正的新期待、新要求。同时，司法机关积极推进量刑规范化改革，建立案例指导制度，加强案件管理，有力促进了司法行为的规范化。面对社会矛盾多发、案件数量大、新情况新问题层出不穷的状况，司法机关全面推进司法公开，让司法权力在阳光下运行，在社会各界的有效监督下公开、公平、公正地行使。作为审判机关的人民法院和法律监督机关的人民检察院，同样需要发扬民主，确保公正司法。为此，我国积极建立和完善人民陪审员制度和人民监督员制度，2004 年颁布《关于完善人民陪审员制度的决定》，拓宽人民陪审员的选任来源，从社会各阶层、各领域广泛选任，采用在名册中随机抽取的方式确定参审案件的人民陪审员。2003 年，最高人民检察院启动人民监督员制度试点工作；2010 年 10 月，人民监督员制度在全国检察机关全面推行。这些举措，为发展社会主义民主政治、实现人民群众依法参与国家事务管理提供了重要保障。

加强人权保障，是司法改革的重要目标。我国不断完善法律，2012 年修改的《刑事诉讼法》，将“尊重和保障人权”写入总则。在司法改革中，针对人民群众反映强烈的刑讯逼供、暴力取证问题，公安机关、检察机关建立了讯问嫌疑人同步录音录像制度，并通过健全介入侦查、引导取证工作机制以及完善当事人权利告知制度等，防止和遏制个别司法人员在办案过程中出现刑讯逼供等违法取证现象。改革中，我国改变过去“重打击、轻保护”的观念，进一步完善辩护制度，保障犯罪嫌疑人、被告人及时获得辩护，体现了对生命、自由等人权的尊重。在司法实践中，限制适用羁押措施，同时保障被羁押人的合法权益。特别值得提出的是，死刑直接关系到公民生命权的剥夺，适用死刑必须慎之又慎。中国保留死刑，但严格控制和慎重适用死刑，死刑只适用于极少数罪行极其严重的犯罪分子。从2007年开始，由最高人民法院统一行使死刑案件的核准权。2011年颁布的《刑法修正案（八）》取消了13个经济性非暴力犯罪的死刑，占死刑罪名总数的19.1%，规定对审判时已年满75周岁的人一般不适用死刑，并建立死刑缓期执行限制减刑制度，为逐步减少死刑适用创造了法律和制度条件。此外，我国还加强未成年犯罪嫌疑人、被告人的权益保障，尽最大努力促进失足未成年人回归社会，进一步健全服刑人员社区矫正和刑满释放人员帮扶制度，完善国家赔偿制度，建立刑事被害人救助等制度，努力把司法领域的人权保障落到实处。

提高司法能力，是司法改革的重要目标。在司法改革中，我国不断完善法律职业准入制度。自2002年起，国家司法考试每年举办一次，实现了法律职业准入制度由分散到统一的转变。同时，还建立警察执法资格等级考试制度。此外，通过加强职业教育培训和职业道德建设，改革经费保障体制，有效提高了司法能力，为提升司法公信力奠定了坚实基础。

以人为本、司法为民，是司法工作的根本出发点和落脚点。为应对社会快速发展时期社会矛盾纠纷易发多发的状况，2010年颁布了《人民调解法》，有关部门建立健全诉讼与非诉讼相衔接的矛盾纠纷解决机制，深入推进矛盾纠纷大调解工作，构建起符合国情的多元纠纷解决机制。同时，还加快改革和完善诉讼收费制度，大幅降低了当事人诉讼成本，显著缓解了诉讼难、请律师难等问题。此外，我国高度重视法律援助工作，2003年颁布实施《法律援助条例》，并逐步扩大法律援助覆盖面，建立健全经费保障机制，为经济困难的公民或者特殊案件当事人提供免费法律服务，使越来越多的困难民众通过法律援助维护自身合法权益。

总体上看，中共十六大至十八大的这 10 年，我国司法体制改革与经济社会发展同步推进。通过改革，中国特色社会主义司法制度不断完善，促进了司法机关严格、公正、文明、廉洁执法，推动了司法工作和司法队伍建设的科学发展，赢得了公众的认可与支持。

现代法治是法治国家、法治政府和法治社会的有机整体，三者需要共同推进，同步建设。如果只重视建设法治国家和法治政府，不重视建设法治社会，法治国家和法治政府将是无源之水、无本之木，缺乏根基和基础。中共十六大以后，在推动依法治国的进程中，我国高度重视人民群众在法治建设中的主体地位，坚持不懈开展全民普法教育。在顺利完成“四五”普法目标的基础上，从 2006 年起，我国实施了“五五”普法规划；从 2011 年起，又开始实施“六五”普法规划。这 10 年，我国广泛开展多了种形式的法制宣传教育，法律进机关、进乡村、进社区、进学校、进企业、进单位。同时，各地积极开展“民主法治示范村”“诚信守法企业”“民主法治示范社区”“依法行政示范窗口”等法治创建活动。全国“12・4”法制宣传日系列活动产生广泛影响，成为法制宣传的重要品牌。所有这些，使公民的法治观念和法律素质有了很大提高，尊法、学法、守法、用法的浓厚社会氛围逐渐形成，为建设社会主义法治国家奠定了坚实的社会基础。

## 第四节　深化行政管理体制改革

深化行政管理体制改革，是发展社会主义市场经济和发展社会主义民主政治的必然要求，是政治体制改革的重要内容。中共十六大以后，我国以转变政府职能为重点，以建立行为规范、运转协调、公正透明、廉洁高效的行政管理体制为目标，进一步深化行政管理体制改革。

## 一、不断深化政府机构改革

我国的行政管理体制，是新中国成立后根据我国的政治体制、经济社会发展状况和历史文化传统等基本国情确定的。改革开放以后至中共十六大之前，先后于 1982、1988、1993、1998 年进行了四次以政府机构改革为重点的行政管理体制改革，在转变政府职能、优化政府结构、推进依法行政、创新管理方式等方面，取得重要进展。进入 21 世纪，随着经济体制改革的深入和我国加入世界贸易组织，尤其是社会主义市场经济的发展，政府机构的呼声再起。为此，2002 年 11 月，中共十六大提出深化行政管理体制改革的任务。之后，中共十六届二中全会审议通过《关于深化行政管理体制和机构改革的意见》。2003 年 3 月，十届全国人大一次会议通过《国务院机构改革方案》。这标志着改革开放以来第五轮机构改革正式启动。

2003 年国务院机构改革的重点是：深化国有资产管理体制改革，完善宏观调控体系，健全金融监管体制，继续推进流通管理体制改革，加强食品安全和安全生产监管体制建设。机构改革主要包括如下方面：一是深化国有资产管理体制改革，设立国务院国有资产监督管理委员会。二是完善宏观调控体系，将国家发展计划委员会改组为国家发展和改革委员会，不再保留国家经济贸易委员会、对外贸易经济合作部。三是为加强金融监管，确保金融机构安全、稳健、高效运行，提高防范和化解金融风险的能力，健全金融监管体制，设立中国银行业监督管理委员会。四是为适应内外贸业务相互融合的发展趋势和加入世界贸易组织的新形势，促进现代市场体系的形成，继续推进流通管理体制改革，组建商务部。五是为保障人民群众身体健康和生命安全，加强食品安全和安全生产监管体制建设，在国家药品监督管理局的基础上组建国家食品药品监督管理局，仍作为国务院直属机构；将国家经贸委管理的国家安全生产监督管理局改为国务院直属机构。此外，为加强人口发展战略研究，推动人口与计划生育工作的综合协调，将国家计划生育委员会更名为国家人口和计划生育委员会。

经过改革，除国务院办公厅外，国务院组成部门由 29 个调整为 28 个。在中央的统一部署下，地方政府也从实际出发，因地制宜地推进机构调整和职能整合。

2003 年机构改革，通过调整和归并业务相近以及因分工过细导致职责交叉和关系不顺的机构，增强了政府整体运行功能，形成了精干的政府组成部门与专业化的执行机构并存、分工合作、协调有效的政府组织体系。经过改革，从总体上看，我国的行政管理体制已基本适应经济社会发展的要求，但政府职能转变还不到位，对微观经济活动干预仍然过多，社会管理和公共服务有待进一步加强；政府机构设置还不尽合理，部门职责交叉、权责脱节和效率不高的问题比较突出；有些方面权力仍然过于集中。这些问题，直接影响政府全面正确履行职能，也在一定程度上制约经济社会发展，必须通过深化改革切实加以解决。针对这些问题，2007 年，中共十七大明确提出要加快行政管理体制改革，建设服务型政府。根据十七大精神，2008 年年初，国务院制定了新的机构改革方案，同年 3 月，十一届全国人大一次会议通过《国务院机构改革方案》。第六轮机构改革由此开始。

这次机构改革的主要任务是，围绕转变政府职能和理顺部门职责关系，探索实行职能有机统一的大部门体制，合理配置宏观调控部门职能，加强能源环境管理机构，整合完善工业和信息化、交通运输行业管理体制，以改善民生为重点加强与整合社会管理和公共服务部门。具体来说，一是合理配置宏观调控部门职能，形成科学权威高效的宏观调控体系。国家发展和改革委员会、财政部、中国人民银行等部门建立健全协调机制，各司其职，相互配合，发挥国家发展规划、计划、产业政策在宏观调控中的导向作用，形成更加完善的宏观调控体系。二是加强能源管理机构，保障国家能源安全。设立高层次议事协调机构国家能源委员会。组建国家能源局，由国家发展和改革委员会管理。三是组建工业和信息化部，加快走新型工业化道路的步伐。同时，组建国家国防科技工业局，由工业和信息化部管理。国家烟草专卖局改由工业和信息化部管理。四是组建交通运输部，加快形成综合运输体系。同时，组建国家民用航空局，由交通运输部管理。国家邮政局改由交通运输部管理。五是组建人力资源和社会保障部，完善就业和社会保障体系。同时，组建国家公务员局，由人力资源和社会保障部管理。六是组建环境保护部，加大环境保护力度，不再保留国家环境保护总局。七是组建住房和城乡建设部，加快建立住房保障体系，加强城乡建设统筹，不再保留建设部。八是国家食品药品监督管理局改由卫生部管理，理顺食品药品监管体制，明确卫生部承担食品安全综合协调、组织查处食品安全重大事故的责任。

2008 年国务院机构改革，核心是转变政府职能，主要突出了三个重点：一是加强和改善宏观调控，促进科学发展；二是着眼于保障和改善民生，加强社会管理和公共服务；三是按照探索职能有机统一的大部门体制要求，对一些职能相近的部门进行整合，实行综合设置，理顺部门职责关系。在推进改革的过程中，国务院始终强调，要紧紧抓住转变政府职能这个核心，加快推进政企分开、政资分开、政事分开、政府与市场中介组织分开，把不该由政府管理的事项转移出去，把该由政府管理的事项切实管好，从制度上更好地发挥市场在资源配置中的基础性作用，更加有效地提供公共产品。同时，要按照权责一致的原则，着力理顺部门职责关系，精简和规范议事协调机构及其办事机构。

2008 年政府机构改革，在探索实行职能有机统一的大部门体制方面迈出了重要步伐，特别是组建了工业和信息化部、交通运输部、人力资源和社会保障部、环境保护部等 4 个“大部”。这次改革涉及调整变动的国务院机构共 15 个，正部级机构减少 4 个，集中解决 70 余项部门职责交叉和关系不顺问题，明确和强化了 200 多项职责，初步建立了以宏观调控部门、市场监管部门、社会管理和公共服务部门为主体的政府组织结构框架。①与此同时，地方机构改革也有明显的突破。例如，广东深圳在改革前有 46 个政府

① 温家宝：《努力建设人民满意的政府》，《求是》2013 年第 3 期。

机构，改革后设置 31 个，减少 15 个机构，机构精简幅度达到了 1/3；顺德的大部门体制改革将原来 41 个党政机构减少为 16 个，机构精简幅度则达到近 2/3。更重要的是，深圳和顺德的大部门体制改革，都形成和落实了决策权、执行权、监督权既相互制约又相互协调的权力结构和运行机制。①

总的来看，机构改革从促进经济社会又好又快发展的需要出发，着力解决了一些长期存在的突出矛盾和问题，既迈出了重要步伐，又保持了机构的相对稳定，也为今后改革奠定了坚实基础。

## 二、大力推进行政审批制度改革

行政审批，一般是指公民、法人或者其他组织从事某些特定的活动时，需要事先申请并经行政机关审核批准的行为和过程，是政府依法对经济社会事务实行管理的一种重要手段。由于历史原因，我国在计划经济向社会主义市场经济转型过程中，逐渐形成了以审批为主要手段的行政管理模式。行政审批以 20 世纪 80 年代的建设项目审批、工商登记为代表，后来逐渐扩大到生产、建设、流通等行业产业管理，再到 20 世纪 90 年代以管市场、强调控等名义不断延伸，不仅事项繁多，而且审核程序环节烦琐，很多跨部门、跨层级审批更是让公民和各类法人机构来回跑、上下跑、多头跑。这种情况下，广范围、高密度的行政审批已经滞后于经济社会发展，不适应发展社会主义市场经济的要求，成为政治体制改革的一项重要内容和政府职能转变的关键环节。

进入 21 世纪，我国启动全方位的行政审批制度改革。2001 年 9 月，国务院专门成立行政审批制度改革工作领导小组，将办公室设在监察部。当年 10 月，国务院批转《关于行政审批制度改革工作的实施意见》，对改革的指导思想、原则、实施步骤提出明确要求，规定不符合政企分开和政事分开原则、妨碍市场开放和公平竞争以及实际上难以发挥有效作用的行政审

① 许耀桐：《行政体制改革：十年十成果》，《法制与经济》2012 年第 12 期。

批，要坚决予以取消；可以用市场机制代替的行政审批，通过市场机制运作；对于确需保留的行政审批，要建立健全监督制约机制，做到审批程序严密、审批环节减少、审批效率明显提高，行政审批责任追究制得到严格执行。由此，全面改革行政审批制度的帷幕徐徐拉开。

中共十六大以后，适应转变政府职能、完善社会主义市场经济体制、加强廉政建设的客观需要，中央高度重视并大力推进行政审批制度改革。2003 年 8 月，十届全国人大常委会第四次会议审议通过《中华人民共和国行政许可法》。这部法律针对行政许可存在的问题，通过确立行政许可的立法政策，严格限制设定行政许可的事项范围，规定了什么事项可以设定行政许可，什么事项不可以设定行政许可，标志着我国行政审批制度改革和行政审批工作走上法制化、规范化轨道。随后，各地各部门按照国务院统一部署，全面清理、废止和修订与法律相违背和不一致的行政法规、规章、规范性文件，新制定了一系列有关行政审批的法规、规章和制度，依法规范政府权限和履行职能的程序。

为适应改革需要，2008 年，中央取消国务院原行政审批制度改革工作领导小组，成立由监察部牵头，中央编办、国家发展改革委、工业和信息化部等 12 个部门组成的行政审批制度改革工作部际联席会议，负责继续深入推进行政审批制度改革。为了进一步指导和规范行政审批制度改革，2008 年 10 月，国务院印发《关于进一步深化行政审批制度改革的意见》，明确提出要使行政审批事项进一步减少，审批行为实现公开透明、规范运作，行政审批相关制度和制约监督机制较为健全，利用审批权谋取私利、乱收费等现象得到有效遏制，人民群众满意度有新的提高。2011 年 11 月，国务院召开深入推进行政审批制度改革工作电视电话会议，温家宝强调，要坚定不移地继续推进行政审批制度改革，进一步清理、减少和调整行政审批事项，严格依法设定和实施审批事项，创新行政审批服务方式，强化对行政审批权力运行的监督制约。

随着各项制度和法律法规的建立健全，我国行政审批制度改革取得突破性进展。自 2001 年 9 月改革启动至 2012 年，国务院各部门先后分六批取消和调整 2497 项行政审批项目，占原有审批项目总数的 69.3%；31 个省（区、市）本级共取消和调整 3.7 万余项行政审批项目，占原有总数的 68.2%。[①] 在取消、调整行政审批项目的同时，对拟新设的行政审批项目进行严格把关，确保于法有据。10 年间，为指导和规范行政审批制度改革工作，全国建立行政审批配套制度8000余项。[②]以《行政许可法》为核心，有关法律法规规章相配套的行政审批法规制度体系基本建立。

在改革过程中，各级政府更加注重履行社会管理和公共服务职能，积极推进行政审批规范化建设，积累了很多好的做法和经验。很多地方引入现代企业优化业务流程理念和方法，全面梳理审批流程，最大限度地简化审批层次和环节。各地建立行政审批相对集中办理的政务中心或政务大厅，实行一个窗口对外，“一站式”服务。同时，积极发展电子政务，推广网上审批，解决传统审批模式信息不透明、流程烦琐、时间过长等问题。这一系列举措，切实提高了行政效能，“公章满天飞，群众跑断腿”的现象大幅减少，群众办事更加方便了。

总的来看，深化行政审批制度改革，减少了政府对微观经济活动的直接干预，加强了市场在资源配置中的基础性作用，权力过分集中的现象有所改变，公共服务得到明显改善。行政审批制度改革及其取得的成效，推动我国向法治国家扎实迈进。

## 三、全面推进政务公开

公开透明、让权力在阳光下运行，是现代政府的重要特征。中共十六大以来，党中央、国务院高度重视政务公开，为推动政务公开做了大量卓有成效的工作。

---

① 温家宝：《努力建设人民满意的政府》，《求是》2013 年第 3 期。

② 许耀桐：《行政体制改革：十年十成果》，《法制与经济》2012 年第 12 期。

2005 年 3 月，中共中央办公厅、国务院办公厅印发《关于进一步推行政务公开的意见》(以下简称《意见》)。该《意见》明确提出，对各类行政管理和公共服务事项，除涉及国家秘密和依法受到保护的商业秘密、个人隐私之外，都要如实公开，使政务公开成为各级政府施政的一项基本制度；强调把人民群众普遍关心、涉及人民群众切身利益的问题作为政务公开的重点内容。[①] 为了保障政务公开的规范运行，2007 年 4 月，国务院公布《中华人民共和国政府信息公开条例》(以下简称《条例》)，对政府信息公开的范围、方式、程序以及监督和保障等进行明确规定。信息公开不再是政府的任意选择行为，而是政府的责任和义务，公民、法人和其他组织有权依法向政府提出相关信息公开的申请。该《条例》的实施，是政府自身建设的一个重大进展，对于推进我国政府信息公开工作，保障人民群众依法获取政府信息，促进政府职能转变、建设法治政府，发挥了积极作用。

《中华人民共和国政府信息公开条例》发布后，政务公开的力度明显加大。政府财政资金管理和使用是人民群众和社会各界关注的一个热点。从 2010 年开始，各级政府推行财政预算公开，政府所有收支全部纳入预算管理，所有公共支出、基本建设支出、行政经费支出预算和执行情况都公开透明，让老百姓清清楚楚地知道政府花了多少钱、办了什么事。同年，重大审计项目开始向社会公开。为回应公众关切，2011 年，中央政府部门率先作出表率，首次向社会公开“三公”经费[②]的支出情况。

随着政务公开深入推进，实践中也遇到一些新情况新问题，如政务公开的程序不够规范，标准比较欠缺，公开内容不全面，监督考核机制不完善等。为此，2011 年 6 月，中共中央办公厅、国务院办公厅印发《关于深化政务公开加强政务服务的意见》。相对 2005 年的《关于进一步推行政务公开的意见》，这次《意见》更强调和注重过程的公开，强化对权力运行的制

---

① 中共中央文献研究室编《十六大以来重要文献选编》(中)，中央文献出版社 2011 年版，第 833—834 页。

② “三公”经费，包括行政经费支出和公务接待费、公务用车购置和运行费、因公出国(境)费。

约，提出要抓好重大突发事件和群众关注热点问题的公开，客观公布事件进展、政府举措、公众防范措施和调查处理结果，及时回应社会关切，正确引导社会舆论。同时，《意见》还把政务公开和政务服务有机结合起来，强调规范政务服务中心建设。

随着政务公开相关条例的实施，各地区各部门以人民群众普遍关心和涉及群众切身利益的事项为重点，强化行政权力公开透明运行，统筹推进政务服务建设，不断提高依法行政和政务服务水平，全国政务公开取得明显成效。一是创新政务公开方式，电子政务建设取得新进展。2006 年，中央政府门户网站正式开通。到 2010 年年底，全国建立行政机关门户网站 4.4 万个，政府网站体系基本形成。74 个国务院部门和单位，31 个省（区、市）政府建立新闻发布和发言人制度。二是增强公开功能，全面推进政务服务建设。各地区各部门不断提高政务公开的社会效益，把政务公开与行政审批制度改革结合起来，深入推进政务（行政）服务中心的建设和管理，着力加强服务型政府建设。到 2011 年年底，全国建成 2.8 万个综合性行政服务中心。政务服务的标准化、规范化、高效化进一步推进。三是拓展公开领域，实现政务公开的新发展。例如，在行政决策公开方面，各地区各部门建立健全科学决策机制，推进行政决策过程和结果公开。在财政预算公开方面，建立健全中央财政月度收支情况定期公开机制，扩大预算公开范围，全国 31 个省（区、市）和 5 个计划单列市都公开了公共财政预算。①

中共十六大以后，政务公开成为各级政府施政的一项基本制度。通过改革，政府权力最大限度地置于阳光下，政府工作的透明度不断提高，政府与群众沟通的渠道更加畅通，人民群众的知情权、参与权和监督权等民主权利得到切实保障。

这个时期，以行政首长为重点的行政问责制度建设也逐步走向规范化。从中央到地方，各级政府加大了行政问责实施力度，对滥用职权、失职渎

① 周英峰：《让“阳光”照亮行政权力——2011 年全国政务公开与政务服务工作综述》，中央人民政府门户网站 2012 年 2 月 29 日。

职、决策失误、行政违法等进行责任追究。比如，2008 年，中共中央、国务院和各级党委政府对河北石家庄“三鹿”奶粉事件、山西襄汾尾矿库溃坝事故等一系列重大事件、事故进行问责，严肃处理了相关责任人。2009 年 6 月，中共中央办公厅、国务院办公厅印发《关于进一步实行党政领导干部问责的暂行规定》。行政问责制度化建设步伐的加快，对于推动建设责任政府、法治政府和服务政府，具有十分重要的意义。

总的来说，中共十六大至十八大的这 10 年，我国政治体制改革和民主政治建设全面推进，成效显著。改革极大激发了人民群众的积极性、主动性和创造性，保持了党和国家的生机和活力，为推动其他各个领域的改革，保持经济社会全面稳定协调发展，提供了有力的制度支撑和法治保障。

# 第八章

# 深化文化体制改革
# 推动社会主义文化
# 大发展大繁荣

文化是民族的血脉，是人民的精神家园。当今时代，文化越来越成为民族凝聚力和创造力的重要源泉，越来越成为综合国力竞争的重要因素，越来越成为经济社会发展的重要支撑。中共十六大以后，以胡锦涛同志为总书记的党中央把深化文化体制改革、促进社会主义文化大发展大繁荣放在重要战略地位，坚持物质文明和精神文明两手抓，促进文化事业和文化产业同发展，推动文化体制改革和文化建设取得新成就，走出了一条中国特色的社会主义文化发展道路。大力推进文化体制改革和文化建设，提高了全民族的思想道德素质和科学文化素质，增强了国家文化软实力，为坚持和发展中国特色社会主义提供了强大精神力量。

## 第一节　建设社会主义核心价值体系

中共十六大以后，以胡锦涛同志为总书记的党中央在改革开放不断深化的条件下，面对意识形态工作的艰巨任务，旗帜鲜明地提出建设社会主义核心价值体系的重大任务。

### 一、建设社会主义核心价值体系的提出

文化是一个民族的精神和灵魂。国家发展、民族振兴，不仅需要强大的经济力量，更需要强大的文化力量。中共十六大以后，我国进入全面建设小康社会新的历史时期。这既是我国发展的一个重要战略机遇期，又是个矛盾凸显期。随着改革开放的不断推进，人们思想活动的独立性、选择性、多变性、差异性日益增强，社会思想空前活跃，各种思想观念相互交织，各种文化相互激荡，社会意识出现多样化的趋势；互联网、现代通信系统、广播电视等现代电子媒体的广泛运用，思想文化交流呈分散性、便捷性、跨国性等特点；加之西方敌对势力从未放松对我国的西化、分化图谋，所有这些都使我国思想文化领域呈现出前所未有的新情况新问题。在日益复杂的国际国内环境下，如何把全党全国人民的思想和力量凝聚起来，沿着中国特色社会主义的正确方向不断前进，是中国共产党坚持用先进文化引领社会思潮必须面对的一个重大课题。

面对思想文化领域错综复杂的新形势，首先要特别关注的是未成年人和大学生这两个群体。未成年人和大学生是祖国未来的建设者，是中国特色社会主义事业的接班人。他们的思想道德状况如何，直接关系到中华民族的整体素质，关系到国家前途和民族命运。为此，2004 年 2 月 26 日，中

共中央、国务院发出《关于进一步加强和改进未成年人思想道德建设的若干意见》，提出未成年人思想道德建设的主要任务是：从增强爱国情感做起，弘扬和培育以爱国主义为核心的伟大民族精神；从确立远大志向做起，树立和培育正确的理想信念；从规范行为习惯做起，培养良好道德品质和文明行为；从提高基本素质做起，促进未成年人的全面发展。[①]时隔半年，8月26日，中共中央、国务院又发出《关于进一步加强和改进大学生思想政治教育的意见》，强调加强和改进大学生思想政治教育，要以理想信念教育为核心，深入进行树立正确的世界观、人生观和价值观教育；以爱国主义教育为重点，深入进行弘扬和培育民族精神教育；以基本道德规范为基础，深入进行公民道德教育；以大学生全面发展为目标，深入进行素质教育，促进大学生思想道德素质、科学文化素质和健康素质协调发展，引导大学生勤于学习、善于创造、甘于奉献，成为有理想、有道德、有文化、有纪律的社会主义新人。[②]同时，中共中央还相继召开全国加强和改进未成年人思想道德建设工作会议、全国加强和改进大学生思想政治教育工作会议，集中探讨在改革开放和发展社会主义市场经济、社会价值观呈现多样化发展的新形势下，怎样教育引导未成年人和大学生树立正确的世界观、人生观、价值观，形成全社会关心青少年成长的良好环境。以此为突破口，全面开启了新形势下的精神文明和先进文化建设。

社会风气是社会文明程度的重要标志，是社会价值导向的集中体现。随着市场经济在我国深入发展，市场经济本身的弱点和消极方面也在相当程度上反映到人们的精神生活中来。一个时期以来，一些腐朽落后的东西沉渣泛起，一些社会成员人生观、价值观扭曲，一些领域道德失范、诚信缺失，严重影响中国特色社会主义事业的健康发展。在我们这样一个有13亿人口的发展中大国，必须确立普遍奉行的价值准则和道德要求，形

---

① 中共中央文献研究室编《十六大以来重要文献选编》（上），中央文献出版社2011年版，第794页。

② 中共中央文献研究室编《十六大以来重要文献选编》（中），中央文献出版社2011年版，第180—181页。

成良好的人际关系和社会风尚。在这种情况下，2006 年 3 月 4 日，胡锦涛在参加全国政协十届四次会议民盟、民进界委员联组讨论时，提出要树立社会主义荣辱观，坚持以热爱祖国为荣、以危害祖国为耻，以服务人民为荣、以背离人民为耻，以崇尚科学为荣、以愚昧无知为耻，以辛勤劳动为荣、以好逸恶劳为耻，以团结互助为荣、以损人利己为耻，以诚实守信为荣、以见利忘义为耻，以遵纪守法为荣、以违法乱纪为耻，以艰苦奋斗为荣、以骄奢淫逸为耻。他强调，要在全社会大力弘扬爱国主义、集体主义、社会主义思想，倡导社会主义基本道德规范，扶正祛邪，扬善惩恶，促进良好社会风气形成和发展。①以“八荣八耻”为主要内容的社会主义荣辱观，体现了社会主义基本道德规范和社会风尚的要求，是中华民族传统美德和时代精神的结合。它旗帜鲜明地指出了在社会主义市场经济条件下，应当坚持什么、反对什么，提倡什么、抵制什么，为全体社会成员判断行为得失、作出道德选择、确定价值取向提供了基本的价值准则和行为规范，对于加强社会主义思想道德建设，形成积极健康向上的社会风尚具有重要意义。

历史和现实反复证明，没有核心价值体系，一种文化就立不起来、强不起来，一个民族就没有赖以维系的精神纽带，一个国家就没有统一意志和共同行动。基于这样的认识，2006 年 10 月，中共十六届六中全会通过的《中共中央关于构建社会主义和谐社会若干重大问题的决定》，首次正式提出“社会主义核心价值体系”概念，并明确指出：马克思主义指导思想，中国特色社会主义共同理想，以爱国主义为核心的民族精神和以改革创新为核心的时代精神，社会主义荣辱观，构成社会主义核心价值体系的基本内容。②在这四个方面的内容中，马克思主义指导思想是灵魂，提供的是认识世界、改造世界的强大思想武器，是建设中国特色社会主义的理论基础和行动指南；中国特色社会主义共同理想是主题，是对国家、民族未来美

① 胡锦涛：《胡锦涛文选》第二卷，人民出版社 2016 年版，第 430 页。

② 中共中央文献研究室编《十六大以来重要文献选编》(下)，中央文献出版社 2011 年版，第 661 页。

好发展前景的追求；以爱国主义为核心的民族精神和以改革创新为核心的时代精神是精髓，是实现共同理想的动力；社会主义荣辱观是基础，为全体社会成员判断行为得失、作出道德选择提供了价值标准。统一的指导思想、共同的理想信念、强大的精神力量、良好的道德风尚，相互联系、相互贯通、相互促进，形成有机统一的整体，是动员全国各族人民团结奋斗的思想基础。

在此基础上，2007 年中共十七大作出“社会主义核心价值体系是社会主义意识形态的本质体现”[①]的重要论断，明确把“社会主义核心价值体系深入人心”纳入全面建设小康社会奋斗目标的新要求[②]，并提出了“积极探索用社会主义核心价值体系引领社会思潮的有效途径”的任务。[③]2011 年 10 月，十七届六中全会通过的《关于深化文化体制改革推动社会主义文化大发展大繁荣若干重大问题的决定》，进一步明确了建设社会主义核心价值体系在中国特色社会主义文化建设中的战略地位和重要作用，指出社会主义核心价值体系是兴国之魂，是社会主义先进文化的精髓，决定着中国特色社会主义发展方向。要把社会主义核心价值体系融入国民教育、精神文明建设和党的建设全过程，贯穿改革开放和社会主义现代化建设各领域，体现到精神文化产品创作生产传播各方面，坚持用社会主义核心价值体系引领社会思潮，在全党全社会形成统一指导思想、共同理想信念、强大精神力量、基本道德规范。[④]

任何民族、任何国家、任何社会的存在和发展，都需要有一定的社会主导价值观的强力支撑。在我国经济体制深刻变革、社会结构深刻变动、

① 中共中央文献研究室编《十七大以来重要文献选编》（上），中央文献出版社 2009 年版，第 26 页。

② 中共中央文献研究室编《十七大以来重要文献选编》（上），中央文献出版社 2009 年版，第 15 页。

③ 中共中央文献研究室编《十七大以来重要文献选编》（上），中央文献出版社 2009 年版，第 27 页。

④ 中共中央文献研究室编《十七大以来重要文献选编》（下），中央文献出版社 2013 年版，第 564 页。

利益格局深刻调整、思想观念深刻变化的新形势下，在各种思想文化相互交织、相互激荡的复杂背景下，建设社会主义核心价值体系的提出，是社会主义思想道德建设和意识形态建设上的一个重大理论创新。它顺应了中国特色社会主义事业发展全局对我国文化建设的新要求，鲜明回答了中国共产党用什么样的精神旗帜团结带领全国人民开拓前进、中华民族以什么样的精神风貌屹立于世界民族之林的重大问题，成为党在新形势下牢牢掌握意识形态工作领导权和主动权的重大举措。

## 二、用社会主义核心价值体系引领社会思潮

社会主义核心价值体系重在建设。这一战略任务提出以后，中共中央强调，建设社会主义核心价值体系，“不仅要融入国民教育和精神文明建设全过程，而且要贯穿于现代化建设的各个方面”，并积极探索用社会主义核心价值体系引领社会思潮的有效途径，主动做好意识形态工作。建设社会主义核心价值体系的实践不断走向深入。

一是不断推进马克思主义中国化时代化大众化，用马克思主义中国化最新成果武装全党、教育人民。2004 年 4 月，中央开始组织实施马克思主义理论研究和建设工程，主要任务是加强马克思主义中国化理论成果和重大现实问题的研究，加强马克思主义经典著作的编译和研究，建设充分反映马克思主义中国化最新成果的哲学社会科学学科体系和教材体系，加强马克思主义理论队伍建设等。截至 2012 年年底，工程取得丰硕成果。比如，在经典著作编译和基本观点研究方面，重新编译出版了 10 卷本《马克思恩格斯文集》和 5 卷本《列宁专题文集》。在马克思主义学科建设方面，增设马克思主义理论为一级学科，下设 6 个二级学科，一批高校成立马克思主义学院，一批高校思想政治理论课教材和哲学社会科学重点教材相继编写出版，高校和哲学社会科学研究机构马克思主义学科建设得到加强。与此同时，进一步加强马克思主义理论研究队伍特别是中青年骨干队伍建设，对高校哲学社会科学教学科研骨干开展集中培训。通过这些措施，初步改变

了两个“弱化”的局面，即马克思主义在哲学社会科学领域主导地位有所弱化，马克思主义理论教学有所弱化、人才青黄不接的局面。

与此同时，思想战线积极开展中国特色社会主义理论的宣传普及活动，推动当代马克思主义大众化。各地纷纷组织“三个代表”重要思想宣讲团，推动学习贯彻邓小平理论和“三个代表”重要思想向纵深发展。同时，紧密结合干部群众的思想实际，以多种形式析事明理，通过推出《科学发展观学习读本》《中国特色社会主义理论体系学习读本》《理论热点面对面》等通俗理论读物、《复兴之路》等电视理论专题片，广泛宣传科学发展观等重大战略思想，取得了很好的效果。

二是用中国特色社会主义共同理想凝聚力量。中国特色社会主义是当代中国发展进步的根本方向，集中体现了最广大人民根本利益和共同愿望。中共十六大以后，广大宣传思想工作者以坚持正确舆论导向为根本任务，落实“贴近实际、贴近生活、贴近群众”的要求，唱响主旋律，打好主动仗，在全社会深入广泛开展理想信念教育，深入开展形势政策教育、国情教育、革命传统教育、改革开放教育、国防教育，起到了引领社会风尚、凝聚社会共识的积极作用，进一步坚定了广大干部群众对中国特色社会主义的信心和信念，有力鼓舞了他们投身中国特色社会主义事业的积极性、主动性、创造性。

三是用以爱国主义为核心的民族精神和以改革创新为核心的时代精神鼓舞斗志。爱国主义是中华民族最深厚的思想传统，最能感召中华儿女团结奋斗；改革创新是当代中国最鲜明的时代特征，最能激励中华儿女锐意进取。中共十六大以后，我国大力弘扬一切有利于国家富强、民族振兴、人民幸福的思想和精神，大力发扬艰苦奋斗、劳动光荣、勤俭节约的优良传统。在改革发展的火热实践中，涌现出郭明义、杨善洲、任长霞、李素芝、许振超、宋鱼水等一大批先进模范人物。这些典型产生于人民群众的实践，代表时代风貌和社会前进方向，体现民族精神和时代精神的融合，他们的高尚品德和感人事迹，谱写了精神文明建设的绚丽篇章，激励着广大干部群众积极投身改革开放和现代化建设。

这一时期，思想宣传战线利用纪念抗日战争暨世界反法西斯战争胜利60周年、中国共产党成立90周年、中华人民共和国成立60周年、改革开放30周年、红军长征胜利70周年等重要契机，进行弘扬民族精神和时代精神的主题宣传和教育活动。特别是在2009年新中国成立60周年之际，举行了“双百”人物[①]评选活动。评选活动坚持群众路线，广泛动员群众。据统计，全国参与推荐、提名、投票的群众达到1亿人。[②]实践证明，“双百”人物评选活动本身就是一次生动的群众性爱国主义自我教育，一次广泛的革命历史革命传统教育，一次深入的社会主义核心价值体系教育，极大地激发了人民群众蕴藏的爱国热情。此外，我国还加强爱国主义教育基地建设，积极发展红色旅游，对增强全国人民特别是青少年的爱国情感，弘扬和培养民族精神，发挥了重要作用。

四是用社会主义荣辱观引领风尚。公民的道德水平，体现着一个民族的基本素质，反映着一个社会的文明程度。加强公民道德建设，是提高全民族文明素质的一项基础性工程。中共十六大以后，中共中央强调，在全面建设小康社会、加快推进社会主义现代化的进程中，始终要高度重视和切实加强社会主义道德建设，大力弘扬社会公德、职业道德、家庭美德，为我国经济社会发展提供强有力的思想道德保障。[③]

这一时期，我国实施公民道德建设工程，坚持用社会主义荣辱观引领风尚，既尊重差异、包容多样，又有力抵制各种错误和腐朽思想的影响，促进良好社会风尚与和谐人际关系的形成。继2001年9月20日中共中央印发《公民道德建设实施纲要》，提出在全社会大力提倡“爱国守法、明礼诚信、团结友善、勤俭自强、敬业奉献”的基本道德规范后，为了更广泛地

---

① “双百”人物，是指100位为新中国成立作出突出贡献的英雄模范人物和100位新中国成立以来感动中国人物。

② 李长春：《在“双百”人物代表座谈会上的讲话》，《光明日报》2009年9月15日。

③ 胡锦涛：《胡锦涛文选》第二卷，人民出版社2016年版，第610页。

动员社会各界关心支持和参与道德建设，促进公民道德素质和社会文明程度的提高，2003 年，经中共中央同意，中央精神文明建设指导委员会决定，将 9 月 20 日定为“公民道德宣传日”。在实践中，这一时期广泛开展了形式多样的群众性道德建设实践活动，引导人们从我做起，从身边做起，从点滴做起，把社会主义荣辱观转化为自觉行动。例如，在党政机关，开展争创文明机关、争当“人民满意公务员”活动，为全社会做出表率；在学校，不断加大未成年人思想道德建设和大学生思想政治教育力度，引导学生养成良好的道德品格和行为习惯；在企业，以创建文明行业为龙头，开展“共铸诚信”等活动，推动社会信用体系建设；在农村，结合社会主义新农村建设，开展创建文明户、文明村镇等活动，培养新型农民；在城市社区，开展创建文明社区、节约型社区等活动，促进邻里和睦、人际和谐。通过多种多样的实践活动，全社会知荣辱、讲正气、树新风的良好风尚进一步形成。

2006 年年初，中央文明委、北京奥组委利用 2008 年北京举办奥运会的契机，在全国组织开展“迎奥运、讲文明、树新风”活动，取得很好效果。2010 年广州亚运会、2011 年深圳大运会期间，继续推广“讲文明树新风”活动。通过开展这些活动，在全社会普及文明礼仪知识，优化公共秩序和公共环境，提升了人们的文明言行。特别是志愿服务蔚然成风，展示了当代中国人讲文明、重礼仪、团结友善的精神风貌，也塑造了文明中国、礼仪之邦的良好形象。

随着公民道德建设的不断加强，越来越多的道德模范人物涌现出来。从 2007 年开始，中央文明办、全国总工会、共青团中央、全国妇联等单位在全国范围内广泛开展全国道德模范评选表彰活动。全国道德模范平均每两年评选一次，分为“助人为乐”“见义勇为”“诚实守信”“敬业奉献”“孝老爱亲”5 个类型。全国道德模范都是群众爱戴的先进典型，他们身上体现了中华民族优秀品质，反映了我国社会发展进步的时代精神。[①] 每一个道德模范的背后都有一个不同寻常的故事，他们为社会带来融化在手心里的温

① 胡锦涛：《胡锦涛文选》第二卷，人民出版社 2016 年版，第 610 页。

暖，流淌在身边的感动。榜样的力量是无穷的。全国道德模范评选表彰活动，由群众评、评群众身边的人和事，到2011年连续评选三届，每次都吸引了上亿群众参加。道德模范评选活动创新了公民道德建设的方式方法和工作载体，向全社会发出了倡导什么、贬斥什么的鲜明信号，对于在全社会弘扬中华民族传统美德、建设社会主义核心价值体系发挥了积极作用。

此外，从2002年起，中央电视台启动以“感动中国”为主题的年度人物评选活动。《感动中国》年度人物评选活动推出一系列具有鲜明时代特征和广泛社会影响的模范人物，集中体现了中华民族的传统美德和优秀品质，集中诠释了社会主义大家庭的真情与挚爱，集中反映了新时期人民群众昂扬向上的精神追求。这些模范人物的事迹感人肺腑、催人泪下，使广大观众受到心灵的震撼、精神的洗礼、思想的升华，进一步推动在全社会形成学习模范、关爱模范、崇尚模范、争当模范的浓厚氛围。之后，中央媒体还开展了寻找“最美乡村医生”“最美乡村教师”“最美村官”等大型公益活动，把在最基层岗位上、条件最艰苦的环境中默默坚守、无私奉献着的一群人的事迹记录下来。这些富有时代气息、代表社会主流的人和事，激发了人们积极向上的社会责任感，为社会转型期的中国营造了正能量的精神文化氛围。

## 第二节　积极稳妥推进文化体制改革

文化体制改革是我国全方位改革事业的重要组成部分。中共十六大以后，以胡锦涛同志为总书记的党中央在科学判断国际国内形势、全面把握当今世界文化发展趋势、深刻分析我国基本国情和战略任务的基础上，把繁荣和发展社会主义先进文化放在更加突出的地位，推动文化体制改革不断走向深入，开启了文化繁荣发展的新征程。

## 一、新世纪新阶段文化体制改革的背景

改革开放以来，中国共产党高度重视文化建设，在文化体制机制创新方面进行有益探索，取得了显著成绩。但由于历史和现实的原因，由于文化自身的特殊性敏感性，文化领域在计划经济体制下形成的传统思维模式和体制机制影响还比较深。进入新世纪新阶段后，世情、国情、党情发生了深刻变化，我国文化改革发展在思想认识、文化观念、管理体制、工作方式等方面还存在诸多不适应，文化建设面临着一系列新情况新挑战新要求。具体来说，主要体现在以下几个方面。

第一，人民精神文化需求日益增长，迫切需要进一步加快文化改革发展、增强文化产品和服务的有效供给。经过改革开放以来的快速发展，我国人民物质生活水平有了很大提高，2002 年人民生活总体上达到小康水平，城乡居民家庭恩格尔系数已降到 0.5 以下。随着居民消费由温饱型向小康型转变，人民精神文化需求呈“井喷”之势迅速增长，呈现出多样化、多方面、多层次的特点。这既为文化建设注入了强大动力，也使文化产品的供需矛盾更加突出。文化产品无论是数量上还是质量上，都还不能很好地满足人民日益增长的精神文化需求，文化领域已成为我国少数几个总供给不能满足总需求的领域之一。在传统体制下，一方面国有文化资源闲置，另一方面人民精神文化需求得不到满足，这必然带来各渠道文化产品乘虚而入，泥沙俱下，一些地方腐朽落后文化沉渣泛起。改变这一状况，根本出路在于深化文化体制改革，充分激发文化单位的内生动力，充分调动文化工作者的积极性，提高文化产品和服务供给能力，不断满足人民的精神文化需求。

第二，社会主义市场经济体制不断完善，迫切需要进一步加快文化改革发展、健全有利于文化科学发展的体制机制。随着社会主义市场经济体制的逐步完善，市场在资源配置中的基础性作用得到充分发挥，文化赖以存在的体制环境发生了深刻变化。这一方面有利于提高文化资源配置的质量、效益和速度，拓展精神文化产品创作、生产、传播和消费空间，另一

方面也对原来的文化生产和管理体制带来巨大冲击，客观上提出了文化体制要尽快适应经济体制改革新形势的历史性课题。长期以来，文化领域受传统体制影响，习惯于用计划经济手段配置文化资源，把经营性文化产业和公益性文化事业混为一体，这就导致应该由政府保障的公益性文化单位挤占公共文化资源去搞本单位创收，应该走向市场的国有经营性文化单位游离于市场之外，躺在政府怀里，缺乏活力和竞争力，造成国有经营性文化单位在文化市场上长期缺位，严重影响国家文化安全。改变这一状况，根本出路在于深化文化体制改革，把公益性文化事业和经营性文化产业区分开来，一手抓公益性文化事业，提高公共文化服务能力；一手抓经营性文化产业，重塑合格市场主体，建立面向群众、面向市场的体制机制，促进文化事业繁荣和文化产业发展。

第三，社会思想文化日趋多元多样多变，迫切需要进一步加快文化改革发展，发挥文化统一思想、凝聚力量、促进和谐的独特功能。新世纪新阶段，我国处在发展的重要战略机遇期，同时也进入了改革攻坚期和矛盾凸显期。特别是随着社会经济成分、组织形式、就业方式、利益关系和分配方式的日益多样化，不同群体之间的利益关系更趋复杂，各类社会热点相互叠加，各种“两难”问题更加突出，信息传播渠道更加多样，社会舆论更加复杂，统一思想、凝聚力量、促进和谐的任务更加繁重。改变这一状况，根本出路在于深化文化体制改革，重新厘清文化的功能和定位，进一步改进党对文化建设的领导方式，加快转变政府职能，不断创新有利于贴近实际、贴近生活、贴近群众的体制机制，为更加广泛地传播社会主义核心价值体系提供强有力的支撑。

第四，经济全球化持续深入，迫切需要进一步加快文化改革发展、提高国家文化软实力。进入21世纪后，西方发达国家极力利用经济全球化推动文化产品和服务全球化，凭借其在经济、科技等领域的优势进行文化输出和文化渗透，世界范围内各种思想文化交流交融交锋更加频繁，“西强我弱”的国际文化格局更加凸显。伴随着经济全球化的深入发展，我国对外开放不断扩大，特别是以加入世界贸易组织为标志，进入了全方位多层次宽领域对外开放的新阶段。这既为我们学习借鉴世界优秀文化成果、推动我国文化走向世界提供了有利条件，也使得外国文化产品、文化资本大量涌入，我国文化面临“走出去”和守住国内市场的双重压力和挑战。改变这一状况，根本出路在于深化文化体制改革，培育强大的市场主体和文化产业，把推动中华文化“走出去”与借鉴国外有益文化紧密结合起来，提高参与国际文化竞争的能力，不断增强中华文化的国际影响力。

第五，现代传播技术日新月异，迫切需要进一步加快文化改革发展，抢占文化与科技深度融合的制高点。数字技术、网络技术的迅猛发展和广泛应用，深刻改变了人们获取知识、传递信息、鉴赏文化的渠道和方式，既极大地增强了文化的创造力和传播力，为催生新兴文化业态和新的表现形式提供了广阔空间，同时也对运用现代传播技术加快文化改革发展、占领新兴文化阵地、维护国家信息安全和文化安全提出了新的要求。受传统文化体制影响，许多国有文化单位对科技创新缺乏动力，难以抓住信息化时代的历史机遇，难以运用现代传播技术形成新的文化创造力，难以同发达国家推动高新技术和市场运作相结合、催生文化产业迅猛发展的势头相抗衡。改变这一状况，根本出路在于深化文化体制改革，建立与现代传播技术迅猛发展相适应的体制机制，促进文化与科技深度融合，用先进技术传播先进文化，不断增强我国文化整体实力和竞争力。

同时，我国文化自身发展也面临着一系列亟待解决的突出问题。比如，基层文化设施设备陈旧，投入不足；文化产业规模不大、实力不强、结构不合理；相当一些文化单位动力不足、活力不强，难以适应改革开放不断深化的新形势，有的甚至难以为继；用人机制僵化，需要的人进不来，不需要的人出不去，能干的人出去走穴，不能干的人躺在单位怀里嗷嗷待哺，缺乏竞争的压力和动力，严重影响了文化工作者的积极性，等等。改变这一状况，根本出路在于深化文化体制改革，冲破传统体制束缚，激发文化发展的活力，推动文化自身又好又快发展。

面对新形势新情况新要求，迫切需要进一步深化文化体制改革，更好地发挥文化引领风尚、教育人民、服务社会、推动发展的作用。正是在这样的背景下，中共十六大作出深化文化体制改革的重大战略部署，鲜明提出“根据社会主义精神文明建设的特点和规律，适应社会主义市场经济发展的要求，推进文化体制改革”[①]的命题。十六大以后，党中央把深化文化体制改革摆上重要议程，拉开了深化文化体制改革的序幕。

## 二、文化体制改革的基本思路和主要历程

最大限度地满足人民日益增长的精神文化需求，是社会主义文化建设的根本任务。随着我国经济社会持续快速发展和人民生活水平不断提高，城乡居民的文化需求越来越旺盛，这些需求总体上分为两部分：一部分是体现人民文化权益的基本文化需求，需要在政府主导下，通过构建覆盖城乡、惠及全民的公共文化服务体系来实现；另一部分是多样化多方面多层次的文化需求，则要通过壮大文化产业、繁荣社会主义文化市场加以实现。也就是说，公益性文化事业和经营性文化产业，构成繁荣社会主义文化的两个轮子。然而，长期以来，制约文化发展的一个重要因素，就是把公益性文化事业和经营性文化产业相混淆，政府统包统揽，应该由政府主导的公益性文化事业长期投入不足，应该由市场主导的经营性文化产业长期依赖政府，因而束缚了文化事业和文化产业发展。2002 年，中共十六大对新形势下文化建设和文化体制改革作出总体部署，其中值得注意的一个贡献，就是首次明确将文化区分为“文化事业”和“文化产业”两个方面，并就文化事业和文化产业的发展路径分别作了阐述。科学区分两种文化需求，把“文化事业”与“文化产业”区别开来，廓清了过去长期以来在文化建设上的思想迷雾，从根本上明确了文化建设中政府职责和市场功能的准确定位。

---

① 中共中央文献研究室编《十六大以来重要文献选编》(上)，中央文献出版社 2004 年版，第 32 页。

与20世纪80年代、90年代的文化改革发展相比，中共十六大之后，我国文化改革发展的顶层设计明显加强，文化体制改革的基本思路更加明确。这就是：一手抓公益性文化事业，一手抓经营性文化产业；一手努力构建覆盖城乡、惠及全民的公共文化服务体系，一手壮大文化产业、繁荣社会主义文化市场；一手抓繁荣，一手抓管理；从而做到两轮驱动，双翼齐飞，推动文化全面协调健康发展，更好地满足人民群众的文化需求。与此同时，在文化发展方向与战略上，提升国家文化软实力，提高全民族的思想道德素质和科学文化素质，促进人的全面发展，实施文化"走出去"战略，增强中华文化的国际影响力。

按照这样的思路，2003年年初，中共中央政治局常委会议讨论通过《文化体制改革试点工作方案》。同年6月，全国文化体制改革试点工作会议在北京召开，正式确定北京、上海、重庆、广东、浙江以及深圳、沈阳、西安、丽江等9个省市为文化体制改革综合性试点地区，山东大众报业集团、国家图书馆、中国电影集团公司等35家单位具体承担试点任务。试点行业遍及新闻媒体、出版单位、图书馆、博物馆、文化馆、文艺院团、影视制作企业、印刷企业、发行单位、放映公司等。这次会议，标志着文化体制改革试点正式启动。

2003年7月，中共中央办公厅、国务院办公厅转发《中共中央宣传部、文化部、国家广电总局、新闻出版总署关于文化体制改革试点工作的意见》，进一步明确了开展文化体制改革试点的重要意义、总体要求和主要任务。该《意见》提出，开展文化体制改革试点工作，必须坚持解放思想、实事求是、与时俱进，坚持和巩固党在意识形态领域的领导地位，坚持因地制宜、分类指导、先点后面、统筹兼顾，坚持积极稳妥、有序推进。公益性文化事业单位的改革要以增加投入、转换机制、增强活力、改善服务为重点；经营性文化企业单位的改革要以创新体制、转换机制、面向市场、增强活力为重点。通过改革，既要保证公益性文化事业的健康发展，又要推动经营性文化产业的不断壮大，做到"两手抓、两加强"。

为推动文化体制改革试点工作，2003 年 12 月 31 日，国务院办公厅又印发《文化体制改革试点中支持文化产业发展的规定（试行）》和《文化体制改革试点中经营性文化事业单位转制为企业的规定（试行）》。这两个文件，对各地在文化体制改革试点工作中面临并急需解决的财政税收、投融资、资产处置、工商管理、价格、国有文化资产授权经营、收入分配、社会保障、人员分流安置、法人登记等 10 个方面的问题进行明确规定，提出了相关政策，对保障文化体制改革试点的有序开展起到了重要指导作用。

从2004年起，我国文化体制改革试点工作全面铺开。2004年1月16日，作为北京市文化体制改革的第一个突破口，北京儿童艺术剧院股份有限公司正式挂牌成立。2004 年 4 月，中国出版集团经国务院批准更名为中国出版集团公司，成为中国第一家具有企业身份的出版单位。2004 年 12月下旬，《北京青年报》的北青传媒股份有限公司在香港联交所挂牌上市，成为在香港首发上市的第一家内地传媒企业。与此同时，上海、辽宁、吉林、广东、重庆、浙江、云南、江苏等地的文化体制改革试点也扎实推进。

文化体制改革面临的难点，是解决好经营性文化事业单位转制为企业的问题，真正做到以创新体制、转换机制、面向市场、增强活力为重点，重塑合格的文化市场主体。在改革试点中，各地积极探索并成功找到了国有文化事业单位转企改制的基本模式：一是分离改制，即将广告、印刷发行、电视剧等一般节目制作部分从国有文化事业单位分离出来，转制为企业，面向市场经营发展。如浙江日报报业集团以印务中心为试点单位，建立多元产权的现代企业制度；杭州日报报业集团以股份制改造广告中心，集团控股的同时，让经营骨干持股等。二是整体改制为企业。如广东省出版集团由过去事业性质整体转制为企业，上海解放日报报业集团的《上海学生英文报》、文汇新民联合报业集团《上海星期三》等报刊也都改制为企业。三是直接进行股份制改造。如 2004 年 8 月北京歌剧舞剧院转企改制一步到位，新成立了由首都旅游集团控股，歌华集团、北京电视台、北京三奇广告有限公司联合投资的北京歌剧舞剧有限责任公司。

体制机制的变革，激发了文化单位的内在活力，市场竞争力大大提升。例如，长春电影制片厂作为新中国电影的摇篮，从1991年开始连续6年亏损，一度无片可拍。文化体制改革后，积极推进股份制改造，以电影创作为龙头，电影旅游、电影加工和影视传媒等多元素并举，创作出大批优秀作品。改革让长影重新焕发出了生机和活力，企业年利润稳定在3000万元以上。[①]上海电影集团公司完成整体转制后，利润由2003年的209万元跃升到2005年的8548万元，增长40多倍。其所属的上海联合院线公司，2005年观众达到2028万人次，实现票房2.46亿元，在全国院线排名第一。北京儿童艺术剧院直接进行股份制改造后，先后创排了《迷宫》《Hi，可爱》和《魔山》等不同题材儿童剧，演一部火一部。改制当年，剧院共创收2163万元，其中营业收入1568万元，是改制前的18倍。[②]

经过两年多的探索，文化体制改革试点工作取得明显成效，为推进全面改革创造了条件。在总结改革试点经验的基础上，2005年12月，中共中央、国务院发出《关于深化文化体制改革的若干意见》（以下简称《意见》），明确了深化文化体制改革的指导思想、方针原则，确定了文化体制改革的目标任务，即以发展为主题，以改革为动力，以体制机制创新为重点，形成科学有效的宏观文化管理体制；形成富有效率的文化生产和服务的微观运行机制；形成以公有制为主体、多种所有制共同发展的文化产业格局；形成统一、开放、竞争、有序的现代文化市场体系；形成完善的文化创新体系；形成以民族文化为主体、吸收外来有益文化，推动中华文化走向世界的文化开放格局。[③]

为了推动《意见》的贯彻落实，2006年3月，全国文化体制改革工作

---

① 王弢等：《文化复兴：自觉发展的中国力量——十六大以来重大战略述评之八》，《人民日报》2012年10月31日。

② 周玮、曲志红：《春潮涌动——我国文化体制改革不断推进成效显著》，《人民日报》2006年3月28日。

③ 中共中央文献研究室编《十六大以来重要文献选编》（下），中央文献出版社2011年版，第129页。

会议在北京召开。会议确定了全国 89 个地区和 170 个单位作为文化体制改革试点。此后，我国文化体制改革分三个层次全面推开：一是北京、上海等 9 个综合性试点地区率先推开改革；二是除新疆、西藏以外的其他省区市确定自己的改革试点地区和单位，取得经验后逐步推开；三是新疆、西藏从自身实际出发，先进行调研，待条件成熟时再开始进行试点，逐步推进改革。从 2006 年起，文化体制改革走上了全面推开的新历程。

在我国“十一五”时期的开局之年，2006 年 9 月，中共中央办公厅、国务院办公厅印发《国家“十一五”时期文化发展规划纲要》（以下简称《纲要》)，这是新中国成立以来发布实施的第一个国家文化发展规划。《纲要》确定了“十一五”时期我国文化发展的六大重点，即抓好基层文化建设，保障农民和城市低收入群体的基本文化权益；抓好塑造国家文化形象的重大项目和工程建设，创作生产更多更好适应人民群众需求的优秀文化产品；抓好文化产业体系建设，形成以公有制为主体、多种所有制共同发展的文化产业格局；抓好文化创新能力建设，提高我国文化自主创新能力；抓好文化“走出去”重大工程、项目的实施，形成以民族文化为主体、吸收外来有益文化、推动中华文化走向世界的文化开放格局；抓好人才培养，为文化发展提供坚实的人才保障。[①] 这个《纲要》，是“十一五”时期我国文化改革发展的总章程。此后，按照中央深化改革、加快发展的有关精神，各部门积极制订改革方案，出台政策保障措施，切实落实各项改革任务。

2007 年 11 月，中共十七大从中国特色社会主义事业“四位一体”总体布局的战略高度，提出兴起社会主义文化建设新高潮、推动社会主义文化大发展大繁荣的战略任务。2010 年 7 月 23 日，中共中央政治局就深化文化体制改革问题进行第二十二次集体学习。胡锦涛在主持学习时，对推进文化改革发展提出了“三加快”“一加强”的明确要求，即加快文化体制机制改革创新、加快构建公共文化服务体系、加快发展文化产业，加强对文化

① 《国家“十一五”时期文化发展规划纲要》,《人民日报》2006 年 9 月 14 日。

产品创作生产的引导。[①] 此后，文化体制改革全方位展开、纵深化拓展，部分领域基本完成改革任务。

为研究部署深化文化体制改革、推动社会主义文化大发展大繁荣，2011 年 10 月，中共十七届六中全会在北京召开。会议通过的《关于深化文化体制改革推动社会主义文化大发展大繁荣若干重大问题的决定》（以下简称《决定》），提出了坚持中国特色社会主义文化发展道路、努力建设社会主义文化强国的战略任务。这是新中国成立特别是改革开放以来我国文化建设实践探索的基本结论，是对中国特色社会主义道路认识的丰富和深化，鲜明回答了我国文化改革发展走什么路、朝着什么样的目标迈进这个带有方向性、战略性的重大问题。围绕这个重大问题，《决定》提出到 2020 年文化改革发展的奋斗目标，这就是：社会主义核心价值体系建设深入推进，良好思想道德风尚进一步弘扬，公民素质明显提高；适应人民需要的文化产品更加丰富，精品力作不断涌现；文化事业全面繁荣，覆盖全社会的公共文化服务体系基本建立，努力实现基本公共文化服务均等化；文化产业成为国民经济支柱性产业，整体实力和国际竞争力显著增强，公有制为主体、多种所有制共同发展的文化产业格局全面形成；文化管理体制和文化产品生产经营机制充满活力、富有效率，以民族文化为主体、吸收外来有益文化、推动中华文化走向世界的文化开放格局进一步完善；高素质文化人才队伍发展壮大，文化繁荣发展的人才保障更加有力。[②] 着眼于建设社会主义文化强国和实现 2020 年文化改革发展奋斗目标，《决定》从推进社会主义核心价值体系建设、推动文化创作繁荣发展、大力发展公益性文化事业、加快发展文化产业、进一步深化改革开放、建设宏大文化人才队伍等 6 个方面，对我国文化改革发展涉及的若干重大问题作出了一系列重大部署。这个《决定》，充分体现了中国共产党对所肩负的文化使命的深刻把握以及高

---

① 《胡锦涛在中共中央政治局第二十二次集体学习时强调　顺应时代要求深化文化体制改革　推动社会主义文化大发展大繁荣》，《人民日报》2010 年 7 月 24 日。

② 中共中央文献研究室编《十七大以来重要文献选编》（下），中央文献出版社 2013 年版，第 562—563 页。

度的文化自觉和文化自信，是指导我国文化改革发展的纲领性文件。此后，各地区各部门全面贯彻落实十七届六中全会部署，兴起了文化改革发展的热潮，我国文化改革发展取得阶段性成果。

## 三、文化体制改革的成效

十六大以后，在党的科学决策和正确领导下，我国坚持观念创新与实践创新相促进、典型引路与面上推开相衔接、重点突破与全面深化相结合，文化体制改革走过了不平凡历程，取得了显著成效和阶段性成果。

文化引领时代风气之先，是最需要创新的领域。我国文化体制改革之所以能顺利推进，一个关键之处在于策略得当，从改革之初就确立了“区别对待、分类指导、循序渐进、逐步推开”的方针。在改革实践中，对于国有经营性文化单位改革，以建立现代企业制度为重点，加快培育合格市场主体；对于一般时政类报刊社、公益性出版社、代表民族特色和国家水准的文艺院团等事业单位，则推动实行企业化管理，增强面向群众、面向市场提供服务的能力；对于哲学社会科学研究机构、重点新闻媒体、公共文化服务部门等承担公共文化服务的重要文化事业单位，则着眼于突出公益属性、强化服务功能、增强发展活力，全面推进人事、收入分配、社会保障制度改革；对不同地区、不同行业，允许在完成中央确定任务的前提下，根据实际情况因地制宜进行更加广泛深入的改革。由于坚持区别对待、分类指导，文化事业不断繁荣发展，文化产业的活力和竞争力大大增强，全社会参与文化建设和文化改革发展的积极性空前高涨；由于坚持典型引路、逐步推开，既鼓励先进、极大激发文化繁荣发展的创新动力和创造活力，又推广成功经验，使广大文化工作者不断增强对改革的认同和信心。

作为文化体制改革的中心环节，经营性文化单位转企改制是衡量改革是否取得实质性进展的重要标志。改革 10 年，我国按照创新体制、转换机制、面向市场、壮大实力的要求，全面完成出版发行、电影电视剧制作、广电传输等单位的转企改制，基本完成一般文艺院团、非时政类报刊出版单位等国有经营性文化单位的转企改制，重点新闻网站的转企改制取得重大突破。截至 2012 年 9 月，全国有改革任务的 580 家出版社、3000 家新华书店、850 家电影制作发行放映单位、57 家广电系统所属电视剧制作机构、38 家党报党刊发行单位等全部完成转企改制；全国 2103 家有改革任务的文化系统国有文艺院团有 2093 家完成改革任务，占总数的 99.5%；全国 3388 种应转企改制的非时政类报刊有 3041 种完成改革任务，占总数的 89.8%；中央和全国 28 个省区市（除新疆、西藏、青海外）应转企改制的重点新闻网站中，80% 以上完成和基本完成改革任务。据不完全统计，全国共注销经营性文化事业单位法人 6950 家、核销事业编制近 29.4 万个。① 以人民网、新华网、央视网转企改制，有的成功上市、迅猛发展为标志，互联网、手机短信等新兴媒体中的主流力量得到发展壮大。通过改革，打造了一批富有生机活力的文化市场主体，国有或国有控股文化企业的实力活力竞争力大大增强。

同时，在改革中，积极推进政企分开、政事分开和管办分离，文化行政部门与文化企事业单位的关系逐步理顺。除新疆、西藏外，全国 29 个省区市的副省级及以下城市基本完成文化市场综合执法机构组建和文化、广电、新闻出版等有关行政管理部门整合，文化市场管理更加规范。中央确定的文化体制改革阶段性目标基本实现。

在文化体制改革中，我国坚持为人民服务、为社会主义服务的方向和百花齐放、百家争鸣的方针，积极实施文化精品工程和重大文化项目，弘扬主旋律、提倡多样化，让人们在美的享受中得到陶冶、受到启迪。同时，坚持尊重差异、包容多样，充分发扬艺术民主，在文化创作上提倡体裁、题材、形式、手段充分发展，在文化理论上提倡不同观点和学派充分讨论，在文化发展上提倡不同品种和业态积极创新，力争做到雅俗共赏。广大文

① 李长春：《文化强国之路——文化体制改革的探索与实践》（上），人民出版社 2013 年版，第 273 页。

化工作者的创作激情竞相迸发，思想性艺术性观赏性俱佳、群众喜闻乐见的一大批优秀作品走进荧屏、舞台、书市，文化产品创作生产呈现出百花齐放、异彩纷呈、全面繁荣的景象。例如，在电影产量方面，中共十六大以前，我国电影产量每年不到100部，2012年达到745部，居世界第三，前两位是印度和美国。在电视剧产量方面，21世纪以后，每年以1000集的速度递增，居世界第一。《张思德》《亮剑》《恰同学少年》《任长霞》《长征》《延安颂》《激情燃烧的岁月》《乔家大院》等一批优秀影视剧，产生了广泛的社会影响。舞台艺术也空前活跃，出现了连演几百场的好戏。也有一些舞台艺术精品能够到国外进行商演，比如杂技芭蕾《天鹅湖》，把杂技和芭蕾舞艺术结合起来，深受国外观众欢迎。在长篇小说方面，“文化大革命”前17年我国长篇小说出版总量只有100多部，20世纪90年代初每年在500部左右，2003年出版1000部左右，到2012年每年出版总数达到4000部，出现《狼图腾》《笨花》等一批好作品。①

总之，中共十六大至十八大的10年，通过坚持不懈推动文化体制改革，有力促进了文化生产力的解放发展，有力促进了文化的发展繁荣，有力促进了经济发展方式的加快转变，有力促进了国家文化软实力的不断提升，有力促进了各类文化人才竞相涌现。文化领域整体面貌和发展格局焕然一新，文化改革发展开创了新局面，初步走出了一条中国特色社会主义文化发展道路。实践充分证明，深化文化体制改革顺应时代发展要求、符合文化发展规律，是推动社会主义文化大发展大繁荣、建设社会主义文化强国的根本途径和必由之路。

同其他领域的改革一样，文化体制改革也是一个长期艰巨的过程。阶段性改革任务的完成不代表文化体制改革已经结束，文化体制改革仍处于攻坚期和深水区。转企改制后的国有文化企业需要进一步发展和壮大，文化事业单位分类改革、现代文化市场体系的建立、政府职能的转变都还需

① 李长春：《文化强国之路——文化体制改革的探索与实践》（上），人民出版社2013年版，第194页；《记录文化改革发展的恢宏画卷》，《人民日报》2013年12月16日。

要大力推进，新的体制和机制还处于初创时期，文化体制改革与其他领域改革的统筹协调、系统推进，还需要在全面深化改革的顶层设计中进一步谋划和探索。这些都成为中共十八大之后文化体制改革面临的新课题。

## 第三节　大力发展文化事业和文化产业

在社会主义市场经济条件下，大力发展文化事业和文化产业，提供更多更好的文化产品和文化服务，满足人民群众日益增长的精神文化需求，提高全社会的文化生活质量，是贯彻落实科学发展观、推动社会主义文化大发展大繁荣的必然要求。中共十六大以后，我国坚持一手抓公益性文化事业、一手抓经营性文化产业，推动文化事业和文化产业全面协调可持续发展。文化在经济社会发展中的地位和作用更加突出。

### 一、大力发展文化事业，加快建立公共文化服务体系

公益性文化是衡量一个国家文明水平的显著标志。它的根本任务，是构建覆盖城乡的公共文化服务体系，为人民群众提供基本的公共文化服务，保障人民收听收看广播电视、读书看报、进行公共文化鉴赏、参与公共文化活动等基本文化权益。中共十六大以后，我国进一步明确了公益性文化事业的性质，按照公益性、基本性、均等性和便利性的原则要求，坚持以政府为主导、以公共财政为支撑、以基层特别是农村为重点，积极发展文化事业，努力构建覆盖城乡的公共文化服务体系。

随着国民经济的持续快速增长，我国不断完善财政政策保障机制，加大文化事业经费投入，全国文化事业费呈现持续增长态势。中央和省级财政设立了专项资金，加大对农村地区特别是革命老区、民族地区、边疆地区和贫困地区文化发展的支持。据统计，中共十六大以后，各级政府对文

化基础设施的投入是过去几十年的总和。2002 年至 2011 年，全国文化事业费由 83.66 亿元增至 392.62 亿元，年均增长 18.7%，[①]是改革开放以来增长速度最快的时期之一。"十一五"期间，国家对农村地区文化建设的投入 4 年间增幅达到 140.98%，对中部和西部地区文化建设的投入 4 年间增幅达到 133.8% 和 154.5%。[②]

在投入不断增加的情况下，我国大力加强公共文化服务设施建设。在城市，主要是加大对博物馆、文化馆、图书馆、群艺馆的建设，加强社区和居民小区配套文化设施建设。这一时期，国家大剧院、中国美术馆改扩建、国家图书馆二期暨国家数字图书馆工程等高起点、高科技、高标准的大型文化设施拔地而起，一大批规模适当、标准适宜、满足群众文化活动基本要求的基础文化设施建设完成，实现了几代文化工作者的夙愿。在农村，主要是加强乡镇文化站和村文化室的建设。经过努力，基本实现县县有图书馆、乡乡有综合文化站。到 2012 年，我国文化基础设施得到全面改善，初步形成覆盖城乡、惠及全民的国家、省、市、县、乡、村六级公共文化服务体系。

从 2008 年开始，国家推动公共博物馆、纪念馆免费开放。2011 年，又推动美术馆、公共图书馆、文化馆（站）免费开放。截至 2011 年年底，国家级、省级美术馆全部向公众免费开放；全国所有公共图书馆、文化馆（站）实现无障碍、零门槛进入，公共空间设施场地全部免费开放，所提供的基本服务项目全部免费。免费开放的实现，犹如一股春风，在人们心中激荡起阵阵暖意，让更多百姓享受"优质文化就在家门口"的公共福利。这从根本上改变了长期以来博物馆冷冷清清的局面，参观人数有了几倍甚至几十倍的增长，社会效益得到充分发挥。在家门口广场看文艺演出，进图书馆听公益讲座，在社区文化站免费借阅书籍，人民群众品味文化、享受文化有了越来越丰富的选择，基本文化权益得到保障。

① 国家统计局编《科学发展谱新篇：从十六大到十八大》，中国统计出版社 2012 年版，第 198 页。

② 杨雪梅：《文化发展是民生之魂——文化部部长蔡武回顾"十一五"展望"十二五"》，《人民日报》2010 年 11 月 30 日。

建设公共文化服务体系的重点和难点在基层、在农村。为此，国家积极推进文化资源向基层和农村倾斜，以农村和中西部地区为重点，深入实施一系列重大文化惠民工程。例如，为解决广大农村地区群众收听收看广播电视难问题，从1998年开始，国家实施广播电视村村通工程。中共十六大之后特别是“十一五”期间，采取有线联网、直播卫星接收、公用卫星传输等多种方式，扩大信号覆盖，加大了工程的推进力度。截至2012年年底，工程覆盖全部通电行政村和20户以上自然村，解决了72.28万个20户以上自然村约5000万群众听广播看电视难的问题，①使越来越多的人能随时享有来自世界各地的文化信息。为方便农村群众快捷享受网络文化信息资源，2002年4月，国家启动全国文化信息资源共享工程。该工程以国家图书馆为核心，把省、市、县等各级图书馆、博物馆的资源，以及其他各类文化资源如影视剧、科普知识等数字化，形成庞大的数据库，通过互联网送到基层，一直送到农村的村文化活动室。村文化活动室只要有一台电脑、一台投影仪、一块幕布，就能够看电影、看戏剧、看农业科技讲座，甚至看故宫博物院里的展品。截至2012年9月，建成1个国家中心、33个省级分中心，2840个县级支中心、2.8万个乡镇基层服务点、59.7万个村基层服务点，基本建立了覆盖城乡的服务网络。②为解决农民群众“买书难、借书难、读书难”问题，从2005年开始，国家实施农家书屋工程。截至2012年，农家书屋全部覆盖64万个行政村。它丰富了农民群众的精神文化生活，被形象地誉为“农民致富的学堂、农村文化的殿堂、农村学生的第二课堂”。此外，为解决农村地区群众看电影难问题，中共十六大以后，进一步加大农村电影放映工程建设力度，按照“企业经营、市场运作、政府购买、农民受惠”的思路，基本建立起公共服务和市场运作相协调、固定放映和流动放映相结合的农村电影服务体系。电影放映工程年放映800万场电影，基本实现一村一月放映一场电影的目标。

① 李长春：《文化强国之路——文化体制改革的探索与实践》（上），人民出版社2013年版，第91页。

② 李长春：《文化强国之路——文化体制改革的探索与实践》（上），人民出版社2013年版，第91页。

重大文化惠民工程的实施，有效弥补了基层资源的不足，基本解决了基层和农村群众看书难、看戏难、看电影难、收听收看广播电视难的问题，促进了城乡公共文化服务均等化，使公共文化的阳光遍洒中华大地。将公益性放在首位，彰显了社会主义先进文化的基本方向；文化的基本性、均等性、便利性原则，得到日益充分的体现。无论是在青藏高原还是在内蒙古草原，无论是在山区还是在海岛，一座座书屋、一间间文化站星罗棋布，不断满足着广大群众对文化生活的美好向往。

优秀传统文化，凝聚着中华民族自强不息的精神追求和历久弥新的精神财富，是发展社会主义先进文化的深厚基础，是建设中华民族共有精神家园的重要支撑。为弘扬中华优秀传统文化，建设中华民族共有精神家园，中共十六大以后，我国妥善处理保护与利用、传承与发展的关系，加大了对文化遗产的保护力度。

2002 年，我国第二次修订《文物保护法》，此后加紧制定相关法律法规，基本形成了文物保护的法律法规体系。2004 年，中国参加联合国教科文组织大会通过的《保护非物质文化遗产公约》。2005 年 12 月，国务院决定从 2006 年起，每年 6 月的第二个星期六为中国的“文化遗产日”（2017 年调整为“文化和自然遗产日”）。这充分体现了对保护文化遗产的高度重视和战略远见，有助于增强全社会的文化遗产保护意识。鉴于长期以来非物质文化遗产保护制度建设特别是立法滞后，保护工作无法可依的状况，2011 年 2 月，我国出台《非物质文化遗产法》，从而使非物质文化遗产保护有了坚实的法律基础，有力地提升了保护工作的科学化水平。此外，国务院先后启动非物质文化遗产普查和第三次全国文物普查，摸清家底，并做好文化典籍的整理工作。截至 2012 年，我国拥有世界遗产 43 项，位列世界第三，入选联合国教科文组织“人类非物质文化遗产代表作名录”和“急需保护的非物质文化遗产名录”总数位列世界第一。[①] 优秀传统文化得到进一步传承和弘扬。

## 二、加快发展文化产业，繁荣社会主义文化市场

文化产业，是指从事文化产品生产和提供文化服务的经营性行业，它是社会生产力发展的必然产物，是伴随着我国社会主义市场经济的逐步完善和现代生产方式的不断进步而逐步发展起来的新兴产业。文化产业涵盖文化艺术、新闻出版、广播影视、网络文化等领域，与公益性文化事业相对应，它的功能是繁荣社会主义文化市场，满足人民群众多方面、多层次、多样化的精神文化需求。

在传统文化管理体制下，我国公益性文化事业和经营性文化产业界限不清，造成大量国有文化资源闲置，无法满足人民群众日益增长的精神文化需求。特别是在全球化和对外开放的条件下，我国与一些欧美国家之间还存在比较严重的进出口逆差。文化产业具有双重属性，既有意识形态属性，又有产业属性。如果不加快发展文化产业，我们的文化产品不仅出不去，而且随着国外文化产品大量涌入，在国内文化市场上也站不住脚，对我国的文化安全和意识形态安全造成重大威胁。因此，从这个意义上说，发展文化产业，是促进社会主义文化大发展大繁荣的重要途径，是增强中华文化竞争力和影响力的必由之路。

十六大之后，中共中央、国务院高度重视发展文化产业，采取一系列政策措施加快推动文化产业发展。2003 年 9 月，文化部发出《关于支持和促进文化产业发展的若干意见》，明确提出 21 世纪的前 20 年是我国重要的战略机遇期，也是文化产业发展的重要战略机遇期，要抢抓机遇，加快发展，争取短时间内使我国文化产业面貌有较大的变化。该《意见》对发展

---

① 蔡武：《国务院关于深化文化体制改革推动社会主义文化大发展大繁荣工作情况的报告——2012 年 10 月 24 日在第十一届全国人民代表大会常务委员会第二十九次会议上》，中国人大网 2012 年 10 月 26 日。

文化产业的指导思想、发展目标和基本思路作出整体部署，强调要按照创新体制、转换机制、面向市场、增强活力的要求，以提高人民群众文化生活水平和增强我国文化产业整体实力为出发点，以文化企业为主体，以深化改革为动力，以科技进步为手段，以政策法规为保障，调整产业布局，优化产业结构和资源配置，形成多渠道多元化投资、国有文化企业为主体、多种所有制共同发展的文化产业格局。

长期以来，我国文化事业国有国办，投资主体单一，制约了文化产业的发展。为此，开展文化体制改革试点工作后，国家积极鼓励民间资本和外资投资文化产业。2004 年 10 月，文化部发出《关于鼓励、支持和引导非公有制经济发展文化产业的意见》，明确提出要进一步放宽市场准入，允许非公有制经济进入法律法规未禁止进入的文化产业领域；支持非公有制经济参与国有文化单位的重组改造；坚持非公有制文化企业与国有、集体文化企业同等待遇。2005 年 4 月，国务院发布《关于非公有资本进入文化产业的若干决定》，进一步引导和规范非公有资本进入文化产业。此后，国家出台一系列政策，完善民间资本进入文化产业的保障机制，切实保护民间资本的合法权益。在此基础上，2012 年 6 月，文化部又发布《关于鼓励和引导民间资本进入文化领域的实施意见》，鼓励民间资本参与国有文艺院团转企改制、参与公共文化服务体系建设、投资文化产业发展、投入非物质文化遗产保护、参与对外文化交流和文化贸易，从而大大拓展了民间资本可进入的范围。

由于我国历史文化资源十分丰厚，资源优势转化为产业优势的潜力巨大，在国家政策的推动下，社会资本进入文化领域的步伐加快，民营文化企业迅速成长为我国文化产业的庞大生力军。例如，以电子制造业和电子专业市场为主导产业的深圳华强集团，大规模投资文化产业，成为国内文化主题公园的新锐。化工企业广西维尼纶集团有限公司参与投资制作的全球第一部山水实景演出《印象·刘三姐》，成为广西文化旅游的名片。

产业规模结构偏小、集中度低、区域发展不平衡、技术层次偏低、自主创新能力弱、缺乏市场竞争力等结构性特点，是长时间以来影响我国文化产业发展壮大的一个重要因素。解决这些结构性问题，是文化产业发展中的重要任务。为此，国家加强了对文化产业发展的规划引导。从 2004 年开始，文化部先后命名 273 个国家文化产业示范基地、8 个国家级文化产业示范园区和 8 个国家级文化产业试验园区，广电总局、新闻出版总署也分别命名了一批影视、出版等方面的产业园区。这些示范基地和园区的发展，使我国文化产业的市场主体不断壮大，文化产业发展的专业化、集群化、规模化水平明显提高。据统计，2010 年国家级示范园区、示范基地总收入为 2500 亿元，总利润为 365.2 亿元，年平均增长率在 40% 以上。[①]

2008年至2009年，在国际金融危机冲击的背景下，文化产业逆势上扬，其消耗少、污染低、附加值高等优势进一步凸显，成为经济寒冬中的一股暖流。鉴于文化产业在加快转变经济发展方式中的重要作用，也为抢占后金融危机时期国际竞争制高点，2009 年 7 月，国务院常务会议通过《文化产业振兴规划》。这是我国第一部文化产业专项规划，也是继钢铁、汽车、纺织等十大产业振兴规划后出台的又一个重要产业振兴规划，标志着文化产业上升为国家的战略性产业。《文化产业振兴规划》要求，“在重视发展公益性文化事业的同时，加快振兴文化产业，充分发挥文化产业在调整结构、扩大内需、增加就业、推动发展中的重要作用”[②]。按照中央“保增长、扩内需、调结构、促改革、惠民生”的精神，《文化产业振兴规划》明确了文化产业发展的指导思想、基本原则和目标，明确了发展重点文化产业、实施重大项目带动战略、培育骨干文化企业、加快文化产业园区和基地建设、扩大文化消费、建设现代文化市场体系、发展新兴文化业态、扩大对外文化贸易等八项重点任务，提出了降低准入门槛、加大政府投入、落实税收政策、加大金融支持、加强组织领导、深化文化体制改革、培养文化产业人才、加强立法工作等一系列政策措施和保障条件。《文化产业振兴规划》的实施，极大地提振了文化产业界应对金融危机、实现平稳发展的信心和

① 曹光章：《十六大以来文化产业的发展与繁荣》，中国网 2012 年 8 月 29 日。
② 《文化产业振兴规划》，《人民日报》2009 年 9 月 27 日。

决心，为文化产业在金融危机中逆势而上、做强做大带来了机遇。

为了进一步支持文化产业振兴和发展繁荣，创造有利于文化产业发展的良好政策环境和市场环境，国务院及相关部门出台一系列措施，加大财政、税收、金融等方面的扶持力度。在财政支持方面，中央财政设立了“扶持文化产业发展专项资金”。至 2010 年 4 月，全国有 26 个省（区、市）设立了文化产业发展专项资金，省级财政投入约25亿元。[①]在税收优惠方面，国家对出版业给予降低增值税税率、出版物增值税先征后退、县以下新华书店免征增值税等税收优惠政策。动漫、电影企业也享受到了国家减免增值税、营业税等税收优惠政策。在金融支持方面，2010 年 3 月，中国人民银行会同中宣部、财政部等九部委联合发布《关于金融支持文化产业振兴和发展繁荣的指导意见》，明确提出支持处于成熟期、经营较为稳定的文化企业在主板市场上市；鼓励已上市的文化企业通过公开增发、定向增发等再融资方式进行并购和重组；支持文化企业通过债券市场融资；鼓励多元资金支持文化产业发展。文化部、广电总局、新闻出版总署等部门与金融机构签订合作协议，为文化企业向银行贷款创造便利条件。这些措施，使文化产业的融资环境日益改善，资金短缺问题得到有效缓解。截至 2012 年 8 月底，共有 38 家文化企业在 A 股和香港 H 股发行上市。[②]

随着文化体制改革的不断深入，我国文化产业从探索、起步、培育的初级阶段，进入快速发展的新时期，呈现出健康向上、朝气蓬勃的新局面。据统计，2004 年至 2010 年，全国文化产业增加值年均现价增长速度超过 23%。[③]文化产业增加值从 2004 年的 3440 亿元增加到 2012 年的 18071 亿元，

---

① 蔡武：《国务院关于文化产业发展工作情况的报告——2010 年 4 月 28 日在第十一届全国人民代表大会常务委员会第十四次会议上》，中国人大网 2010 年 4 月 28 日。

② 蔡武：《国务院关于深化文化体制改革推动社会主义文化大发展大繁荣工作情况的报告——2012 年 10 月 24 日在第十一届全国人民代表大会常务委员会第二十九次会议上》，中国人大网 2012 年 10 月 26 日。

③ 中共中央文献研究室编《十七大以来重要文献选编》（下），中央文献出版社 2013 年版，第 544 页。

占同期GDP的比重从2.15%提高到3.48%。[①]在地方，文化产业成为经济发展的新亮点。不少地方文化产业的增长速度高于国民经济的整体增长速度，成为提供就业机会的重要行业、产业结构优化的朝阳行业和经济增长的支柱产业。北京、上海、广东、湖南、云南等省市文化产业增加值占国内生产总值的比重超过5%。[②]其中，湖南秉持“发展文化经济，建设经济文化”的思路，完成了从“文化大省”到“文化强省”的提升，文化产业连续七年保持20%的增长速度。[③]总体来看，文化产业增长势头强劲，对国民经济的贡献率不断上升，成为推动社会主义文化大发展大繁荣的重要引擎和经济发展新的增长点。

这一时期，不仅传统文化产业继续发展，而且随着网络、数字、信息技术的发展，动漫游戏、网络视频、文化创意、移动多媒体、数字出版等新兴文化产业迅速崛起，大大拓宽了文化产业的领域。例如，我国的动漫产业从无到有、发展很快，1993年至2003年11年间国产电视动画总产量仅4万多分钟，2012年一年就超过22万分钟，国产动漫占到我国市场的60%—70%，[④]产生了《中华小岳云》《孔子》等深受广大青少年喜爱的作品，还有的开始出口国外。

伴随文化体制改革的不断深入，国有文化市场主体逐步壮大，涌现出一批总资产和总收入超过或接近百亿元的大型国有或国有控股文化企业，成为发展文化产业的主导力量。中国对外文化集团公司、上海文广演艺（集团）有限公司、江苏演艺集团有限公司、中国电影集团公司、中国国际电视总公司、中国出版集团公司、江苏凤凰出版传媒集团公司、北方出版传媒（集团）股份有限公司等一大批国有或国有控股文化企业的整体实力

---

① 闻华：《记录文化改革发展的恢宏画卷》，《人民日报》2013年12月16日。

② 蔡武：《国务院关于文化产业发展工作情况的报告——2010年4月28日在第十一届全国人民代表大会常务委员会第十四次会议上》，中国人大网2010年4月28日。

③ 任仲文主编《推动社会主义文化大发展大繁荣典型实例与经验启示》，人民日报出版社2011年版，第97页。

④ 李长春：《文化强国之路——文化体制改革的探索与实践（上）》，人民出版社2013年版，第194页；《记录文化改革发展的恢宏画卷》，《人民日报》2013年12月16日。

不断增强。与此同时，社会资本进入文化产业的步伐明显加快。截至2010年，全国共有民营文艺表演团体近7000家，民营电视节目制作企业2800余家，民营电影制片发行公司近400家，民营出版物发行企业11万个，中外图书合作年均600多种。[①]上海盛大网络发展有限公司、华谊兄弟传媒公司等一批民营文化企业成为发展文化产业的生力军。以公有制为主体、多种所有制经济共同发展的文化产业格局逐步形成。

文化产业的快速发展，打破了计划经济体制下国办文化的单一局面，形成多门类、多层次、多样化的文化生产和服务体系。2011年，我国长篇小说出版量超过3000种，新创作并首演的剧目超过1000种、文艺院团演出达155万场次，生产电影故事片558部、电视剧1.5万集、影视动画片26万分钟、影视纪录片4000小时，出版图书37万种，出版报纸1928种，出版期刊9849种。[②]同时，我国还是世界第一大电视剧生产国和第三大电影生产国，图书出版品种和日报发行量居世界第一位。文化产品和服务的数量更加丰富，质量不断提升，为人民提供了更好更多的精神食粮，人民群众多样化、多层次的文化需求进一步得到满足。

## 第四节　实施中华文化“走出去”战略

中华文化源远流长、博大精深，积淀着深厚的精神追求，反映了鲜明的民族个性和审美特征，是中华民族生生不息、团结奋进的不竭动力，是世界文化的重要组成部分。向世界全面介绍中国的文化传统、价值理念、发展道路、民族精神，扩大中华文化在国际上的影响力，是提升我国文化

① 蔡武：《国务院关于文化产业发展工作情况的报告——2010年4月28日在第十一届全国人民代表大会常务委员会第十四次会议上》，中国人大网2010年4月28日。

② 蔡武：《国务院关于深化文化体制改革推动社会主义文化大发展大繁荣工作情况的报告——2012年10月24日在第十一届全国人民代表大会常务委员会第二十九次会议上》，中国人大网2012年10月26日。

软实力和综合国力必然要求，也是占据国际文化竞争制高点，赢得先机和主动的必然要求。中共十六大特别是十七大以后，党中央高度重视对外文化工作，实施文化“走出去”战略。对外文化交流的规模和范围空前扩大，内容和形式日益丰富，渠道和层次更加多样。

1988年，中国在毛里求斯和贝宁设立中国文化中心。进入21世纪以后，中华文化走向世界的步伐加快。2000年到2011年年底，我国相继与21个国家的政府签署设立文化中心的文件，9个文化中心正式运营。[①]海外中国文化中心通过高效率、不间断地举办形式多样、丰富多彩的活动，把中国文化送到驻在国公众的家门口。不同国家、不同肤色、不同年龄的外国公众走进中国文化中心，透过这一独特的平台和视窗，综合体验东方文化的魅力，亲身感受中国发展的脉动。

2004年11月21日，第一所孔子学院在韩国首尔举行揭幕仪式，拉开了在全球设立孔子学院，推广汉语教学、传播中国文化的序幕。截至2012年12月，共在世界108个国家和地区建立400多所孔子学院和500多个孔子课堂，汉语学员总数达65.5万人。世界排名前200名的大学中，有70所设立孔子学院。[②]经过建设和发展，海外孔子学院成为一个面向世界各国各界人士，提供开展汉语教学、了解中国传统文化、开展文化经贸交流活动的多功能平台。在孔子学院的带动和影响下，全球汉语热持续升温。2012年，英国、瑞典、爱尔兰、塞尔维亚等7个国家通过颁布政令等形式，将汉语教学纳入国民教育体系。至此，将汉语教学纳入国民教育体系的国家增加到40多个。海外文化交流平台的不断扩大，使中国文化近距离地走进外国公众的生活。文化如涓涓细流，以其特有的亲和力、吸引力与感染力，搭建起中国与世界沟通的桥梁。

2002年，中法两国签署互办文化中心的协议。根据协议，2003年10月至2004年7月，中国在法国举办文化年；2004年秋季至2005年7月，法

① 张燕萍：《海外中国文化中心——让中华文化走出去》，《人民日报》（海外版）2011年12月31日。
② 欧阳雪梅主编《中华人民共和国文化史》，当代中国出版社2016年版，第369页。

国在中国举办文化年。中国文化年通过“古老的中国”“多彩的中国”“现代的中国”三大主题，向法国公众展示了300多个文化项目。此后，“中欧文化对话年”“中俄国家年”等50多项中国文化年、中国文化节相继举办，中外文化交流不断升温。2010年至2012年，由文化部牵头，连续组织举办三届海外“欢乐春节”活动。短短三年时间，中国春节所蕴含的文化内涵越来越受到世界的认可。另外，相约北京、亚洲艺术节、中非文化聚焦、阿拉伯艺术节、上海国际艺术节、吴桥国际杂技艺术节、成都国际非物质文化遗产节等一批重点文化交流活动，覆盖世界100多个国家和地区，吸引数千万海外民众和华人华侨参与，成为对外文化交流的标志性品牌。

与此同时，我国国际文化合作日趋活跃，在世界上的话语权和影响力不断提高。截至2012年8月，我国同149个国家签订政府间文化合作协定和近800个年度文化交流执行计划，与上千个文化组织保持密切的合作关系。[①]传统的中外文化合作机制向更高层次发展，建立了中俄、中美、中英、中德、中欧、中阿、中非、上合等双边、多边人文合作机制，文化交流项目数量大增，年均总数与人次超过改革开放前30年的总和。文化交流也突破传统的政府团、演出团、展览团的“老三样”模式，通过与欧美、周边和广大发展中国家合作举办部长论坛、文化政策圆桌会议、艺术家或作家客座创作等深层次文化交流活动，进一步推动文化思想领域的国际对话与高端交流，为中国在世界舞台上赢得了更多的理解、信任和尊重。

在扩大文化交流的同时，我国还推动越来越多的中国文化“旗舰”企业和文化产品走向世界舞台。2004年，开始举办中国（深圳）国际文化产业博览交易会。这是一个国家级、国际性、综合性的文化产业博览交易会。到2012年，共举办8届，累计成交额超过6500亿元，出口额超过730亿美元，吸引力、影响力不断扩大，成为展示文化改革发展成果的重要窗口、

---

① 赵少华：《把握规律　科学发展　加快推动中华文化走向世界——十六大以来中国对外文化交流的实践与思考》，中央政府门户网站2012年8月16日。

引领文化产业发展的重要引擎、促进中外文化交流的重要平台。[1]随着“走出去”步伐的加快，我国核心文化产品和文化服务出口快速增长，在欧美国家市场占有率逐步提高，文化产品和文化服务进出口逆差逐步减少。核心文化产品的出口额，由2003年的56亿美元增加到2012年的259亿美元。图书版权的进出口比例，由2003年的9∶1下降到2012年的1.9∶1。[2]

在党和政府的引导和支持下，以天创国际演艺制作交流有限公司、中国国际电视总公司、安徽出版集团有限责任公司等为代表的文化企业，积极开拓国际文化市场，培育出一批具有民族特色、自主知识产权和原创性的知名文化品牌，增强了国际竞争力。2009年12月，天创国际演艺制作交流有限公司购买美国密苏里州布兰森市白宫剧院，中国企业第一次在海外拥有属于自己的剧场。2010年10月，该公司又与奥地利维也纳控股集团、维也纳城市大厅管理公司签署成立“维也纳—北京天创公司”，首次以投资者身份进入国际文化市场，使中国在国际演出市场上有了更多自主权，开始逐步实现“立得住、演得久、传得开”。[3]

随着我国改革开放和现代化建设的迅猛发展，中国文学迸发出巨大的创造活力，广大中国作家植根于人民生活和民族传统的深厚土壤，创作出一大批具有中国特色、中国风格、中国气派的优秀作品。2012年10月11日，瑞典皇家文学院将2012年诺贝尔文学奖授予中国作家莫言，以表彰其“作品中充满魔幻现实主义色彩，是历史和现实的并存”[4]。莫言因此成为首位获得诺贝尔文学奖的中国籍作家。莫言获得诺贝尔文学奖，表明国际文坛对中国当代文学及作家的深切关注，表明中国文学所具有的世界意义。这既是中国文学繁荣进步的体现，也是我国综合国力和国际影响力不断提升的体现。

---

① 李长春：《文化强国之路——文化体制改革的探索与实践》（上），人民出版社2013年版，第92页。

② 《记录文化改革发展的恢宏画卷》，《人民日报》2013年12月16日。

③ 任仲文主编《推动社会主义文化大发展大繁荣典型实例与经验启示》，人民日报出版社2011年版，第170页。

④ 刘仲华：《莫言领取2012年诺贝尔文学奖》，《人民日报》2012年12月11日。

中共十六大后，文化“走出去”战略的实施，推动中华文化以更加自信的姿态走出国门、走向世界，充分展示了中国文明、民主、开放、进步的形象。中国与世界互动之频繁、交流之密切、融合之深刻前所未有，中华文化被世界上越来越多的人所了解、认识，中国文化软实力和国际竞争力显著提升。但是，从总体上看，中华文化“走出去”在面临难得历史机遇的同时，也面临一系列严峻挑战。我国文化产业起步较晚，文化国际传播力、影响力和竞争力有限，西方在舆论话语权等方面占据绝对优势，世界文化格局“西强我弱”的状况还未根本扭转。推动中华文化走向世界仍是一项长期而艰巨的任务。

# 第九章

# 以改善民生为重点<br>深化社会体制改革

衡量一个国家的整体实力，不仅要看其经济总量，也要看其社会是否充满活力，是否和谐稳定。评价一个执政党的执政业绩，不仅要看其领导经济发展的速度和效率，也要看其维护社会公平正义、促进社会和谐稳定、加强和创新社会管理的质量和水平。中共十六大以后，以胡锦涛同志为总书记的党中央面对经济体制深刻变革、社会结构深刻变动、利益格局深刻调整、思想观念深刻变化的新形势，提出了构建社会主义和谐社会的重大战略任务，以解决人民群众最关心、最直接、最现实的利益问题为重点，深化社会体制改革，加快发展各项社会事业，建立覆盖城乡居民的社会保障体系，继续推进扶贫开发，加强和创新社会管理。我国社会建设迈出了新的步伐。

## 第一节　构建社会主义和谐社会战略任务的提出

构建社会主义和谐社会，是以胡锦涛同志为总书记的党中央从中国特色社会主义事业总体布局和全面建设小康社会全局出发提出的一项重大战略任务，反映了建设富强民主文明和谐的社会主义现代化国家的内在要求。

构建社会主义和谐社会战略任务的提出，有着深刻的历史背景。进入21世纪，国际国内形势发生新的变化，我国面临的发展机遇前所未有，面对的挑战也前所未有。从国际上看，和平、发展、合作成为时代潮流，世界多极化和经济全球化的趋势深入发展，科技进步日新月异。同时，国际环境复杂多变，综合国力竞争日趋激烈，影响和平与发展的不稳定不确定因素增多，我国仍将长期面对发达国家在经济科技等方面占优势的压力。从国内看，中共十六大以后，在经济发展的同时，我国社会转型继续加快，城市人口比重增加，新的社会阶层不断出现，利益主体多元化现象日趋强化，社会活力不断增强，社会进步明显加快。这种空前的社会变革，给我国发展进步带来巨大活力的同时，也带来这样那样的问题，出现了以前从未遇到过的社会矛盾：社会财富分配不合理的问题引起普遍关注，社会保障体系建设仍然滞后于经济发展，城乡就业压力依然很大，大量新型的人民内部矛盾不断出现，公共服务和社会管理面临着新的复杂局面，城乡二元结构现象仍然长期存在。如何发展社会事业和促进社会和谐，是党引领全面建设小康社会必须回答的紧迫课题。中国共产党要带领人民抓住机遇、应对挑战，把中国特色社会主义事业推向前进，就必须把构建社会主义和谐社会摆在更加突出的地位，更加积极主动地正视矛盾、化解矛盾，最大限度增加和谐因素，最大限度减少不和谐因素，不断促进社会和谐。

中国共产党对构建社会主义和谐社会的认识和实践，有一个不断探索、不断深化的过程。2002 年 11 月，中共十六大报告在阐述全面建设小康社会的目标时指出，“建设更高水平的小康社会，使经济更加发展、民主更加健全、科教更加进步、文化更加繁荣、社会更加和谐、人民生活更加殷实”，强调“要努力形成全体人民各尽其能、各得其所而又和谐相处的局面，巩固和发展民主团结、生动活泼、安定和谐的政治局面”。①尽管十六大没有单独提出“社会建设”的命题，仍沿用中国特色社会主义经济、政治、文化三大建设的提法，但把“社会更加和谐”作为中国共产党要为之奋斗的一个重要目标明确提出来，这在党的历次代表大会报告中是第一次。

十六大以后，中共中央准确把握我国发展的阶段性特征，客观分析影响社会和谐的突出矛盾和问题，进一步深化对社会和谐在中国特色社会主义事业中重要地位和作用的认识。2003 年年初突然暴发的非典疫情，使党深刻地认识到，我国经济发展和社会发展不够协调，社会事业发展严重滞后于经济发展。从这一事件出发，党中央更加重视社会建设，开始着力解决经济社会发展长期存在的“一条腿长、一条腿短”的问题。2004 年 9 月，中共十六届四中全会明确提出构建社会主义和谐社会的重大战略任务，把“构建社会主义和谐社会的能力”确定为加强党的执政能力建设的重要内容，强调形成全体人民各尽其能、各得其所而又和谐相处的社会，是巩固党执政的社会基础、实现党执政的历史任务的必然要求。要适应我国社会深刻变化，把和谐社会建设摆在重要位置。②从此，“社会建设”的概念开始进入人们的视野。

为了提高构建社会主义和谐社会的能力，2005 年 2 月，中共中央在中央党校举办省部级主要领导干部提高构建社会主义和谐社会能力专题研讨班。胡锦涛在开班式上发表讲话，从理论与实践的结合上阐明了构建和谐社会在中国特色社会主义事业总体布局中的地位，明确提出构建和谐社会

① 中共中央文献研究室编《十六大以来重要文献选编》（上），中央文献出版社 2011 年版，第 14 页。

② 中共中央文献研究室编《十六大以来重要文献选编》（中），中央文献出版社 2011 年版，第 286 页。

的基本特征、重要原则和主要工作。他强调，构建社会主义和谐社会是建设中国特色社会主义的一项基本任务[①]，同建设社会主义物质文明、政治文明、精神文明是有机统一的[②]。“明确提出构建社会主义和谐社会的重大任务，就是要求全党同志在建设中国特色社会主义伟大实践中更加自觉地加强社会主义和谐社会建设，使社会主义物质文明、政治文明、精神文明建设与和谐社会建设全面发展”。[③]在这次讲话中，胡锦涛还提出了民主法治、公平正义、诚信友爱、充满活力、安定有序、人与自然和谐相处的社会主义和谐社会的总目标。[④]这表明，随着我国经济社会的不断发展，中国特色社会主义事业的总体布局，更加明确地由社会主义经济建设、政治建设、文化建设“三位一体”，发展为社会主义经济建设、政治建设、文化建设、社会建设“四位一体”。

从“三位一体”到“四位一体”，并不只是数字上的简单增加，也不是说过去就没有社会建设方面的内容，而是随着形势的发展，我们党将此前分散在经济、政治、文化建设中的有关社会建设的工作内容抽取出来，整合成“社会建设”这样一个全新的概念。它的提出，不仅突出了社会建设在中国特色社会主义事业中的重要位置，而且进一步阐明了社会建设与经济建设、政治建设、文化建设的内在关系，要求四大建设在实践中相互促进、共同推进，促进人的全面发展和社会的全面进步。

2006年10月，中共十六届六中全会通过《关于构建社会主义和谐社会若干重大问题的决定》(以下简称《决定》)，站在时代和全局的高度，进一步明确构建社会主义和谐社会在中国特色社会主义事业总体布局中的地位，提出了构建社会主义和谐社会的指导思想、目标任务、工作原则和重大部署。这是构建社会主义和谐社会的纲领性文件。《决定》明确提出，社

① 胡锦涛:《胡锦涛文选》第二卷，人民出版社2016年版，第279页。
② 胡锦涛:《胡锦涛文选》第二卷，人民出版社2016年版，第286页。
③ 胡锦涛:《胡锦涛文选》第二卷，人民出版社2016年版，第286页。
④ 胡锦涛:《胡锦涛文选》第二卷，人民出版社2016年版，第285页。

会和谐是中国特色社会主义的本质属性。[①] 这个重大判断，深化了对社会主义本质的认识，是总结国内外社会主义建设特别是我国社会主义建设历史经验得出的重要结论，也是构建社会主义和谐社会的理论基础。在这个基础上，《决定》指出，我们要构建的社会主义和谐社会，是在中国特色社会主义道路上，中国共产党领导全体人民共同建设、共同享有的和谐社会。[②] 这就明确了社会主义和谐社会建设的领导核心、发展道路、实践主体和根本目的。根据构建社会主义和谐社会的总要求，《决定》提出到 2020 年构建社会主义和谐社会的目标和主要任务："社会主义民主法制更加完善，依法治国基本方略得到全面落实，人民的权益得到切实尊重和保障；城乡、区域发展差距扩大的趋势逐步扭转，合理有序的收入分配格局基本形成，家庭财产普遍增加，人民过上更加富足的生活；社会就业比较充分，覆盖城乡居民的社会保障体系基本建立；基本公共服务体系更加完备，政府管理和服务水平有较大提高；全民族的思想道德素质、科学文化素质和健康素质明显提高，良好道德风尚、和谐人际关系进一步形成；全社会创造活力显著增强，创新型国家基本建成；社会管理体系更加完善，社会秩序良好；资源利用效率显著提高，生态环境明显好转；实现全面建设惠及十几亿人口的更高水平的小康社会的目标，努力形成全体人民各尽其能、各得其所而又和谐相处的局面。"[③] 同时，《决定》提出了构建社会主义和谐社会的六个"必须坚持"的基本原则，即必须坚持以人为本、必须坚持科学发展、必须坚持改革开放、必须坚持民主法治、必须坚持正确处理改革发展稳定的关系、必须坚持在党的领导下全社会共同建设。此外，对于如何推进社会主义和谐社会建设，《决定》从六个方面作出了战略安排，这就是：坚持协调发展，加强社会事业建设；加强制度建设，保障社会公平正义；建设

---

① 中共中央文献研究室编《十六大以来重要文献选编》（下），中央文献出版社 2011 年版，第 648 页。

② 中共中央文献研究室编《十六大以来重要文献选编》（下），中央文献出版社 2011 年版，第 650 页。

③ 中共中央文献研究室编《十六大以来重要文献选编》（下），中央文献出版社 2011 年版，第 651 页。

和谐文化，巩固社会和谐的思想道德基础；完善社会管理，保持社会安定有序；激发社会活力，增进社会团结和睦；加强党对构建社会主义和谐社会的领导。[①]

可以说，构建社会主义和谐社会，既是对我国改革开放和现代化建设经验的科学总结，也是在新形势下贯彻落实科学发展观、更好推进我国经济社会发展的战略举措。明确提出构建社会主义和谐社会，适应了我国改革发展进入关键时期的客观要求，反映了党对中国特色社会主义事业发展规律的新认识，也反映了党对执政规律、执政能力、执政方略、执政方式的新认识，为中国紧紧抓住和用好战略机遇期、实现全面建设小康社会宏伟目标提供了重要思想指导。

2007 年 10 月，中共十七大报告将“加快推进以改善民生为重点的社会建设”单独列为一个部分，强调社会建设与人民幸福安康息息相关，必须在经济发展的基础上更加注重社会建设，推动建设和谐社会。从中共十七大开始，党的代表大会报告不再将社会建设的内容放在经济建设的框架之下，而是将其列为一个单独的部分，体现了中国特色社会主义事业总体布局的完善，也凸显了社会建设在党的工作中的重要地位。由此，拉开了以改善民生为重点的社会建设的大幕。

## 第二节　深化教育体制、就业体制和医药卫生体制改革

改革开放以后，同经济体制改革相比，我国社会事业的改革相对滞后。为此，中共十六大之后，以胡锦涛同志为总书记的党中央秉持发展为了人民、发展依靠人民、发展成果由人民共享的理念，以解决人民群众最关心、最直接、最现实的利益问题为重点，大力推进教育体制、就业体制、医药

---

① 中共中央文献研究室编《十六大以来重要文献选编》（下），中央文献出版社 2011 年版，第 651—669 页。

卫生体制改革，不断完善住房保障制度建设。这一时期，我国加快发展各项社会事业，陆续出台一系列保障和改善民生的重大举措，办了一些多年想办而未能办的大事难事。全体人民学有所教、劳有所得、病有所医、老有所养、住有所居的愿望逐渐成为现实。

## 一、坚持教育优先发展，促进教育公平

教育是国家发展的基石，事关民族兴旺、人民福祉和国家未来。中共十六大以后，党中央、国务院把教育摆在优先发展的战略地位，以推进教育公平为重点，加快教育改革和发展，城乡免费九年义务教育全面普及，农村教育得到加强，职业教育快速发展，高等教育进入大众化阶段，整个教育事业呈现出蓬勃发展的新局面。

义务教育作为初始的学校教育和国家提供的基本公共服务，是教育公平的基础，其本质是要为每一个人的生存和发展提供一条公平的起跑线。实现基本教育公共服务均等化，努力办好每一所学校，培养好每一个孩子，这是教育事业发展的需要，也是一个重大的民生问题。1985 年，中共中央作出《关于教育体制改革的决定》，首次提出实行九年义务教育。随后颁布《义务教育法》《扫除文盲工作条例》，以法律形式对实施九年义务教育和扫除青壮年文盲作出明确规定。经过全国上下艰苦努力，到 2000 年，我国在 85% 以上的人口地区基本普及了九年义务教育，基本扫除了青壮年文盲（简称“两基”）。在初步实现“两基”的基础上，中共十六大以后，党和国家采取一系列积极措施，推进教育发展、促进教育公平。

一是实施西部地区“两基”攻坚计划。当时，尚未实现“两基”的 400 多个县级行政区域，主要集中在西部地区。针对这些地区经济发展滞后、自然条件差、教育基础薄弱的状况，2003 年 9 月，国务院下发《关于进一步加强农村教育工作的决定》，提出将“两基”攻坚作为西部大开发的一项重要任务，摆在与基础设施建设和生态环境建设同等重要的位置，力争用

五年时间完成西部地区“两基”攻坚任务。为此，国家投入数百亿元，实施农村中小学校舍改造、农村寄宿制学校建设、农村中小学现代远程教育等重大教育工程。经过艰苦努力，到 2007 年，“两基”攻坚任务全面完成，西部地区“两基”人口覆盖率达 98%，青壮年文盲率降到 5% 以下。[①] 农村地区特别是西部地区农村办学条件得到显著改善，义务教育基础薄弱的状况得到了扭转。

二是在全国城乡全面实施真正免费义务教育。从 2005 年开始，国家对中西部农村地区义务教育阶段家庭经济困难学生，实施免杂费、免费提供教科书、补助住宿生活费的“两免一补”政策，并逐步推向全国。至 2007 年，农村义务教育阶段家庭经济困难学生均享受到“两免一补”，贫困家庭学生上学有了更好的保障。2008 年，城市也开始实行免费义务教育。至此，在全国城乡实行了免费义务教育。这项政策惠及 1.6 亿学生，减轻了亿万家庭的经济负担，确保了所有义务教育适龄儿童都能“不花钱，有学上”。这是我国教育体制的一个历史性变革，使几千年来“有教无类”的理想变成了现实。

“两免一补”政策的实行，推动义务教育经费保障机制进一步改革。长期以来，我国主要实行由地方政府和群众办义务教育的筹资机制。由于地方财政存在各种各样的困难，从而出现了各级政府对教育总体保障水平偏低、农民教育负担较重等突出问题。2005 年 12 月，国务院决定将农村义务教育全面纳入公共财政保障范围，建立中央和地方分项目、按比例分担的农村义务教育经费保障机制。这是教育财政体制上的一个重要突破，为实现“不让一个农村孩子因家庭经济困难而失学”的目标提供了坚实的保障。2006 年 6 月，“义务教育全面纳入财政保障范围”被写入修订的《义务教育法》。到 2010 年，农村义务教育阶段中小学公用经费基准定额全部落实到位。至此，全国城乡真正实现了九年义务教育。

---

① 温红彦、袁新文：《“两基”攻坚：教育的阳光普照西部》，《人民日报》2007 年 11 月 28 日。

农民工随迁子女教育问题，是我国工业化、城镇化进程加快和农村富余劳动力转移的阶段性产物，也是义务教育阶段面对的突出问题。对此，党和国家高度重视。为了解决农民工随迁子女就学难的问题，国家出台一系列政策，明确提出了以输入地政府管理为主、以全日制公办中小学为主，即“两为主”的政策，并要求与当地学生一视同仁，免除农民工随迁子女的学杂费、不收借读费，保障他们平等接受义务教育的权利。2010年、2011年，中央财政每年投入50亿元左右专项经费，用于补充接受农民工随迁子女的学校公用经费和改善办学条件，初步解决了这些孩子接受义务教育的问题。

三是在非义务教育阶段建立健全国家助学制度。十六大之后，国家提出“只要孩子们能考上学校，就要保证他们完成学业”[①]的目标，对农村义务教育阶段、普通高等学校、中等职业学校家庭经济困难学生进行资助，取得了一定成效。但是，资助政策还不够完善，尤其是对普通本科高校、高等职业学校和中等职业学校家庭经济困难学生资助面偏窄、标准偏低问题比较突出。针对上述问题，2007年5月，国务院发布《关于建立健全普通本科高校、高等职业学校和中等职业学校家庭经济困难学生资助政策体系的意见》，提出完善国家奖学金、助学金制度，落实国家助学贷款政策；从2007年起，对教育部直属师范大学新招收的师范生，实行免费教育；规定学校要从事业收入中足额提取一定比例的经费，用于学费减免、国家助学贷款风险补偿、勤工助学、校内无息借款、校内奖助学金和特殊困难补助等，为城乡家庭经济困难学生提供帮助，保证学生不会因经济原因而中断学业。同时，积极引导社会参与，共同为家庭经济困难学生提供支持。从2006年到2011年六年间，国家财政投入从53.6亿元增加到674.1亿元，增加了近12倍，累计投入2429.5亿元；其中中央财政投入从20.1亿元增加到317.4亿元，增加了近15倍。全社会投入助学资金总额更是达到3638.8

① 温家宝：《强国必强教　强国先强教》，《人民日报》2010年9月1日。

亿元。[①]通过实施这些政策，基本解决了人民群众反映强烈、矛盾突出的“上不起学”的问题。

教育兴国是几代中国人的梦想，普及基础教育之梦在我国已有百余年历史。从1985年提出九年义务教育目标算起，经过几届政府和全社会25年的不懈努力，到2011年，全国所有省级行政区、所有县级行政单位全部通过普及九年制义务教育和扫除青壮年文盲国家验收，人口覆盖率达到100%，青壮年文盲率下降到1.08%。[②]这是历史性的成就。在我们这样一个发展中的大国，让每个孩子都有学上、上得起学，保障他们平等接受教育、平等发展的权利，充分体现了社会主义制度的优越性。这不但成就了亿万孩子的人生梦想，而且对于提高全民素质、改善民生、缩小城乡差距等，都具有十分深远的意义。这是我国教育发展史上的重要里程碑，也是中华民族伟大复兴道路上浓墨重彩的绚丽篇章。

职业教育是面向人人、面向整个社会的教育，根本目的是让人学会技能和本领，能够就业，成为有用之才。为适应经济社会发展对技能人才的需要和提高青年就业能力的要求，中共十六大以后，我国把发展职业教育放在重要位置，大力调整教育结构。2005年10月，国务院下发《关于大力发展职业教育的决定》，提出要把发展职业教育作为经济社会发展的重要基础和教育工作的战略重点，培养数以亿计的高素质劳动者和数以千万计的高技能专门人才。[③]从2009年开始，国家对中等职业教育农村家庭经济困难学生和涉农专业学生逐步实行免学费。到2012年，这项政策覆盖到城乡所有家庭经济困难和涉农专业学生。2012年前后，全国中等和高等职业教育招生每年超过1200万人，中职招生占高中阶段教育招生的比例达到一半，

---

① 温家宝：《在全国教师工作暨“两基”工作总结表彰大会上的讲话》，《人民日报》2012年9月10日。

② 温家宝：《在全国教师工作暨“两基”工作总结表彰大会上的讲话》，《人民日报》2012年9月10日。

③ 中共中央文献研究室编《十六大以来重要文选选编》（下），中央文献出版社2011年版，第33—35页。

高职招生占高等教育招生比例也接近一半，[①]占据“半壁江山”。可以说，这是中国教育结构调整的重大成果，不仅使普通教育与职业教育比例趋于合理，而且使高中阶段教育毛入学率大幅度提升，为基本普及高中阶段教育奠定了基础。

在发展高等教育方面，20 世纪末 21 世纪初，根据经济社会发展需要和人民群众广泛需求，我国大幅扩大高等教育招生规模，高等教育实现了历史性跨越，但同时也带来了一些矛盾和问题。长远来看，高等教育不仅要不断扩大规模，更重要的是要提高质量。从这个思路出发，2005 年，党中央、国务院决定调整高等教育发展方针，把高等教育发展的重点放在提高质量上，适当控制招生增长幅度，相对稳定招生规模。这标志着高等教育开始走向结构调整、质量提高的时代。此后，中央财政继续支持实施“211 工程”“985 工程”，尤其是从 2007 年开始实施的“高等学校本科教学质量与教学改革工程”，抓住影响本科人才培养的关键，选择具有基础性、全局性、引导性的项目，有效推动本科教育教学改革和人才培养质量提升，初步形成了国家级、省级、校级三级质量建设体系。2010 年，高等教育毛入学率达到26.5%[②]，大学生数量居世界前列。与此同时，学科专业结构、地区结构不断优化，高水平大学和重点学科建设取得进展。高等教育适应经济社会发展要求的能力进一步提高。

2010 年 7 月，《国家中长期教育改革和发展规划纲要（2010—2020 年）》（以下简称《纲要》）发布。这是进入 21 世纪后我国第一个中长期教育规划纲要。《纲要》确定了“优先发展、育人为本、改革创新、促进公平、提高质量”的教育工作方针，提出了“到 2020 年基本实现教育现代化，基本形成学习型社会，进入人力资源强国行列”的战略目标，[③]并对未来10年教育改革和发展的主要任务和重大政策措施作出了明确部署。《纲要》特别提出，

---

① 温家宝：《促进就业是保障和改善民生的头等大事》，《人民日报》2012 年 7 月 23 日。

② 《教育事业发展成就显著》，中国统计信息网 2011 年 3 月 10 日。

③ 中共中央文献研究室编《十七大以来重要文献选编》（中），中央文献出版社 2011 年版，第 865、867 页。

到 2012 年要实现财政性教育经费支出占国内生产总值 4% 的目标，这表明了党和政府推动教育改革和发展的坚定决心。此后，各级政府把教育事业摆在更加优先发展的位置，整个教育事业呈现出蓬勃发展的新局面。

## 二、实施积极的就业政策，千方百计扩大就业

就业是民生之本，促进就业是安国之策。我国是人口大国，劳动力总量供过于求，就业形势一直非常严峻。21 世纪初，就业方面的矛盾主要表现在，劳动力供求总量矛盾和就业结构性矛盾同时并存，城镇就业压力加大和农村富余劳动力向非农领域转移速度加快同时出现，新成长劳动力就业和失业人员再就业问题相互交织。为此，中共中央、国务院坚持以人为本、全面协调可持续的科学发展观，把促进就业作为保障和改善民生的头等大事，不断深化就业体制改革，强化政府促进就业的责任，制定实施了具有中国特色的积极就业政策。

当时，比较突出的是国有企业下岗职工的再就业，已经成为一个带有全局性影响的重大经济和社会问题。为了确保社会稳定，进一步做好下岗失业人员再就业工作，2002 年 11 月，中共中央、国务院下发《关于进一步做好下岗失业人员再就业工作的通知》，明确了一系列促进和扶持国有企业下岗失业人员再就业的政策措施，积极的就业政策自此付诸实施。其内容包括：通过促进经济发展，调整产业结构，创造更多就业岗位；通过税费减免、小额担保贷款、社会保险补贴、岗位补贴等政策，鼓励自主创业、鼓励企业吸纳就业、开发公益性岗位安置就业；通过职业介绍补贴、职业培训补贴政策，强化就业服务和职业培训。

为推动积极就业政策的落实，2003 年 8 月，中共中央、国务院召开全国再就业工作座谈会。胡锦涛在会上发表讲话，强调既要立足当前，明确工作重点，采取有效措施，集中人力、物力、财力打好攻坚战，又要着眼

长远，积极探索符合我国国情的就业发展战略，打好持久战。[①]2005年11月，国务院下发《关于进一步加强就业再就业工作的通知》，积极的就业政策的着力点开始从重点解决国有企业下岗失业人员再就业问题，向统筹城乡各类群体就业扩展。2007年8月，十届全国人大常委会第二十九次会议通过《就业促进法》。它将积极的就业政策以法律的形式确定下来，确立了促进就业的政策体系、制度保障和长效机制，明确了就业援助和公共就业服务制度，还对实现公平就业、消除就业歧视、保障平等就业权利作出具体规定，为解决我国就业问题提供了有力保障。

正当积极的就业政策稳步实施之际，2008年，汶川特大地震等严重自然灾害接踵而来。汶川特大地震发生后，国务院及时将稳定扩大就业纳入抗震救灾恢复重建总体安排，实施了对口就业援助、以工代赈等特殊扶持政策，先后帮助100多万灾区劳动者在本地实现就业，近30万劳动者异地转移就业。

面对国际金融危机对就业的冲击，中央审时度势，在保增长、保民生、保稳定的战略部署中，把就业摆在更加突出的位置，应急启动了更加积极的就业政策，打出了发展经济拉动就业、帮扶企业稳定就业、政策扶持鼓励创业、重点人群统筹就业、特别培训提高技能、加强服务促进就业的“组合拳”。为帮助困难企业渡过难关、鼓励困难企业尽量不裁员或少裁员，2008年12月，人力资源和社会保障部、财政部、国家税务总局下发《关于采取积极措施减轻企业负担稳定就业局势有关问题的通知》，主要内容是“五缓四减三补两协商”[②]。2009年2月，国务院下发《关于做好当前经济形势下就业工作的通知》，指出要紧密结合实施扩大内需促进经济增长的措

---

① 胡锦涛：《胡锦涛文选》第二卷，人民出版社2016年版，第78页。

② “五缓”，是指对暂时无力缴纳社会保险费的困难企业，在一定条件下允许缓缴养老、医疗、失业、工伤和生育五项社会保险费。“四减”，是指阶段性降低除养老保险外的四项社会保险费费率。“三补”，是指使用失业保险基金为困难企业稳定岗位支付社会保险补贴和岗位补贴，以及使用就业专项资金对困难企业开展职工在岗培训给予补贴。“两协商”，是指困难企业不得不进行经济性裁员时，对确实无力一次性支付经济补偿金的，在企业与工会或职工双方依法平等协商一致的基础上，可签订分期支付或以其他方式支付经济补偿的协议。

施，千方百计扩大就业；采取积极措施减轻企业负担，鼓励企业稳定就业岗位；进一步加大政策扶持力度，鼓励劳动者多渠道就业；切实做好重点人群的就业工作，强化公共就业服务；实施特别职业培训计划，帮助更多的劳动者提高职业技能。[①]

在更加积极的就业政策的推动下，我国一手“稳就业”，力保岗位不流失；一手“扩就业”，千方百计挖掘新岗位，从而迅速扭转城镇新增就业下滑、岗位流失、失业率上升的局面，稳定了就业局势。到2009年下半年，我国就业状况已基本恢复到危机前的水平，2010年城镇新增就业达到1168万人，2011年又进一步达到1221万人，创历史新高。[②]持续提高就业水平，极大地增强了人民的向心力和民族凝聚力，也赢得了国际社会的高度赞赏。

在实施积极的就业政策过程中，一个十分重要的方面，就是稳定高校毕业生、农民工以及就业困难人员三大重点人群就业。

面对以高校毕业生为重点的新成长劳动力就业高峰期的到来，党中央及时调整工作重点，坚持把高校毕业生就业摆在就业工作的首位，出台了一系列扶持政策和措施，营造有利于高校毕业生就业创业的制度环境。2009年1月，国务院办公厅下发《关于加强普通高等学校毕业生就业工作的通知》，鼓励高校毕业生到城乡基层、中西部地区、非公有制企业和中小企业就业，鼓励自主创业，鼓励骨干企业吸纳和稳定高校毕业生就业，鼓励承担国家和地方重大科研项目的单位积极聘用优秀高校毕业生参与研究。这一时期，各地积极开展“高校毕业生就业推进计划”，实施“选聘高校毕业生到村任职”“农村义务教育阶段学校教师特设岗位计划”“三支一扶[③]”“大学生志愿服务西部计划”等基层项目。还将大批未就业高校毕业生组织到就业见习和服务项目中，实施“三年百万高校毕业生就业见习计

① 中共中央文献研究室编《十七大以来重要文献选编》(上)，中央文献出版社2009年版，第858—863页。

② 温家宝：《促进就业是保障和改善民生的头等大事》，《人民日报》2012年7月23日。

③ “三支一扶”，指支教、支农、支医和扶贫。

划”，进一步加强少数民族地区高校毕业生就业工作。正是由于积极就业政策的有力支撑，2003 年至 2011 年，4000 多万高校毕业生实现稳定就业，既有效缓解了新一轮就业高峰压力，也很好地发挥了高素质人力资源在经济社会发展中的作用。

推进城乡经济一体化，缩小城乡差距，稳步推进数以亿计的农村富余劳动力有序转移，是我国经济社会发展中具有重大战略意义的任务。农民工是改革开放和工业化、城镇化进程中涌现的一支新型劳动大军，他们广泛分布在国民经济的各个行业，为城市繁荣、农村发展和国家现代化建设作出了重大贡献。中共中央、国务院高度重视农民工问题，先后制定了一系列保障农民工权益、改善农民工就业环境的政策措施。针对农民工工资偏低而且经常被拖欠的突出问题，2004 年 3 月，国务院决定，用三年时间基本解决建设领域拖欠工程款和农民工工资问题。[①]2006 年 1 月，国务院发布《关于解决农民工问题的若干意见》，提出了“公平对待、一视同仁，强化服务、完善管理，统筹规划、合理引导，因地制宜、分类指导，立足当前、着眼长远”的基本原则，强调要抓紧解决农民工工资偏低和拖欠问题，依法规范农民工劳动管理，搞好农民工就业服务和培训，积极稳妥地解决农民工社会保障问题，切实为农民工提供相关公共服务，健全维护农民工权益的保障机制，促进农村劳动力就地就近转移就业。[②]

国际金融危机爆发后，为促进农民工就业，各地发挥政府投资和重大项目建设的带动作用，结合基础设施和新农村建设，促进农民工就地就近就业；结合实施减轻企业负担的有关措施，稳定农民工就业岗位，鼓励和支持困难企业与员工协商薪酬，采取灵活用工、弹性用工、技能培训等办

① 温家宝：《政府工作报告——2004 年 3 月 5 日在第十届全国人民代表大会第二次会议上》，《人民日报》2004 年 3 月 17 日。

② 中共中央文献研究室编《十六大以来重要文献选编》（下），中央文献出版社 2011 年版，第 246—255 页。

法，尽量不裁员或少裁员；结合“春风行动[①]”，搞好农民工输出地输入地对接，加强有组织的劳务输出，引导农民工有序流动；结合发展当地优势产业特色经济，鼓励农民工返乡创业。另外，还实施“阳光工程[②]”，加强农民工就业培训。由于坚持实施统筹城乡的就业政策，积极推动农业劳动力有序转移，2011年年底全国农民工总量达到2.5亿多人，比2003年年底增加1.39亿人[③]。这有力推动了我国工业化、城镇化和农业现代化进程，大幅度提高了农民收入，极大地改善了农民生活。

此外，党和政府还积极帮助城镇就业困难人员、零就业家庭以及关停企业失业人员实现就业，强化对这些人群的就业援助，集中开展上门服务和“一对一”服务，开发更多的公益性岗位，落实岗位补贴和社会保险补贴，建立健全帮扶困难群体就业的长效机制。在这个过程中，通过实施积极的就业政策，3000万国有企业下岗职工得到妥善安置，先后有2800多万下岗失业人员顺利实现再就业。从而基本解决了国有企业改革遗留的下岗职工再就业问题，有力促进了国有企业改革发展，有效保障了社会安定。

就业是全球性的治理难题。作为世界第一人口大国，我国有庞大的就业人群，经济转型升级过程中也伴随着诸多就业的结构性矛盾，就业工作的艰巨性、复杂性，可谓世所罕见。在这样的情况下，我国努力保持了就业规模持续扩大和就业形势基本稳定。2003年至2011年的9年间，我国的就业总量持续增加，全国城镇新增就业人数累计达9800万；就业结构也逐步优化，三次产业就业人员比重趋于合理。尤其是在应对国际金融危机的过程中，成功将城镇登记失业率始终保持在4.3%以下的较低水平。[④]这样的成绩来之不易，有效保障了人民群众劳动权利的实现，为经济社会发展

---

① “春风行动”，是由国家劳动和社会保障部发起的为农民工提供就业机会、保障农民工合法权益、整顿劳动力中介机构等的系列活动。

② “阳光工程”，是由政府公共财政支持，主要在粮食主产区、劳动力主要输出地区、贫困地区和革命老区开展的农村劳动力转移到非农领域就业前的职业技能培训示范项目。

③ 温家宝：《促进就业是保障和改善民生的头等大事》，《人民日报》2012年7月23日。

④ 温家宝：《促进就业是保障和改善民生的头等大事》，《人民日报》2012年7月23日。

奠定了坚实基础。在世界上人口最多的发展中国家，实现就业规模持续扩大和就业形势持续稳定，可以说，这是中国就业史上的辉煌篇章。

## 三、深化医药卫生体制改革

医药卫生事业关系亿万人民的健康，关系千家万户的幸福，是重大民生问题。深化医药卫生体制改革，加快医药卫生事业发展，不断提高人民群众健康素质，是贯彻落实科学发展观、促进经济社会全面协调可持续发展的必然要求，也是社会建设的一项重大任务。

医药卫生问题实际上包括两个方面：一是谁来提供医疗服务，是医药卫生事业问题；二是谁来支付医疗费用，是医疗保障问题。从 20 世纪 80 年代开始，我国启动医药卫生体制改革。经过多年努力，到 21 世纪初，卫生事业取得显著发展，但人民群众健康需求和经济社会协调发展不适应的矛盾还比较突出。随着经济社会的发展，人民群众对生活质量和健康的要求越来越高，“看病难、看病贵”的反映比较强烈。其中，深层次的矛盾及其原因主要有三个方面：一是医疗服务供给总量相对不足，滞后于经济社会发展水平，特别是社会力量提供的医疗服务所占比重不高，没有形成多元化的医疗服务供给体系，不能满足群众多样化的医疗服务需求。二是医疗卫生资源配置不均衡，过多的资源特别是优质资源集中在城市，城市又主要集中在公办大医院，而偏远农村、城市社区和厂矿基层等医疗服务比较缺乏，造成农村人要进城看病、城市人要到大医院看病，进一步增加了医疗服务供给紧张的压力。三是城乡医疗保障体系不完善，城乡居民个人负担的医药费用比较高。如何使广大公众享有更好、更健全的医疗卫生服务，成为党和政府面临的一个重大问题。

因应社会各界的强烈期盼，2009 年 3 月 17 日，中共中央、国务院发出《关于深化医药卫生体制改革的意见》（以下简称《意见》），新一轮医药卫生体制改革由此全面启动。《意见》把坚持以人为本，维护人民健康权益作为首要原则，提出“要遵循公益性的原则，把基本医疗卫生制度作为公共产品向全民提供，着力解决群众反映强烈的突出问题，努力实现全体人民病有所医”。《意见》提出了深化医药卫生体制改革的总体目标，这就是：建立健全覆盖城乡居民的基本医疗卫生制度，为群众提供安全、有效、方便、价廉的医疗卫生服务；到 2020 年，覆盖城乡居民的基本医疗卫生制度基本建立。[①]

实际上，基本医疗卫生制度包括公共卫生服务、医疗服务、医疗保障、药品供应保障四大体系，这四大体系相辅相成，配套建设，协调发展。考虑到健全这一制度是一个逐步的、长期的过程，为了突出重点，着力解决群众反映较多的“看病难、看病贵”问题，《意见》专门设定了新医改的近期目标，要求在 2009—2011 年着力抓好五项重点改革：一是加快推进基本医疗保障制度建设，做到广覆盖、保基本、可持续，把全体城乡居民纳入基本医疗保障。二是初步建立国家基本药物制度，减轻群众基本用药费用负担，满足群众基本用药需求。三是健全基层医疗卫生服务体系，加强服务网络建设，方便群众看病就医。四是促进基本公共卫生服务逐步均等化，实施重大公共卫生项目，最大限度地预防疾病。五是推进公立医院改革，试点优化资源配置，改革管理体制、运行机制和监管机制，提高医疗卫生服务的质量和水平。3 月 18 日，国务院印发《医药卫生体制改革近期重点实施方案（2009—2011 年）》，对五项重点改革进行具体部署。此后，新一轮医药卫生体制改革开始全面实施。

这次新医改的最大特点，就是区分“基本”和“非基本”，政府主要保“基本”，包括基本保障、基本医疗、基本公共卫生和基本药物，强调人人有基本保障，人人享有基本医药卫生服务。高档的、选择性的、个性化的医药卫生服务逐步交给社会办，由市场调节。确定“把基本医疗卫生制度作为公共产品向全民提供”的方向，从制度上保证每个公民都能公平获得

---

① 中共中央文献研究室编《十七大以来重要文献选编》（中），中央文献出版社 2011 年版，第 3—4 页。

基本医疗卫生服务，这是我国医药卫生事业发展从理念到体制的重大变革，意味着基本医疗卫生服务作为公共产品成为人民基本权利的一部分。

对于医药卫生体制改革，中共中央、国务院高度重视。2009 年至 2011 年，全国财政支持医改的投入比既定的 8500 亿元增加 3909 亿元，其中中央财政新增投入比既定的 3318 亿元增加 361 亿元。[①] 三年间，按照“保基本、强基层、建机制”的原则，五项重点改革沿着“局部试点—总结经验—更大范围试点—进一步总结”的路径统筹推进，实现了阶段性目标。

一是基本医疗保障制度覆盖城乡居民。三年间，党和政府全面推进全民基本医疗保障制度建设，主要是扩大覆盖人群，提高补助标准，提高报销水平。截至 2011 年，城镇职工基本医疗保险、城镇居民基本医疗保险、新型农村合作医疗参保人数超过 13 亿，覆盖面从 2008 年的 87% 提高到 2011 年的 95% 以上，构建起世界上规模最大的基本医疗保障网。筹资水平和报销比例不断提高，新型农村合作医疗政府补助标准从最初的人均 20 元人民币，提高到 2011 年的 200 元人民币，受益人次数从 2008 年的 5.85 亿人次提高到 2011 年的 13.15 亿人次，政策范围内住院费用报销比例提高到 70% 左右，[②] 保障范围由住院延伸到门诊。

二是基本药物制度从无到有。长期以来，基层群众尤其是农民看病成本较高，其中很大一部分花在药费上。为此，我国实施了基本药物制度。国家基本药物制度是医改提出的一项全新的制度，建立这项制度是为了保证基本药物及时足额、保质保量供应和合理使用，改革医疗机构“以药补医”机制，把虚高的药价降下来，达到减轻人民群众基本用药负担的目的；同时，促进药品生产流通企业资源的进一步优化和整合。到 2011 年，基本药物制度实现基层全覆盖，所有政府办基层医疗卫生机构全部配备使用基

---

① 国家发展和改革委员会：《把维护人民群众健康权益放在首位》，国家发展和改革委员会网站 2012 年 5 月 18 日。

② 中华人民共和国国务院新闻办公室：《中国的医疗卫生事业》白皮书，《人民日报》2012 年 12 月 27 日。

本药物，并实行零差率销售。通过改革，基层基本药物的价格比改革前平均下降30%，基本药物全部纳入基本医疗保障药品报销目录。这就破除了“以药补医”机制，结束了基层医疗机构几十年“以药补医”的历史，基层看病负担开始减轻。

三是城乡基层医疗卫生服务体系进一步健全。2009年至2011年，中央财政投资471.5亿元支持基层医疗机构建设发展。同时，采取多种形式加强基层卫生人才队伍建设，为农村和社区培养、培训、引进卫生人才。2011年7月实施全科医生制度后，开展全科医生规范化培养，安排基层医疗卫生机构人员参加全科医生转岗培训。此外，还实施万名医师支援农村卫生工程，提高县级医院和乡镇卫生院的医疗技术水平和管理能力。经过努力，2011年，全国基层医疗卫生机构达到91.8万个，包括社区卫生服务机构2.6万个、乡镇卫生院3.8万所、村卫生室66.3万个，[①]基本实现村村都有卫生室、乡乡都有卫生院、每个县都有达标县级医院、每个社区有卫生服务中心的目标。基层医疗卫生服务体系不断强化，农村和偏远地区医疗服务设施落后、服务能力薄弱的状况明显改变，保障了居民看病就医的基本需求，使常见病、多发病等绝大多数疾病的诊疗在基层就可以得到解决。

四是基本公共卫生服务均等化水平明显提高。2009年7月，启动国家基本公共卫生服务项，免费向全体人民提供国家基本公共卫生服务，包括建立居民健康档案、健康教育、预防接种、0—6岁儿童健康管理、孕产妇健康管理、老年人健康管理、高血压和2型糖尿病患者健康管理、重性精神疾病患者管理、传染病及突发公共卫生事件报告和处理、卫生监督协管等10类41项服务。针对特殊疾病、重点人群和特殊地区，国家实施重大公共卫生服务项目，对农村孕产妇住院分娩补助、15岁以下人群补种乙肝疫苗、农村妇女孕前和孕早期补服叶酸、贫困白内障患者复明、农村适龄妇女宫颈癌和乳腺癌检查、预防艾滋病母婴传播等，由政府组织进行直接干

① 中华人民共和国国务院新闻办公室:《中国的医疗卫生事业》白皮书,《人民日报》2012年12月27日。

预。截至 2011 年，重大公共卫生服务项目累计受益群众近 1.9 亿人。[①]

五是公立医院改革有序推进。从 2010 年起，在 17 个国家联系试点城市和 37 个省级试点地区开展公立医院改革试点，在完善服务体系、创新体制机制、加强内部管理、加快形成多元化办医格局等方面取得积极进展。2012 年，全面启动县级公立医院综合改革试点工作，以县级医院为龙头，带动农村医疗卫生服务体系能力提升。鼓励和引导社会资本举办营利性和非营利医疗机构，多元化办医格局加快推进。在全国普遍推行预约诊疗、分时段就诊、优质护理等便民惠民措施。经过改革，医药费用过快上涨的势头得到控制。三年间，公立医院门诊次均医药费用和住院人均医药费用增长率逐年下降，2011 年比 2009 年均下降了 8 个百分点，公立医院费用控制初见成效。

总的来看，2009 年至 2011 年，医药卫生体制改革的成效是明显的，给城乡居民带来了很大实惠。尤其在基层，人民群众看病就医的公平性、可及性、便利性得到改善，反映较为强烈的“看病难、看病贵”问题得到缓解，“因病致贫”“因病返贫”的现象逐步减少。当然，在看到进展和成效的同时，也必须清醒认识到，深化医药卫生体制改革是一项涉及面广、难度大的社会系统工程。随着医药卫生体制改革向纵深推进，利益格局深刻调整，体制性、结构性等深层次矛盾集中暴露，改革难度明显加大。同时，随着经济社会发展，城乡居民健康需求不断提升，并呈现多层次、多元化特点，进一步加剧了卫生资源供给约束与卫生需求日益增长之间的矛盾。要解决这些问题，只能通过持续不断地推进改革，努力探索出这个世界性难题的中国式解决办法，让全体人民共享改革发展成果。

此外，住房问题也是重要的民生问题。改革开放以后，我国不断深化城镇住房制度改革，城市绝大多数居民的住房条件得到较大改善。但随着住房社会化、商品化程度的提高，住房市场在快速发展中也出现了一些矛

---

① 李红梅：《全国 95% 的城乡居民参保　基本医疗卫生制度惠及全民》，《人民日报》2012 年 2 月 26 日。

盾和问题，特别是城市廉租住房制度建设相对滞后，经济适用住房制度不够完善，部分城市低收入家庭住房还比较困难，低收入家庭住房问题没能得到有效解决。尤其在房价高涨之时，这类矛盾更加突出。为此，国家通过推进棚户区改造、公共租赁住房、廉租住房等保障性住房建设，解决了一大批低收入家庭的住房困难问题。

中共十七大以后，为实现“住有所居”的目标，我国进一步加快保障性住房建设步伐，大规模实施保障性安居工程。2008 年年底，为应对国际金融危机冲击，中共中央、国务院确定了进一步扩大内需、促进经济平稳较快增长的 10 项措施，其中第一项就是加快保障性安居工程建设。2008 年至 2012 年，全国共开工建设城镇保障性住房超过 3000 万套，基本建成 1700 万套以上，大批城镇中低收入家庭的住房困难得到解决。同时，农村危房改造也实现了全国农村地区全覆盖，累计支持了 1033.4 万贫困户实施危房改造。[①] 上千万户住房困难家庭搬进新居，感受到党和政府的温暖，保障性安居工程成为重大民心工程。同时，也应当看到，我国保障性住房建设起步时间不长，住房保障的覆盖面不大；特别是部分城市房价上涨较快，给人民改善住房条件带来很大压力，成为社会广泛关注的焦点问题之一。解决人民群众基本住房的任务依然十分繁重。

## 第三节　建立覆盖城乡居民的社会保障制度

社会保障作为现代国家一项基本的社会经济制度，是社会的“安全网”，也是经济的调节器。从世界范围看，社会保障已有 100 多年的发展历史，历经多次世界经济大萧条而日益完善，显示出其在调节收入分配、纾解社会矛盾、推动经济发展、促进国家长治久安方面的强大功能。尤其是

① 杜宇：《今年农村危房改造 300 万户，五年累计惠及 1033.4 万贫困户》，《人民日报》2013 年 2 月 16 日。

在经济危机条件下，社会保障不仅是消除民众恐惧、安定人心的重要保证，而且对于拉动消费、刺激经济复苏具有特殊重要的作用。建立社会保障制度是现代社会文明进步的重要标志，也是现代政府的重要职责。中共十六大以后，中共中央、国务院以基本医疗、基本养老、最低生活保障三项制度为重点，建立起覆盖城乡居民的社会保障体系。我国社会保障制度建设迈出了新的步伐，越来越多的城乡居民享受到实惠。

## 一、建立和完善城乡基本医疗保障制度

农村合作医疗是由我国农民自己创造的互助共济的医疗保障制度。新中国成立后，我国在 20 世纪 50 年代就初步建立了农村卫生服务体系，并开始兴办合作医疗。此后，合作医疗经历了 20 世纪 60 年代至 70 年代的发展与鼎盛阶段。20 世纪 80 年代以后，随着人民公社体制的终结和财政体制的改革，以及医疗服务价格上涨，农村合作医疗逐渐无法维持。到 1989 年，全国仅有 4.8% 的行政村实行农村合作医疗。[①] 农民“看病难、看病贵”，一些地区农民因病致贫、返贫的问题日益突出。因此，20 世纪 90 年代之后，一些地区开始重建农村医疗合作制度的尝试。随着经济社会的不断发展，越来越多的人开始认识到，“三农”问题是关系党和国家全局性的根本问题，而不解决好农民的医疗保障问题，就无法实现全面建设小康社会的目标，也谈不上现代化社会的完全建立。大量的理论研究和实践经验也表明，在农村建立新型合作医疗制度势在必行。

在这种情况下，建立新型农村合作医疗制度的任务，被提到党和政府的重要议事日程。2002 年 10 月 19 日，中共中央、国务院下发《关于进一步加强农村工作的决定》，提出要积极组织引导农民建立以大病统筹为主的新型农村合作医疗制度，重点解决农民因患传染病、地方病等大病而出现的因病致贫、返贫问题；到 2010 年，新型农村合作医疗制度要基本覆盖农村

---

① 郑功成：《中国社会保障 30 年》，人民出版社 2008 年版，第 110—111 页。

居民。[1]2003年1月，卫生部、财政部和农业部联合发布《关于建立新型农村合作医疗制度的意见》，构建了我国新型农村合作医疗制度的实施原则和政策框架，提出实行政府主导下农民自愿参加，个人、集体和政府共同筹资，以大病统筹为主的农民医疗互助救济制度，建立新型合作医疗制度的目标。

与原有的农村合作医疗制度相比，新型农村合作医疗制度主要有几个特点：一是在筹资渠道上采取“个人缴费、集体扶持和政府资助相结合”的方法，实行个人、集体、国家多方筹资。这一筹资机制不但很好地体现了健康整体责任原则，而且首次明确了我国政府在农村医疗保险计划建设中的筹资责任。二是在管理体制上明确以县（市）为单位进行统筹。新型农村合作医疗改变了原有合作医疗以乡镇或村为统筹单位的方法，提高了资金统筹层次，不但可以较为有效地减少管理成本，而且由于保障人群的扩大，可以筹集到更多的合作医疗基金，也可以在更大范围内分散疾病的风险。三是考虑到给农村家庭带来沉重经济负担的主要是大病，将保障重点放在了“大病”上。

2003年，我国开始进行新型农村合作医疗制度的试点。从这一年起，中央财政对中西部地区除市区以外的参加新型农村合作医疗的农民，每年按人均10元安排合作医疗补助资金，地方财政对参加新型合作医疗的农民补助每年不低于人均10元。此后，人均筹资水平逐步提高，其中财政补贴始终占大头。经过几年的试点，新型农村合作医疗制度的运行机制日益完善，全面推广日益成熟。2006年1月，卫生部等七部门联合发出《关于加快推进新型农村合作医疗试点工作的通知》，提出要扩大新型农村合作医疗试点，2008年在全国基本推行，2010年实现新型农村合作医疗制度基本覆盖农村居民的目标。此后，新农合的推进步伐逐步加快。

随着2009年新一轮医药卫生体制改革的推进，新型农村合作医疗制度逐步健全。保障范围由住院延伸到门诊，国家基本药物、部分医疗康复项

---

① 中共中央文献研究室编《十五大以来重要文献选编》（下），中央文献出版社2011年版，第763页。

目被纳入保障范围，保障水平也不断提高。到 2011 年，新型农村合作医疗的政府补助标准从最初的人均 20 元人民币提高到 2011 年的 200 元人民币，受益人次数从 2008 年的 5.85 亿人次提高到 13.15 亿人次，政策范围内住院费用报销比例提高到 70% 左右。[①]

可以说，建立新型农村合作医疗制度，是从我国基本国情出发解决农民看病难问题的一项重大举措。这项制度，不仅对于提高农民健康水平、减轻医疗负担发挥了重要作用，而且对于促进整个经济社会发展、实现统筹城乡协调发展具有制度创新性的重大意义。不少农民质朴地说，农民终于盼来了“种地不交税、上学不付费、看病不太贵”的好光景。

随着新型农村合作医疗制度的建立，加上 1998 年就已经开始建立的城镇职工基本医疗保险制度，我国城乡医疗救助制度逐步建立起来。统计显示，到 2005 年，我国城镇职工基本医疗保险和试点中的新型农村合作医疗制度覆盖面超过 3 亿人。到这时，城乡居民尚无医疗保障制度安排的，主要就是城镇非从业居民，特别是中小学生、少年儿童、老年人、残疾人等群体。这部分人成为覆盖城乡居民的医疗保障体系的一大缺口。

为实现基本建立覆盖城乡全体居民的医疗保障体系的目标，2007 年 7 月，国务院下发《关于开展城镇居民基本医疗保险试点的指导意见》，提出 2007 年在有条件的省份选择 2 至 3 个城市启动城镇居民基本医疗保险试点，2008 年扩大试点，争取 2009 年试点城市达到 80% 以上，2010 年在全国全面推开，逐步覆盖全体城镇非从业居民。要通过试点，探索和完善城镇居民基本医疗保险的政策体系，形成合理的筹资机制、健全的管理体制和规范的运行机制，逐步建立以大病统筹为主的城镇居民基本医疗保险制度。[②]总的来看，城镇居民基本医疗保险的试点比较顺利，试点范围逐步扩大。

---

① 中华人民共和国国务院新闻办公室：《中国的医疗卫生事业》白皮书，《人民日报》2012 年 12 月 27 日。

② 中共中央文献研究室编《十六大以来重要文献选编》（下），中央文献出版社 2011 年版，第 1089—1090 页。

到 2009 年，城镇居民医保制度在全国所有城市全面建立。此后，参保人数持续上升，2011 年达到 2.2 亿人。

总的来说，中共十六大以后，国家以城镇居民基本医疗保险集中解决城镇非就业人群的基本医保问题，以新型农村合作医疗为农民提供基本医疗保障。至 2010 年年底，全国城镇职工和居民基本医疗保险参保人数为 4.3 亿人，新农合参合人数 8.3 亿人，总覆盖人数超过 12.6 亿人。[①] 这样，一个以城镇职工基本医保、城镇居民基本医保、新型农村合作医疗为主体，覆盖城乡全体居民的基本医疗保障体系初步形成。

放眼世界，德国用了近百年实现全民医保，韩国用了 12 年。而从 2005 年到 2010 年，从覆盖 3 亿人到 12 亿多人，我国用了短短 5 年时间，构建起世界上规模最大的基本医疗保障网。不得不说，这是一个了不起的成就。正如外媒所评价，“中国的医疗保险就数量而言堪称人类有史以来最大的社会福利计划”[②]。

## 二、建立最低生活保障制度和养老保险制度

改革开放以后，党和政府高度重视“三农”工作，不断加大扶贫开发和社会救助工作力度，农村贫困人口数量大幅减少。但是，仍有部分贫困人口尚未解决温饱问题，需要政府给予必要的救助，以保障其基本生活，并帮助其中有劳动能力的人积极劳动脱贫致富。中共十六大以后，部分地区根据中央部署，积极探索建立农村最低生活保障制度，为全面解决农村贫困人口的基本生活问题打下了良好基础。

为切实解决农村贫困人口的生活困难，2006 年 12 月，中央农村工作

---

① 刘铮、汪国成:《“织起世界最大的全民医保网”——我国医药卫生体制改革进展述评》,《人民日报》2011 年 5 月 30 日。

② 刘铮、汪国成:《“织起世界最大的全民医保网”——我国医药卫生体制改革进展述评》,《人民日报》2011 年 5 月 30 日。

会议明确提出“在全国范围建立农村最低生活保障制度”的任务[①]。2007年7月11日，国务院发出《关于在全国建立农村最低生活保障制度的通知》，提出通过在全国范围建立农村最低生活保障制度，将符合条件的农村贫困人口全部纳入保障范围，稳定、持久、有效地解决全国农村贫困人口的温饱问题。[②]农村最低生活保障标准，由县级以上地方人民政府按照能够维持当地农村居民全年基本生活所必需的吃饭、穿衣、用水、用电等费用确定，并随着当地生活必需品价格变化和人民生活水平提高适时进行调整。农村最低生活保障对象，是家庭年人均纯收入低于当地最低生活保障标准的农村居民，主要是因病残、年老体弱、丧失劳动能力以及生存条件恶劣等原因造成生活常年困难的农村居民。这一政策的出台，标志着我国农村绝对贫困人口的基本生活有了制度性保障。

随着各项工作的顺利开展，到2007年年底，农村最低生活保障制度在全国范围内普遍建立。此后，中央和地方各级财政逐步增加农村低保补助资金，提高保障标准和保障水平。截至2010年年底，全国农村低保覆盖2528.7万户、5214万人。[③]与此同时，国家对农村丧失劳动能力和生活没有依靠的老、弱、孤、寡、残农民实行五保供养，即在吃、穿、住、医、葬等方面给予生活照顾和物质帮助。从2001年到2010年，五保供养逐步实现了由集体福利事业转型为现代社会保障制度，所需资金由农民分摊转由国家财政负担。到2010年年底，全国农村得到五保供养的人数为534万户、556.3万人，基本实现“应保尽保”。[④]

农村最低生活保障制度，是农村贫困人口的最后一道生活保障线。这

---

① 《中央农村工作会议在京召开　全面部署2007年农业和农村工作》，《人民日报》2006年12月24日。

② 中共中央文献研究室编《十六大以来重要文献选编》（下），中央文献出版社2011年版，第1097页。

③ 中华人民共和国国务院新闻办公室：《中国农村扶贫开发的新进展》，《人民日报》2011年11月17日。

④ 中华人民共和国国务院新闻办公室：《中国农村扶贫开发的新进展》，《人民日报》2011年11月17日。

项制度的建立和完善，充分体现了中国共产党和中国政府立党为公、执政为民的执政理念，体现了以人为本、科学发展的本质要求。

实现“老有所养”是广大人民群众的热切期盼，也是社会保障的重要目标。改革开放后，我国社会养老保障制度是从建立企业职工养老保险开始的。20 世纪 90 年代后期，随着国有企业改革的进行，建立城镇职工养老保险全面推开。中共十六大以后，城镇职工基本养老保险制度继续完善，全国普遍实现了养老保险的省级统筹。

在农村，自古以来，中国农民都讲养儿防老。在过去很长时间中，限于国家的财力，农民的养老保障主要也只能靠土地、家庭和集体组织解决。随着工业化、城镇化的推进，农村青壮年劳动力大量外出务工，农民的养老保障面临着一系列新情况新问题。有些地方从当地实际情况出发，对农民的社会养老保险开展了一些局部性的试点，收到了一定成效。但这些局部性的试点主要是在经济较发达、农村集体组织较有实力、农民收入水平相对较高的地区进行，在其他地区难以推行。

为逐步解决农村居民老有所养问题，2009 年 9 月 1 日，国务院发出《关于开展新型农村社会养老保险试点的指导意见》(以下简称《意见》)，决定从 2009 年起开展新型农村社会养老保险试点，探索建立个人缴费、集体补助、政府补贴相结合的新农保制度，实行社会统筹与个人账户相结合，与家庭养老、土地保障、社会救助等其他社会保障政策措施相配套，保障农村居民老年基本生活。考虑到我国城乡居民养老保险的现实需要，以及各级财政和城乡居民的实际承受能力，《意见》确定了“保基本、广覆盖、有弹性、可持续”的基本原则。同时，考虑到新型农村社会养老保险制度建设的创新性和复杂性，《意见》提出先行试点、再稳妥推进，2009 年试点覆盖面为全国 10% 的县（市、区、旗），以后逐步扩大试点，在全国普遍实施，2020 年之前基本实现对农村适龄居民的全覆盖。[①]

① 中共中央文献研究室编《十七大以来重要文献选编》(中)，中央文献出版社 2011 年版，第 113—114 页。

新农保的制度创新，最主要的有两个方面：一是实行基础养老金和个人账户养老金相结合的养老待遇，国家财政全额支付最低标准基础养老金；二是实行个人缴费、集体补助、政府补贴相结合的筹资办法，地方财政对农民缴费实行补贴。新农保制度的这两个显著特点，强调了国家对农民老有所养承担的重要责任，明确了政府资金投入的原则要求，这是与老农保仅靠农民自我储蓄积累的最大区别。

新农保试点开始后，收到了良好效果，农民参保积极性很高，工作进展超出了预期。至2011年5月底，全国27个省、自治区838个县（市、区、旗）和4个直辖市的大部分区县纳入试点范围，其中有9个省区市实现了制度全覆盖。全国有1.9亿人参保，领取基础养老金的60岁以上老年人达到了5170万人。[①]在这种情况下，国务院决定加快新农保试点进度，并启动城镇居民养老保险试点。2011年6月，国务院下发《关于开展城镇居民社会养老保险试点的指导意见》，决定从当年7月1日起，在全国范围内启动城居保试点。国务院要求，新农保和城居保两项工作同步推进，当年内覆盖面都达到60%，到2012年内基本实现制度全覆盖。

此后，我国坚持政府引导、自愿参保的原则，引导和鼓励广大城乡居民积极参保，各级财政加大投入，对居民参保缴费实施补贴，鼓励多缴费、长缴费。政府的强力引导，有效地调动了群众的参保积极性，大大加快了新农保和城居保两项保险制度全覆盖的步伐。截至2012年9月底，全国城乡居民两项养老保险的参保人数达到4.49亿人，加上企业职工养老保险，总计覆盖人数超过7亿人，其中1.24亿城乡居民领取基础养老金。[②]至此，我国覆盖城乡居民的社会养老保障体系基本建立。

从2009年到2012年，我国仅用3年时间基本实现了社会养老保险制

① 温家宝：《在全国城镇居民社会养老保险试点工作部署暨新型农村社会养老保险试点经验交流会议上的讲话》，《人民日报》2011年6月22日。

② 温家宝：《在全国新型农村和城镇居民社会养老保险工作总结表彰大会上的讲话》，《人民日报》2012年10月13日。

度全覆盖，比原来预期的10年左右时间大大提前。这填补了农村居民和城镇非就业居民养老保险长期以来的制度空白，人人享有养老保险成为现实。基本实现社会养老保险制度的全覆盖，把数亿城乡居民纳入到基本养老保险覆盖范围，这是我国社会保障事业发展的重要里程碑，是一个了不起的成就。

经过多年的努力，特别是中共十六大之后加快推进覆盖城乡居民的社会保障体系建设，中国特色社会保障框架体系初步建立：基本养老、基本医疗、失业、工伤、生育五项社会保险制度基本建立并逐步完善，以最低生活保障为重点的城乡社会救助体系基本形成，各项社会保障覆盖范围不断扩大，保障水平稳步提高。我国社会保障制度建设取得的巨大成就，标志着正在实现从传统的家庭保障和计划经济时期的单位保障到社会保障的历史性跨越。

当然，也必须看到，我国社会保障体系还不完善。主要是城乡社会保障发展不平衡，广大农村地区严重滞后；一些基本保障制度覆盖面比较窄，基金统筹层次低，保障水平不高。尤其是农民、农民工、被征地农民、城市无业人员和城乡残疾人等群体的社会保障问题比较突出。这些都要求加快完善社会保障体系。完善社会保障体系是一项浩大的民生工程，不可能一蹴而就，需要长期坚持不懈地努力。

## 第四节　继续推进扶贫开发

扶贫开发是在改革开放进程中，针对农村发展不平衡的实际，为缓解和消除贫困、最终实现共同富裕而采取的重大战略措施。

中共十一届三中全会以后，我国农村率先改革，农业和农村经济迅速发展，农民生活水平显著提高，贫困人口大幅度下降。但是，由于历史、自然、经济和社会等方面的原因，一些地区发展缓慢，贫困现象仍很突出。1986 年，我国在全国范围内开展了有计划、有组织、大规模的扶贫开发。到 1992 年年底，全国农村没有解决温饱的贫困人口，从 1978 年的 2.5 亿人减少到 8000 万人。这些贫困人口主要分布在自然条件差、生存环境恶劣的地区，需要下更大的力气，才能较快地解决他们的温饱问题。为此，中共中央、国务院决定，从 1994 年起实施《国家八七扶贫攻坚计划》，集中人力、物力、财力，动员社会各界力量，开展大规模扶贫攻坚，力争用 7 年的时间，到 2000 年年底基本解决当时全国农村 8000 万贫困人口的温饱问题。“八七扶贫攻坚计划”是我国历史上第一个有明确目标、明确对象、明确措施和明确期限的扶贫开发行动纲领。经过 7 年的攻坚，扶贫开发取得了显著成效，贫困地区的面貌发生了很大变化，全国农村没有解决温饱的贫困人口减少到 3000 万人。除了少数社会保障对象和生活在自然条件恶劣地区的特困人口以及部分残疾人以外，全国农村贫困人口的温饱问题基本解决，中央确定的扶贫攻坚目标基本实现。

21 世纪，我国进入全面建设小康社会，加快推进社会主义现代化建设的新的发展阶段，扶贫开发也进入了一个新阶段。中共中央、国务院全面分析扶贫开发的新形势，认为扶贫开发是建设中国特色社会主义伟大事业的一项历史任务，将贯穿于社会主义初级阶段的全过程。基本解决农村贫困人口温饱问题，只是扶贫开发、实现共同富裕的一个阶段性胜利。巩固扶贫成果，在这个基础上实现小康还需要一个长期的奋斗过程，必须树立长期作战的思想，坚定不移地把扶贫开发推向一个新的阶段。为此，2001 年 6 月，国务院印发《中国农村扶贫开发纲要（2001—2010 年）》（以下简称《纲要》），对新阶段的扶贫开发工作进行全面部署。《纲要》提出 2001—2010 年我国扶贫开发总的奋斗目标，这就是：尽快解决极少数贫困人口温饱问题，进一步改善贫困地区的基本生产生活条件，巩固温饱成果，提高贫困人口的生活质量和综合素质，加强贫困乡村的基础设施建设，改善生态环境，逐步改变贫困地区社会、经济、文化的落后状态，为达到小康水平创造条件。根据这个奋斗目标，扶贫开发的主要任务，一是尽快解决

3000 万贫困人口的温饱问题，这是新阶段扶贫开发的首要对象。二是帮助初步解决温饱、但还不巩固的贫困人口增加经济收入，改善生产生活条件，实现稳定脱贫。同时，《纲要》根据农村贫困人口的分布状况和特点，把国家扶持的重点放在中西部的少数民族地区、革命老区、边疆地区和一些特困地区，确定一批扶贫任务大的县作为扶贫开发工作重点县，中央予以重点支持。这是继《国家八七扶贫攻坚计划》之后，又一个指导全国农村扶贫开发工作的纲领性文件。

此后，2001 年至 2010 年的 10 年间，国家把扶贫开发纳入国民经济和社会发展总体规划，制定和实施有利于农村贫困地区发展的政策措施，把扶贫投入作为公共财政预算安排的优先领域，把贫困地区作为公共财政支持的重点区域，不断加大对贫困地区的扶持力度。

在农村政策上，国家的一些强农惠农富农政策率先在贫困地区实行。其中，免征农业税试点、农村义务教育“两免一补”政策、对国家新安排的公益性基本建设项目减少或取消县及县以下配套，率先在国家扶贫开发工作重点县实行。一些强农惠农富农政策向贫困地区和贫困人口倾斜。中央财政在农村最低生活保障、新型农村合作医疗和新型农村社会养老保险的制度安排上，对中西部地区给予较大支持。

在区域政策上，10 年来，西部大开发安排的水利、退耕还林、资源开发等项目，在同等条件下优先在贫困地区布局；公路建设加快向贫困地区延伸，把贫困地区的县城与国道、省道干线连接起来；基础设施建设项目尽量使用贫困地区的劳动力，增加贫困人口的现金收入。国家相继出台一系列区域发展政策，促进西藏和四川、云南、甘肃、青海四省藏区及新疆、广西、重庆、宁夏、甘肃、内蒙古、云南等地经济社会发展，并把农村扶贫开发作为政策重点加以推进。

10 年来，我国始终坚持开发式扶贫和社会保障相结合，专项扶贫和行业扶贫、社会扶贫相结合，外部支持与自力更生相结合。经过多年努力，全国扶贫开发取得显著成绩，农村居民的生存和温饱问题得到基本解决，贫困地区经济全面发展。10年间，农村贫困人口的数量，从2000年年底的9422万人减少到2010年年底的2688万人，占农村人口的比重从2000年的10.2%下降到2010年的2.8%。2001年至2010年，592个国家扶贫开发工作重点县人均地区生产总值从2658元人民币增加到11170元人民币，年均增长17%；农民人均纯收入从2001年的1276元人民币，增加到2010年的3273元人民币，年均增长11%（未扣除物价因素），增幅均高于全国平均水平。[①] 同时，贫困地区的基础设施不断完善，生产生活条件明显改善，社会事业不断进步，生态恶化趋势得到初步遏制。扶贫开发事业取得的巨大成就，为我国经济发展、政治稳定、民族团结、边疆巩固、社会和谐发挥了重要作用。另外，值得提出的是，我国也是第一个提前实现联合国千年发展目标贫困人口减半的发展中国家，为全球减贫作出了重大贡献。

在10年扶贫开发的基础上，2011年5月，中共中央、国务院印发实施《中国农村扶贫开发纲要（2011—2020年）》。新的《中国农村扶贫开发纲要（2011—2020年）》有几个比较突出的特点：一是作出一个重大判断，即我国扶贫开发已经从以解决温饱为主要任务的阶段转入巩固温饱成果、加快脱贫致富、改善生态环境、提高发展能力、缩小发展差距的新阶段。二是工作目标更加明确。《纲要》提出，到2020年，稳定实现扶贫对象不愁吃、不愁穿，保障其义务教育、基本医疗和住房（简称“两不愁三保障”）。“两不愁三保障”既包括了生存的需要，又包括了部分发展的需要，符合新阶段扶贫工作的基本特征。三是工作方针更加科学。坚持开发式扶贫方针，实行扶贫开发和农村最低生活保障制度有效衔接，明确了扶贫促进发展、低保维持生存的工作定位。四是工作格局更加完善，第一次明确了专项扶贫、行业扶贫、社会扶贫“三位一体”的工作格局。五是工作对象更加清晰，即扶贫对象、连片特困地区、重点县和贫困村四个层次。六是政策保障更加有力。提出提高扶贫标准，加大投入力度，把连片特困地区作为主

① 中华人民共和国国务院新闻办公室：《中国农村扶贫开发的新进展》，《人民日报》2011年11月17日。

战场，中央财政专项扶贫资金的新增部分主要用于连片特困地区；要求完善有利于贫困地区、扶贫对象的扶贫战略和政策体系。同时，从财税支持、投资倾斜、金融服务、产业扶持、土地使用、生态建设、人才保障和重点群体等八个方面提出了原则要求，还要求加快扶贫立法。

2011 年 11 月，中央扶贫开发工作会议召开。这次会议作出两个重大决定，一是大幅度提高扶贫标准，将农民人均纯收入 2300 元（2010 年不变价）作为新的国家扶贫标准，这个标准比 2009 年的 1196 元的标准提高了 92%，对应的扶贫对象规模到 2011 年年底是 1.28 亿人，占农村户籍人口比例 13.4%；二是集中力量推进连片特困地区扶贫攻坚，将包括武陵山片区在内的 11 个连片特困地区和已明确实施特殊政策的西藏、四省藏区、新疆南疆三地州作为扶贫攻坚的主战场。大幅度提高扶贫标准，把更多的农村人口纳入扶贫范围，是社会发展的进步；划定连片特困地区，加大统筹协调力度，是扶贫开发方式的重大创新。

在中国这样一个有着 13 亿多人口的发展中国家开展扶贫开发，其难度世所罕见。中共十六大以后，我国为解决贫困问题付出了艰辛的努力，取得了重大进展。但也要看到，我国经济社会发展总体水平不高，区域发展不平衡问题突出，贫困地区特别是集中连片特殊困难地区扶贫开发任务仍然十分艰巨。扶贫开发还需要长期艰苦的努力。

## 第五节　加强和创新社会管理

社会管理是人类社会必不可少的一项管理活动。要形成和保持一定的社会秩序，就必须有一定形式的社会管理。现代社会中，社会管理地位日益重要。在中国这样一个有 13 亿人口、经济社会快速发展的国家，社会管理任务更为艰巨繁重。加强和创新社会管理，根本目的是维护社会秩序、促进社会和谐、保障人民安居乐业，为党和国家事业发展营造良好社会环境。社会管理的基本任务包括协调社会关系、规范社会行为、解决社会问题、化解社会矛盾、促进社会公正、应对社会风险、保持社会稳定等方面。从一定意义上讲，社会建设水平的高低、社会管理能力的强弱，是衡量和检验党的执政能力、执政水平的一个重要标志。

中共十六大以后，以胡锦涛同志为总书记的党中央把加强社会管理放在重要的战略位置。2004 年 9 月，中共十六届四中全会提出，要加强社会建设和管理，推进社会管理体制创新，深入研究社会管理规律，完善社会管理体系和政策法规，建立健全党委领导、政府负责、社会协同、公众参与的社会管理格局。[①]2006 年 10 月，中共十六届六中全会强调，加强社会管理、维护社会稳定，是构建社会主义和谐社会的必然要求，必须创新社会管理体制，整合社会管理资源，提高社会管理水平，在服务中实施管理，在管理中体现服务。[②]2007年10月，中共十七大强调，要健全社会管理格局，健全基层社会管理体制，最大限度激发社会创造活力，最大限度增加和谐因素，最大限度减少不和谐因素，努力形成社会和谐人人有责、和谐社会人人共享的生动局面。[③]2010 年 10 月，中共十七届五中全会将加强和创新社会管理写入“十二五”规划建议，从完善法律法规和政策、健全基层管理和服务体系、发挥群众组织和社会组织作用、健全党和政府主导的维护群众权益机制、正确处理人民内部矛盾、加大公共安全投入、做好流动人口服务管理、加强特殊人群帮教管理和服务、完善社会治安防控体系等方面，提出了明确要求和工作任务。2010 年 10 月，中央政法委、中央社会治安综合治理委员会选定全国 35 个市和县（市、区）作为全国社会管理创新综合试点地区，旨在通过试点在全国建立起与社会主义市场经济体制相适应的社会管理体系，对全国起到示范引领作用。

---

① 中共中央文献研究室编《十六大以来重要文献选编》（中），中央文献出版社 2011 年版，第 287 页。

② 中共中央文献研究室编《十六大以来重要文献选编》（下），中央文献出版社 2011 年版，第 662 页。

③ 中共中央文献研究室编《十七大以来重要文献选编》（上），中央文献出版社 2009 年版，第 31—32 页。

党中央之所以如此高度重视加强和创新社会管理，是由新世纪新阶段我国社会管理领域存在的一系列突出问题决定的。

从经济社会发展看，一些国家和地区的发展历程表明，经济社会加快发展、快速走向现代化的时期，往往也是经济容易失调、社会容易失序、人们心理容易失衡、社会矛盾急剧增多的时期。经过新中国成立60多年来的建设发展特别是30多年的改革开放，我国经济实力、综合国力大大增强，人民生活总体上达到小康水平，国际地位和国际影响显著上升。同时，发展中存在的不平衡、不协调、不可持续问题比较突出，地区之间、城乡之间的发展差距以及部分社会成员之间的收入分配差距不断拉大，由此引发了大量社会矛盾，一些影响社会稳定的群体性事件频频发生。这些矛盾大多集中在国有企业改制、农村土地征用、城镇房屋拆迁、涉法涉诉等领域。因劳资纠纷、医患纠纷、环境污染、城市公共服务管理等问题引发的社会矛盾也明显增多。历史遗留问题与改革发展中的问题交织在一起，社会矛盾的关联性、敏感性、对抗性明显增强。客观地说，我国用30多年时间走完了西方发达国家上百年时间才走完的发展历程，西方国家在不同时期渐次出现的许多矛盾和问题必然会在我国相对集中的时间里表现出来。这就要求在加快经济发展的同时，必须采取更加有效的措施，妥善化解各种社会矛盾。

从社会结构变动看，随着经济体制由计划经济向社会主义市场经济、社会结构由封闭向开放的历史性转变，整个社会的开放性、流动性大大增强，新经济组织、新社会组织（简称“两新组织”）快速发展，越来越多的“单位人”变成“社会人”，境外来华人员和境外非政府组织进入我国活动的越来越多。到2010年，我国有2亿多流动人口、4亿多网民、7亿多手机用户，各种社会组织和在我国活动的境外非政府组织众多，每年入出境外国人4000多万人次。这么庞大的人流、物流、资金流、信息流，在世界上是罕见的。对流动人口、“两新组织”、境外非政府组织、新兴媒体的管理，面临许多从未遇到的新情况新问题。这就要求必须主动适应工业化、城镇化、信息化、市场化、国际化深入发展的新形势，积极推动社会管理理念思路、体制机制和方法手段创新，探索建立与社会主义市场经济体制相适应，与开放、动态、信息化的社会环境相适应的社会管理体系。

从人民群众需求看，随着经济社会发展、民主法制建设进程加快，人民群众在物质文化生活上有许多新要求新期待，呈现多层次、多方面、多样性的趋势。但是，由于我国仍处于并将长期处于社会主义初级阶段，人民日益增长的物质文化需要同落后的社会生产之间的矛盾仍然是社会主要矛盾，部分群众生产生活仍然比较困难，教育、就业、医疗卫生、社会保障等许多民生问题还没有得到很好解决。同时，贫富差距拉大趋势还没有根本扭转，一些消极腐败现象仍在滋生蔓延，加上一些地方和单位对群众的思想教育、人文关怀、心理疏导等工作跟不上，一些人心理失衡，对社会的不满情绪潜滋暗长。这就要求必须把发展成果更多地运用到改善民生上，下大气力解决群众生产生活中存在的实际困难和问题，同时，要更有针对性地加强对群众特别是重点人群的教育引导，着力培育理性平和、自尊自信、积极向上的社会心态。

从世界格局变化看，随着我国逐步发展强大，国际敌对势力出于自身战略利益的考虑，不愿看到一个繁荣、统一、强大的社会主义中国，不愿看到我国各族群众团结和睦、社会和谐稳定，千方百计对我国实施西化、分化战略，妄图推翻中国共产党的领导、颠覆我国社会主义制度。近年来，他们在对我国实行战略上围堵、安全上威胁、发展上牵制、统一上阻挠的同时，打着“维权”旗号，插手炒作敏感问题、突发事件，把我国经济社会发展中遇到的矛盾和问题无限放大，攻击我国政治制度、社会制度，煽动群众对抗党和政府。这就要求必须保持清醒头脑，加强和改进社会管理，严密防范敌对势力利用我国经济社会发展中的矛盾和问题制造事端，维护国家安全和社会稳定。

从党和政府自身工作看，在一些地方和部门，对经济建设“一手硬”、对社会建设和社会管理“一手软”的问题仍然比较突出，主要表现在：一是思想重视不够。有的没有牢固树立科学发展观和正确政绩观，把社会建设作为软任务，有的甚至认为抓社会建设和社会管理多了，会影响和阻碍经济发展。作决策、上项目时，对人民群众的现实利益和长远利益重视不够，对可能带来的社会稳定风险考虑不多。二是责任落实不到位。对加强社会建设、创新社会管理、维护社会稳定，有的只是停留在会议、文件和一般性号召上，没有作为硬任务落实到行动上。三是投入不足。无论是在领导精力上还是在人力、财力、物力上，对社会建设和社会管理的投入都明显不足。四是能力不适应。有的不出事不重视，出了事就捂、推、拖，致使小事拖大、大事拖炸；有的面对突发事件惊慌失措、应对失当，不敢承担责任，不敢果断决策，以致错失处置良机；有的对网络舆情不敏感，不善于运用新兴媒体引导舆论、争取主动。

基于以上背景和原因，党和国家把加强和创新社会管理作为一项重大而紧迫的课题给予更多的关注，并摆到重要议事日程。

2011 年 2 月，中共中央在中央党校举办省部级主要领导干部社会管理及其创新专题研讨班。胡锦涛在开班式上发表讲话，深刻阐述了加强和创新社会管理的重要性和紧迫性，明确提出新形势下加强和创新社会管理、做好群众工作的总体思路和重点任务。他强调："加强和创新社会管理，是继续抓住和用好我国发展重要战略机遇期、推进党和国家事业的必然要求，是构建社会主义和谐社会的必然要求，是维护最广大人民根本利益的必然要求，是提高党的执政能力和巩固党的执政地位的必然要求，对实现全面建设小康社会宏伟目标、实现党和国家长治久安具有重大战略意义。"[①]在这次讲话中，胡锦涛首次提出了"建设中国特色社会主义社会管理体系"的概念。5 月 30 日，中共中央政治局召开会议，专题研究加强和创新社会管理问题，强调要以解决影响社会和谐稳定突出问题为突破口，通过协调社会关系、规范社会行为、化解社会矛盾和深入细致的群众工作，维护人民群众权益，促进社会公平正义，保持社会良好秩序，有效应对社会风险，

---

① 胡锦涛：《胡锦涛文选》第三卷，人民出版社 2016 年版，第 494—495 页。

为党和国家事业发展营造更加良好的社会环境。[①]7月5日，中共中央、国务院印发《关于加强和创新社会管理的意见》，进一步明确了加强和创新社会管理的指导思想、基本原则、目标任务和主要措施。这是加强和创新社会管理的纲领性文件。

为了进一步充实加强和创新社会管理的领导力量，协调和指导社会管理工作，根据中共中央、国务院的决定，2011年8月，成立于1992年的中央社会治安综合治理委员会更名为中央社会管理综合治理委员会，被赋予协调和指导社会管理工作的重要职能。9月16日，中央社会管理综合治理委员会召开第一次全体会议，针对影响社会和谐稳定的突出问题，提出集中做好8个方面的工作：一是建立覆盖全部实有人口的动态管理服务体系；二是加强对非公有制经济组织和社会组织的服务管理；三是做好对特殊人群的社会关怀帮扶工作；四是进一步完善社会治安防控体系；五是有效预防青少年违法犯罪；六是加强校园及周边治安综合治理；七是加强关系国计民生重要设施的安全联防工作；八是加强社会管理方面的法律法规和政策措施的研究。

2011年9月28日，全国加强和创新社会管理工作电视电话会议强调，要把社会管理工作摆到更加突出的位置，确保每年都能解决几个突出问题、办成几件惠民实事，力争经过三至五年的努力，使社会管理服务水平有大的提高，让人民群众看到变化、见到实效。11月下旬到12月初，中央领导同志分四路主持召开华北东北、华东、华中华南、西南西北片区会，围绕加强和创新社会管理总结经验，部署工作。在此基础上，2012年2月7日，全国社会管理创新综合试点工作座谈会召开，强调要积极探索具有中国特色、地方特点、时代特征的社会管理新路子，不断提高社会管理科学化水平。

这个时期，社会管理的一个突出特点是，更加注意管理与服务并重，

① 《中共中央政治局召开会议　研究加强和创新社会管理问题　中共中央总书记胡锦涛主持会议》，《人民日报》2011年5月31日。

创新社会管理方式方法。这主要表现在：坚持顶层制度设计与基层社会管理实践创新相结合；建立综合性立体化社会管理方法体系，改变单一行政手段，综合运用法律法规、心理疏导、舆论引导等手段；社会事业打破过去完全由政府经办的体制，更加重视社会组织的协同治理作用，调动社会积极性。

为了不断提高社会管理科学化水平，许多地方和部门从方便群众办事、解决群众反映强烈的问题入手，积极探索提高服务效率和管理水平的新机制新办法，涌现出不少行之有效的经验做法。比如，在化解社会矛盾方面，建立社会稳定风险评估机制，从源头上预防和减少社会矛盾的发生；组织干部下基层，开展矛盾纠纷“大排查”“大调处”；组织专项工作小组，研究解决国有企业改制、农村土地征用、城镇房屋拆迁、涉法涉诉、部分军队退役人员等方面的政策问题；构建人民调解、行政调解、司法调解相互衔接的“大调解”工作体系，及时有效化解矛盾纠纷等。在流动人口和特殊人群的管理方面，一些地方把以人为本、服务为先贯穿于社会管理工作中，探索实行了以居住登记和居住证为核心的“一证通”制度，把享有子女教育、技能培训、社会保险、申领驾驶证等公共服务融入“一证通”中，让流动人口享受到了实实在在的服务；一些地方建立刑释解教人员的必送必接和有效安置机制，帮助刑释解教人员解决就业和生活困难，让他们顺利回归社会，过上正常人生活。在对“两新组织”的管理服务方面，积极推动在新经济组织中建立党团组织、工会组织，加强法制教育培训，加强对贯彻《劳动法》《劳动合同法》等法律法规的检查，加强对劳动者的人文关怀。同时，加强对新社会组织的登记管理和日常管理，既充分发挥其积极作用，又坚决遏制少数新社会组织打着“维权”旗号，煽动策划各类非法活动。在动员组织群众参与社会管理方面，一些地方、部门设立群众工作部、群众工作站、群众工作室，建立群众服务中心、信访接待中心、矛盾调解中心，开通畅通社情民意、解决群众诉求的“绿色通道”；开展机关干部下基层、“大接访”、“大走访”等活动，就地及时解决群众关心的实际问题和困难，等等。在加强信息网络服务管理方面，各地区各部门从信息化建设入手，建立信息管理系统，构建社会管理信息化平台；有序建设视频监控设施，努力实现实时更新、动态管理；有效整合各地区各部门的各类信息，努力实现互联互通、共建共享；大力推行网上受理、网上审批，努力为人民群众提供方便、快捷、优质、高效的服务。所有这些，对于创新社会管理手段，提升社会管理效能，发挥了重要作用。此外，各地以人民群众对社会平安的需求为导向，紧紧抓住影响人民生命财产安全的突出问题，深入开展平安建设，努力增强人民群众的安全感。

经过长期探索和实践，我国社会管理沿着中国特色社会主义道路不断创新，取得明显成效。党委的核心领导作用和政府的社会管理职能明显强化，社会各界和人民群众参与社会管理的热情空前高涨，管理格局不断健全，初步呈现出党委领导、政府负责、社会协同、公众参与的生动局面。同时，流动人口、特殊人群、“两新组织”、信息网络服务管理全面加强，社会矛盾化解、社会治安防控、公共安全保障、突发事件处置、社会诚信建设、基层基础建设等重点工作有力推进，解决了一大批群众最关心最直接最现实的利益问题，化解了一大批矛盾纠纷，群众安全感、满意度日益提升。总体而言，这一时期，我国社会管理的创新发展，为维护人民群众权益、促进社会公平正义、保持社会良好秩序提供了有力保障。在经济社会深刻变革和急剧转型过程中，我国始终保持了社会大局稳定。

当然，在充分肯定成绩的同时，也必须清醒认识到，加强和创新社会管理需要付出长期艰苦的努力。特别是在国际形势复杂多变，我国改革发展进入关键时期，各种矛盾交织叠加，内外因素相互影响的背景下，社会管理领域还存在不少亟待解决的难题，维护社会和谐稳定依然面临诸多严峻的挑战。

# 第十章

# 推进中国特色军事变革、“一国两制” 实践和祖国统一、外交工作

中共十六大以后，以胡锦涛同志为总书记的党中央着眼国家安全和发展战略全局，积极推进中国特色军事变革，全面加强军队革命化现代化正规化建设，毫不放松地拓展和深化军事斗争准备，不断增强履行新世纪新阶段军队历史使命能力，国防和军队建设取得重大成就和进步。中央坚定不移贯彻“一国两制”、“港人治港”、“澳人治澳”、高度自治方针，香港、澳门继续保持繁荣稳定，“一国两制”实践日益丰富。在对台工作中，中共中央牢牢把握两岸关系和平发展的主题，坚决挫败“台独”势力的分裂行径，推动两岸关系实现历史性转折，开创了和平发展的新局面，两岸关系总体面貌发生前所未有的深刻变化。在对外工作中，党中央准确把握中国与世界联系日益紧密的发展趋势，顺应世界求和平、谋发展、促合作的时代潮流，始终不渝走和平发展道路，坚持开展全方位外交，中国的国际地位和国际影响力进一步提高。

## 第一节 履行新世纪新阶段军队历史使命

党的十六大以后，中共中央准确把握新世纪新阶段对国防和军队建设提出的新要求，深刻揭示军队力量建设与运用应遵循的基本指导规律，推进党的军事指导理论创新发展，形成了胡锦涛国防和军队建设思想。人民解放军在军事、政治、后勤、装备各领域的建设取得巨大进步，有效履行了党和人民赋予的历史使命。

2004 年，中央军委充实、完善了新时期军事战略方针，提出把捍卫国家统一和领土完整作为最现实、最紧迫的战略任务，把军事斗争准备的基点放在打赢信息化条件下的局部战争上。为强化军兵种在我军力量结构中的重要作用，在战略指挥层次上推进联合作战，作出了海军、空军、二炮部队司令员参与军委班子工作的重大决定。

2004 年 9 月，中共十六届四中全会同意江泽民辞去中共中央军事委员会主席职务的请求，决定胡锦涛任中共中央军事委员会主席。同年 12 月，胡锦涛在中央军委扩大会议上，提出新世纪新阶段人民解放军的历史使命："军队要为党巩固执政地位提供重要力量保证，为维护国家发展的重要战略机遇期提供坚强安全保障，为维护国家利益提供有力战略支撑，为维护世界和平与促进共同发展发挥重要作用。"①"三个提供、一个发挥"的历史使命，反映了时代特征和国家利益的发展变化，进一步明确了军队在新世纪新阶段的基本任务。2005 年 4 月，胡锦涛明确提出坚持在国防和军队建设中贯彻落实科学发展观，按照革命化、现代化、正规化相统一的原则加强军队全面建设，切实提高国防和军队建设效益，推动国防和军队建设全面

① 胡锦涛：《胡锦涛文选》第二卷，人民出版社 2016 年版，第 256—260 页。

协调可持续发展，实现富国和强军的统一。2006 年 10 月，胡锦涛提出建设一支听党指挥、服务人民、英勇善战的革命军队的要求。2010 年 12 月，胡锦涛提出了以推动国防和军队建设科学发展为主题、以加快转变战斗力生成模式为主线的重大战略思想，强调把战斗力生成模式切实转到以信息为主导、以新型作战力量建设为增长点、提高基于信息系统的体系作战能力上来，转到依靠科技进步、官兵素质提高、管理创新上来，转到走军民融合式发展路子上来。①

从思想上、政治上、组织上确保人民解放军始终成为党绝对领导下的人民军队，确保国防和军队建设科学发展，确保有效履行新世纪新阶段军队历史使命，是新形势下军队思想政治建设面临的时代课题。2003 年科学发展观提出后，中央军委和总政治部及时印发《深入学习贯彻科学发展观的意见》，推动全军学习贯彻科学发展观步步深入、扎实推进。2003 年 12 月，中共中央、中央军委再次修订《中国人民解放军政治工作条例》。2008 年 12 月，胡锦涛在中央军委扩大会议上提出“忠诚于党，热爱人民，报效国家，献身使命，崇尚荣誉”的当代革命军人核心价值观②，为强化官兵精神支柱提供了基本遵循。2009 年 3 月，总政治部印发《关于加强非战争军事行动政治工作意见》，进一步拓宽了政治工作的服务保障领域和功能。全军涌现出北京军区某集团军防空旅、载人航天英雄集体、“科学发展好九连”和杨业功、华益慰、方永刚、龚曲此里、向南林等一大批先进集体和个人。

适应中国特色军事变革的要求，继续推进军队体制编制调整。2003 年 9 月，中共中央批准《2005 年前军队体制编制调整改革总体方案》，决定 2005 年前再裁减军队员额 20 万，军队总员额控制在 230 万以内。这次体制编制调整改革的任务是：压缩规模，改革体制，优化结构，调整编组，完善制度，从编成结构上提升军队战斗力。到 2005 年年底，圆满完成军队体制编制调整改革方案确定的任务，如期裁减员额 20 万。通过改革，强化了

① 胡锦涛：《胡锦涛文选》第三卷，人民出版社 2016 年版，第 459—460 页。
② 胡锦涛：《胡锦涛文选》第三卷，人民出版社 2016 年版，第 183 页。

军委总部战略管理功能，组建人民解放军战略规划部，将总参通信部改编为信息化部，将总参军训和兵种部改编为军训部。推进新型作战力量建设，调整优化各军兵种规模结构，改革部队编组模式，推动作战力量编成向精干、联合、多能、高效方向发展。

积极推进人才战略工程，人才培养工作持续健康发展。2003 年 8 月，中央军委颁发《实施军队人才战略工程规划》，部署实施军队人才战略工程。2011 年 4 月，中央军委颁发的《2020 年前军队人才发展规划纲要》，对未来 10 年军队人才建设和发展作出中长期战略规划，是在新的历史起点上推进军队人才建设科学发展的纲领性文件。中央军委还分别于 2009 年 7 月和 2011 年 4 月两次召开全军人才工作会议，大力推动和实施军队人才战略工程。2009 年，根据中央军委颁发的《深化士官制度改革方案》，全军和武警部队全面施行新的士官制度。这是自 1999 年士官制度改革后的又一次重大政策制度调整。

根据打赢信息化战争的要求，拓展和深化军事斗争准备，积极推进机械化条件下军事训练向信息化条件下军事训练转变，加强联合训练，推进军事训练改革创新。2006 年 6 月，全军军事训练会议作出《关于加强新世纪新阶段军事训练的决定》，对军事训练创新发展作出全面部署。此后，总参谋部颁发《关于加强复杂电磁环境下训练的意见》，2008 年颁发新的《军事训练与考核大纲》，2012 年 5 月颁发《基于信息系统集成训练指导纲要》，对信息化条件下军事训练进行具体规范和指导。全军成功组织了一系列重大联合战役、战术训练和演习。2007 年举行“砺剑—2007”复杂电磁环境下联合火力打击研究性演习。2009 年 8 月举行的“跨越—2009”演习，组织沈阳、兰州、济南、广州四大战区各一个师进行远程机动和对抗性演练，开启大规模跨区远程机动训练的序幕。在 2011 年 3 月召开的全军深化军事训练改革会议上，进行了一场信息化条件下网上对抗演练，分布在全国各地的十多个训练基地和全军数十个作战单位同台对抗。

坚持以信息化为方向，加快高新技术武器装备发展，加强现有武器装备改造和管理，切实推进机械化信息化复合发展和有机融合。基本建成以第二代为主体、第三代为骨干的武器装备体系，大批高新技术装备快速进入序列。陆军形成以直升机、装甲突击车辆、防空和压制武器为骨干的陆上作战装备体系；海军形成以新型潜艇、水面舰艇和对海攻击飞机为骨干的海上作战装备体系。2012 年 9 月，中国第一艘航空母舰“辽宁舰”正式交接入列，标志着我军武器装备建设取得重要进展；空军形成以新型作战飞机、地空导弹武器系统为骨干的制空作战装备体系；第二炮兵形成以中远程地地导弹为骨干的地地导弹装备体系。

深化联勤保障体制改革，全面建设现代后勤。继 2000 年以军区为基础的联勤改革后，2004 年 7 月 1 日起，在济南战区启动大联勤试点体制，为在全军推行三军一体化后勤保障体制摸索经验。2007 年 4 月 1 日起，大联勤体制编制在济南战区正式实行。随着基于信息系统的体系保障能力不断增强，后勤保障体制在实现三军联勤的基础上，正朝着三军一体化的改革目标稳步前进。在实行三军联勤体制改革的同时，后勤各项改革也稳步推进。加快军民融合，后勤保障社会化逐步推进。加大基础设施和边海防部队建设投入，提高军人工资津贴标准，完善住房、医疗、保险等保障，推广军人保障卡系统，换发新式军装，这些举措大大改善了部队训练、工作和生活条件，增强了官兵的荣誉感、自豪感。

为维护世界和平，与推动建设和谐世界重大战略思想相适应，军事外交服务国家政治安全和外交大局，取得积极成果。人民解放军同 150 多个国家开展军事交往，形成了全方位、多层次、宽领域的对外交往格局。通过适度开放部队营区和军事演习，定期发布国防白皮书，建立国防部新闻发言人制度，开通国防部网站，对外开放呈现新局面。人民解放军先后与 30 多个国家的军队举行了近 60 次双边和多边联合演习和训练。上海合作组织框架内联合反恐军事演习向机制化方向发展。从 2005 年开始，具有战略影响、战略层次的较大规模“和平使命”系列联合军事演习，震慑和打击了恐怖主义、分裂主义和极端主义势力，提高了上海合作组织成员国共同应对新挑战、新威胁的能力。人民解放军积极参加香格里拉对话、东盟地区论坛、东盟—中国、东盟—中日韩等机制下的地区防务对话与合作，对维护地区共同安全产生了积极影响。人民解放军积极参加国际人道主义援助、联合国维和行动以及赴亚丁湾、索马里海域护航等，展示了中国军队的过硬素质和良好形象。

非战争军事行动已成为和平时期军事力量运用的重要方式。21 世纪以后，人民解放军执行任务种类之多、用兵规模之大、出兵频率之高，是改革开放新时期少有的。人民解放军积极参加抗击非典、南方低温雨雪冰冻灾害、汶川和玉树地震、舟曲特大山洪泥石流灾害等抢险救灾行动，圆满完成庆祝中华人民共和国成立 60 周年首都阅兵，以及北京奥运会、上海世博会、广州亚运会安保支援等重大任务。2011 年 2 月至 3 月，因利比亚国内形势发生重大变化，中国政府分批组织中国在利比亚人员（包括港澳台同胞）35860 人安全有序撤离。人民解放军派出海军“徐州舰”和空军 4 架大型运输机，参加了这次新中国成立以来最大规模的撤离海外公民行动。军队还积极参加和支援地方经济建设，参加了西部大开发、社会主义新农村建设、地方基础设施重点工程和生态环境建设等重大工程和重要工作。全军和武警部队以专业工程部队为主，集中援建了三峡水利枢纽、兰（州）成（都）渝（重庆）输油管线、上海洋山深水港、大庆石油管线改造等 1000 余项重点工程。

中共十六大以后的 10 年时间里，党在领导国防和军队建设的实践中，积累了丰富的建军治军经验。主要是：坚持党对军队绝对领导的根本原则和制度，坚持把思想政治建设摆在全军各项建设首位，坚持以军事斗争准备为龙头带动军队现代化建设整体发展，坚持按照革命化、现代化、正规化相统一的原则加强军队全面建设，坚持把军事训练摆在战略位置来抓，坚持依靠科技进步提高军队建设质量，坚持依法治军、从严治军，坚持把改革创新作为军队建设发展的根本动力，坚持以人为本的建军治军理念，坚持走中国特色军民融合式发展路子。这些宝贵经验，既是新的实践的结晶，也是对我军长期坚持的光荣传统的继承和发展。

## 第二节 丰富“一国两制”实践和推进祖国统一

香港、澳门回归后，走上了同祖国内地优势互补、共同发展的宽广道路。以胡锦涛同志为总书记的党中央坚定不移贯彻“一国两制”、“港人治港”、“澳人治澳”、高度自治方针，严格按照宪法和特别行政区基本法办事，坚定支持特别行政区政府依法施政，香港、澳门两个特别行政区继续保持繁荣稳定，“一国两制”实践日益丰富。在对台工作中，中共中央牢牢把握两岸关系和平发展的主题，采取一系列有效举措，坚决反对和遏制“台独”分裂活动，引领两岸关系实现重大转折，开创了两岸关系和平发展的新局面。

### 一、丰富“一国两制”实践，促进香港、澳门繁荣稳定发展

香港、澳门回归祖国后，“一国两制”由科学构想变成了生动现实。如何把两个特别行政区管理好和建设好，保持其长期繁荣稳定，是新形势下中国共产党治国理政面临的一个新的重大课题，事关国家发展的全局和祖国和平统一大业的完成。

1997年香港回归后不久，就遇到了亚洲金融危机的冲击。2003年上半年，非典疫情肆虐香港，不仅危及香港同胞的生命健康，而且使尚未完全摆脱亚洲金融危机影响的香港经济雪上加霜，通货紧缩，市场萧条，失业率上升至8.7%。中央政府高度重视香港的经济发展和民生改善，全力支持香港应对各种困难和挑战。为保障香港同胞生命安全，帮助香港经济走出低迷，中央政府及时伸出援助之手。在内地同样急需抗疫医药物资的情况下，中央政府无偿向香港提供大批抗疫药品和器材。2003年6月29日，中央政府与香港特别行政区政府签署《内地与香港关于建立更紧密经贸关系的安排》（CEPA），确定了两地在货物贸易、服务贸易和贸易投资便利化三个领域的开放措施和实施目标。随后，又实施内地居民赴香港“个人游”

政策。这些都为香港摆脱非典冲击、恢复经济增长注入“强心剂”。2008 年国际金融危机爆发后，中央政府高度关注香港受到的影响，当年 12 月即推出支持香港经济金融稳定发展的 14 项政策措施。2009 年 1 月，中央政府再次推出包括中国人民银行与香港金融管理局签署 2000 亿元人民币货币互换协议在内的一系列政策举措。此后，国家领导人在访问香港期间又先后宣布多项支持香港发展经济、改善民生，加强与内地交流合作的政策措施。这对提振港人信心、增强抵御风险能力、刺激香港经济复苏发挥了积极作用。

香港是重要的国际金融、航运、贸易中心，是连接内地与国际市场的重要中介，是国家“引进来”“走出去”的双向服务平台。香港所具有的“一国两制”制度优势，以及自由开放的特色，对推进国家现代化建设发挥着内地城市难以替代的作用。香港回归后，中央政府高度重视香港在国家发展中的特殊作用，支持香港特别行政区巩固和提升竞争优势。支持香港开展个人人民币业务、发行人民币债券、开展跨境贸易人民币结算试点等，奠定了香港人民币离岸市场的先发优势。同时，继续鼓励内地企业在香港上市融资，并推出其他支持香港金融业发展的措施。此外，中央还积极支持和帮助内地港资企业转型升级。例如，2009 年，广东省出台 30 条支持港澳台资企业应对国际金融危机和加快转型升级的政策措施。

中央政府支持香港、澳门加强与内地各领域的交流合作。香港、澳门回归以后，中央政府把保持香港、澳门繁荣稳定作为国家整体发展战略的重要内容。“十五”计划、“十一五”规划纲要都明确提出要保持港澳的长期繁荣稳定。“十二五”规划纲要则首次将涉港澳内容单独成章，并进一步明确香港和澳门在国家发展中的战略地位，强调国家支持港澳巩固提升竞争力、支持港澳培育新兴产业、深化内地与港澳经济合作。为了加快粤港澳三地经济融合，2008 年年底，国务院批准实施《珠江三角洲地区改革发展规划纲要（2008—2020 年）》，把与港澳紧密合作的相关内容纳入规划。2010 年 4 月、2011 年 3 月，广东省分别与香港、澳门两个特别行政区签署粤港、粤澳合作框架协议。这两份协议，对于港澳与广东的合作发展有重要意义。此外，作为粤港澳合作的重点，中央政府还积极推进深圳前海、珠海横琴、广州南沙合作开发，促进粤港澳共同打造更具综合竞争力的世界级城市群和世界先进制造业、先进服务业基地。

中央政府还支持港澳与内地跨境基础设施建设和人员、货物通关便利化。2002 年，香港特区政府向中央政府提出修建港珠澳大桥的建议，经国务院批复同意，2009 年 12 月，大桥正式开工建设。港珠澳大桥全长近 50 公里，东接香港、西接珠海和澳门，是连接粤港澳三地的陆路运输通道。建设港珠澳大桥，对于进一步促进港澳与内地紧密合作与融合发展，保持香港、澳门长期繁荣稳定，具有重要意义。

在中央政府和祖国内地的大力支持下，通过特区政府和广大香港同胞努力奋进，香港克服了非典疫情、国际金融危机等带来的严重困难和挑战，维护了社会大局稳定，实现了经济复苏，各项事业取得长足进步。香港回归后，同祖国内地的交流合作不断深入，经贸合作更加紧密。香港从祖国得到更为强劲的支持，也为国家同世界各国进行经济、科技、文化交流发挥了重要纽带和桥梁作用。香港同胞不仅用自己的聪明才智和辛勤劳动实现了香港的发展，也为祖国现代化建设作出了重要贡献。香港继续保持自由港和国际金融、贸易、航运中心的地位，继续被公认为全球最自由开放的经济体和最具发展活力、营商环境最好的地区之一。香港这个国际经济大都市展现出新的勃勃生机。

当然，“一国两制”是一项开创性事业，对中央来说是治国理政的重大课题，对香港和香港同胞来说是重大历史转折。在香港特别行政区各项事业取得全面进步的同时，“一国两制”在香港的实践也遇到了新情况新问题，香港社会还有一些人没有完全适应这一重大历史转折，特别是对“一国两制”方针政策和基本法有模糊认识和片面理解。香港出现的一些政治制度发展问题上的不正确观点都与此有关。

早在 1990 年，《中华人民共和国香港特别行政区基本法》就明确规定了香港民主发展所应当遵循的原则，这就是：香港特别行政区的政治体制，要符合“一国两制”的原则，要从香港的法律地位和实际情况出发，以保障香港的繁荣稳定为目的。为此，必须兼顾社会各阶层的利益，有利于资本主义经济的发展；既保持原政治体制中行之有效的部分，又要循序渐进地逐步发展适合香港情况的民主制度。① 香港回归祖国后，中央政府坚决贯彻落实“一国两制”方针和基本法，支持香港特别行政区依法有序发展民主。按照基本法的规定，2002 年、2007 年，香港特别行政区分别选举产生了第二任、第三任行政长官，1998 年、2000 年、2004 年、2008 年分别选举产生了第一届、第二届、第三届、第四届立法会，民主成分不断增加。基本法规定的香港回归后前十年的选举安排得到全面落实，香港特别行政区民主得以成功实践。

2007 年 12 月 29 日，十届全国人大常委会第三十一次会议作出《关于香港特别行政区 2012 年行政长官和立法会产生办法及有关普选问题的决定》。根据该决定，2012 年第四任行政长官的具体产生办法和第五届立法会的具体产生办法可以作出适当修改；2017 年第五任行政长官的选举可以实行由普选产生的办法；在此之后，立法会的选举可以实行全部议员由普选产生的办法。② 全国人大常委会同意对 2012 年第四任行政长官和第五届立法会的产生办法作出适当修改，特别是明确实现“双普选”的时间表，把实行普选的时间节点确定在 2017 年这个“五十年不变”中期的前半段，充分彰显了中央政府落实基本法关于最终达至“双普选”目标的诚意。这是中央政府推动香港特别行政区民主向前发展的第二次重大努力。③ 其后，2012 年 3 月和 9 月，第四任行政长官和第五届立法会按照新的办法选举产生。对两个产生办法的修改，进一步增加了民主成分，充分体现了中央政府在香港特别行政区民主发展问题上的积极态度。

---

① 《香港政治体制要符合“一国两制”原则》，《人民日报》1990 年 3 月 29 日。

② 《全国人民代表大会常务委员会关于香港特别行政区 2012 年行政长官和立法会产生办法及有关普选问题的决定》，《人民日报》2007 年 12 月 30 日。

③ 中华人民共和国国务院新闻办公室：《“一国两制”下香港的民主发展》白皮书，《人民日报》2021 年 12 月 21 日。

然而，在香港政治体制发展过程中，不时有人试图歪曲甚至否定香港基本法和“一国两制”方针。在2003年后的一段时间里，围绕香港基本法第二十三条立法[①]、中央与香港特别行政区的关系、香港特别行政区行政长官和立法会的产生办法等问题，香港社会出现了少数人攻击、诋毁香港基本法和“一国两制”方针，甚至企图将香港特别行政区的内部事务国际化的问题。因此，要把“一国两制”在香港特别行政区的实践继续推向前进，必须从维护国家主权、安全和发展利益，保持香港长期繁荣稳定的根本宗旨出发，全面准确理解和贯彻“一国两制”方针。

2007年7月1日，胡锦涛主席出席庆祝香港回归祖国10周年大会暨香港特别行政区第三届政府就职典礼并发表讲话，从四个方面对香港实践“一国两制”的经验进行了总结。他强调：一是坚持全面准确理解和贯彻执行“一国两制”方针。他强调，“一国两制”是完整的概念。“一国”是“两制”的前提，没有“一国”就没有“两制”。“一国”和“两制”不能相互割裂，更不能相互对立。“一国”就是要维护中央依法享有的权力，维护国家主权、统一、安全。“两制”就是要保障香港特别行政区依法享有的高度自治权，支持行政长官和特别行政区政府依法施政。只有把以上两个方面都落到实处，“一国两制”的优越性才能充分发挥出来，给香港同胞带来实实在在的福祉。二是坚持严格按照基本法办事。要维护香港特别行政区基本法在香港的最高法律地位，严格依照基本法办事。香港特别行政区基本法关于香港政治体制的规定，符合香港的实际情况和香港特别行政区的法律地位。三是坚持集中精力发展经济、改善民生。只有经济不断发展，民生才能不断改善，社会才能保持稳定，适合香港实际情况的民主制度也才能顺利发展。四是坚持维护社会和谐稳定。维护社会和谐稳定是香港保持良好营商环境、发展经济、改善民生的基本要求，符合广大香港同胞根本

① 香港基本法第二十三条规定：“香港特别行政区应自行立法禁止任何叛国、分裂国家、煽动叛乱、颠覆中央人民政府及窃取国家机密的行为，禁止外国的政治性组织或团体在香港特别行政区进行政治活动，禁止香港特别行政区的政治性组织或团体与外国的政治性组织或团体建立联系。”完成这一立法任务，建立并完善特别行政区自身维护国家安全方面的制度，是香港特别行政区的宪制责任。

利益。只要香港各界人士秉持讲大局、讲团结、讲包容的社会共识，始终以香港整体利益和长远利益为重，以国家利益为重，理性沟通，求同存异，就没有解决不了的矛盾和弥合不了的分歧，就一定能够不断促进经济社会发展，共享发展成果。[①]这“四个坚持”，不仅是对过去10年经验的深刻总结，而且对于未来继续推进“一国两制”在香港的发展，具有重要指导意义。

澳门回归祖国后，在遭受非典疫情和国际金融危机冲击时，中央政府集中推出支持澳门发展经济、改善民生的政策措施，努力维护澳门经济发展和社会大局稳定。2003 年 10 月，中央政府与澳门特别行政区政府签署《内地与澳门关于建立更紧密经贸关系的安排》( CEPA )。澳门 CEPA 及其补充协议的实施，有力地促进了澳门与内地经济的融合，为澳门经济发展创造了更好条件，提供了更多机遇。从 2003 年下半年开始，中央政府逐步放开内地居民个人赴澳门旅游签注政策，为澳门的经济恢复和发展发挥了重要作用。此外，中央政府还支持澳门建设世界旅游休闲中心，支持澳门经济适度多元发展，扩大澳门人民币业务平盘及清算范围，支持横琴岛澳门大学新校区建设。为发挥澳门在联系中国与葡语国家关系方面的独特优势，从 2003 年至 2010 年，中央政府支持澳门特区政府连续举办三届中国—葡语国家经贸合作论坛部长级会议，不仅有效推动了中国与葡语国家之间的交流与合作，而且使澳门与葡语国家间的经贸关系得到加强。

在中央政府和祖国内地大力支持下，澳门特区政府带领澳门各界人士团结奋斗、务实进取，努力克服发展进程中遇到的种种困难，保持澳门繁荣稳定，各项事业取得长足进步，使澳门这座历史悠久的商埠名城焕发出新的蓬勃生机。2009 年年初，澳门基本法第二十三条立法顺利完成，履行了澳门特别行政区的宪制责任，充分体现了澳门对维护国家安全和利益的高度责任感，也为澳门长治久安提供了坚实保障。“一国两制”在澳门的成功实践，为澳门发展谱写出新的辉煌篇章，为国家发展增添了夺目光彩。

---

① 胡锦涛：《胡锦涛文选》第二卷，人民出版社 2016 年版，第 592—594 页。

2009 年 12 月 20 日，胡锦涛主席出席庆祝澳门回归祖国 10 周年大会暨澳门特别行政区第三届政府就职典礼，高度评价澳门回归祖国 10 年来取得的成就，深刻总结“一国两制”在澳门成功实践的启示：必须全面准确理解和贯彻“一国两制”方针；必须严格依照澳门基本法办事；必须集中精力推动发展；必须坚持维护社会和谐稳定；必须着力培养各类人才。[①]

实践充分证明，“一国两制”在香港和澳门特别行政区的实践，取得了举世公认的成功。“一国两制”不仅是解决历史遗留的香港、澳门问题的最佳方案，也是香港和澳门回归后保持长期繁荣稳定的最佳制度安排。

“一国两制”事业是香港、澳门特别行政区和祖国内地共同发展繁荣的事业，也是中华民族伟大复兴事业的重要组成部分。在继续推进“一国两制”事业的新征程上，既要坚持全面准确地理解和贯彻“一国两制”方针，确保“一国两制”实践沿着正确的轨道前进，又要积极有效应对香港、澳门在发展中面临的困难和挑战。面对内外经济环境的深刻变化，香港、澳门需要不断提升竞争力；香港、澳门长期积累的一些深层次矛盾日益突出，需要社会各界群策群力共同化解；香港、澳门与内地交流合作不断深入，需要加强彼此间的沟通协调，妥善处理民众关切。同时，还要始终警惕外部势力利用港澳干预中国内政的图谋，防范和遏制极少数人勾结外部势力干扰破坏“一国两制”的实施。研究解决好这些问题，深化“一国两制”在两个特别行政区的实践，必将进一步彰显“一国两制”的强大生命力。

## 二、促进两岸关系和平发展

解决台湾问题，实现祖国完全统一，是全体中华儿女的共同愿望，是中国共产党矢志不渝的历史任务。中国共产党、中国政府和中国人民为此进行了长期不懈的努力。

---

① 胡锦涛：《胡锦涛文选》第二卷，人民出版社 2016 年版，第 288—290 页。

进入21世纪，台海形势发生重大变化。2000年3月，民进党候选人陈水扁在台湾地区领导人选举中获胜。台湾地区出现政党轮替，中国国民党在台湾长期一党“执政”的历史终结。这是1949年以来台湾政局发生的最重大变化。此后，陈水扁当局顽固坚持“台独”分裂立场，加紧推行分裂活动，使台海局势日趋严重。2004年3月，陈水扁再次当选台湾地区领导人。陈水扁连任后，台湾当局全面推行“去中国化”，陆续抛出了一些更加明目张胆的“台独”主张。他们宣称“中华民国就是台湾，台湾就是中华民国”，“台湾的主权属于二千三百万的台湾人民”，“我们国家的面积只有三万六千平方公里”，“中华人民共和国是另外一国”，“今后要用台湾名义申请加入联合国”。这些主张几乎涵盖了国号、领土、主权等改变台湾地位的所有方面。台湾当局大肆宣扬“台独”分裂主张，误导台湾民众，致使相当一部分台湾民众对民族、国家的认同和对台湾地位的认识产生严重混乱。台湾当局还加强研发和大量购买先进武器，强化与美国的军事关系，公然提出“先发制人、先制攻击”的所谓“双先战略”，妄图以武拒统、以武谋“独”。① 在各种“台独”分裂活动中，最危险的就是“台独”分裂势力图谋通过“宪政改造”，以所谓“宪法”和“法律”的形式把台湾从中国分割出去。各种“台独”分裂势力搞分裂、搞“台独”的冒险活动，日益成为两岸关系发展和祖国和平统一的最大障碍，成为台湾海峡地区和平稳定的最大威胁，如不予以坚决反对和遏制，势必严重威胁国家主权和领土完整，断送两岸和平统一前景，危害中华民族根本利益。

根据两岸关系和台湾局势的变化，2004年7月16日，胡锦涛在中央对台工作会议上，明确提出了新形势下对台工作的指导原则和基本思路。他强调，必须把反对和遏制“台独”作为首要任务，要综合运用政治、经济、法律、文化、外交等力量和必要的军事手段，团结岛内各种反对“台独”力量，坚决挫败“台独”分裂图谋，维护国家主权和领土完整，维护两岸关系基本稳定，维护重要战略机遇期，为早日解决台湾问题创造条件。② 在

① 胡锦涛：《胡锦涛文选》第二卷，人民出版社2016年版，第253页。
② 胡锦涛：《胡锦涛文选》第二卷，人民出版社2016年版，第202页。

这次讲话中，胡锦涛着重阐述了必须正确认识和妥善处理的两个重要问题：一是正确认识和处理尽最大努力实现和平统一和绝不承诺放弃使用武力的关系。解决台湾问题，我们的基本方针仍然是“和平统一、一国两制”，同时绝不承诺放弃使用武力。我们愿意为和平解决台湾问题尽最大努力，但能否和平解决并不完全取决于我们。如果“台独”分裂势力胆敢发动重大“台独”事变，我们就必须采取断然措施，坚决维护国家主权和领土完整。尽管这样做会使我们改革开放和现代化建设的进程受到一些影响，但在维护国家主权和领土完整这个重大原则问题上，我们别无选择，必须义无反顾采取行动。二是正确认识和处理做台湾人民工作和遏制“台独”的关系。解决台湾问题，不仅要切实维护国家主权和领土完整，实现祖国统一，而且要争取台湾民心回归。2300 万台湾同胞是我们的手足兄弟，是发展两岸关系的重要力量，也是遏制“台独”分裂势力的重要力量。必须加大做台湾人民工作力度，抓好争取台湾民心这一战略任务，切实削弱“台独”分裂势力及其分裂活动的社会基础。[①] 讲话中，胡锦涛强调，解决台湾问题，说到底是两岸实力综合较量的过程，最根本的基础是我综合国力不断壮大。只要不发生重大“台独”事变，我们就要坚持和平统一的正确方向，坚决打击和遏制“台独”分裂活动，着力保持台海局势和平稳定，以抓住本世纪头 20 年的重要战略机遇期，集中精力进行现代化建设，不断增强经济实力、国防实力、民族凝聚力，为最终解决台湾问题进一步积聚力量，增强战略优势。[②]

2005 年 3 月 4 日，胡锦涛参加全国政协十届三次会议民革、台盟、台联界委员联组讨论，就新形势下发展两岸关系提出了四点意见：第一，坚持一个中国原则决不动摇。坚持一个中国原则，是发展两岸关系和实现祖国和平统一的基石。1949 年以来，尽管两岸尚未统一，但大陆和台湾同属一个中国的事实从未改变。对于台湾任何人、任何政党，只要承认一个中国原则，承认“九二共识”，我们都愿意同他们谈发展两岸关系、促进和平

① 胡锦涛：《胡锦涛文选》第二卷，人民出版社 2016 年版，第 198—200 页。
② 胡锦涛：《胡锦涛文选》第二卷，人民出版社 2016 年版，第 201 页。

统一的问题。第二，争取和平统一的努力决不放弃。和平解决台湾问题、实现祖国和平统一，符合两岸同胞根本利益，符合中华民族根本利益，也符合当今世界和平与发展潮流。这是我们始终坚持为实现和平统一而不懈努力的根本原因。和平统一，不是一方吃掉另一方，而是平等协商、共议统一。只要和平统一还有一线希望，我们就会进行百倍努力。第三，贯彻寄希望于台湾人民的方针决不改变。台湾同胞是我们的骨肉兄弟，是发展两岸关系的重要力量，也是遏制“台独”分裂活动的重要力量。只要是对台湾同胞有利的事情，只要是对促进两岸交流有利的事情，只要是对维护台海地区和平有利的事情，只要是对祖国和平统一有利的事情，我们都会尽最大努力去做，并且一定努力做好。第四，反对“台独”分裂活动决不妥协。维护国家主权和领土完整，是国家核心利益。任何人要危害中国主权和领土完整，13 亿中国人民坚决不答应。在反对分裂国家这个重大原则问题上，我们决不会有丝毫犹豫、含糊、退让。“台独”分裂势力必须放弃“台独”分裂立场，停止一切“台独”活动。①这四个“决不”的主张，阐明了对台工作的战略基点，在海峡两岸和国际社会产生重大反响，受到普遍欢迎和高度评价。

为了反对和遏制“台独”分裂势力分裂国家，促进祖国和平统一，维护台湾海峡地区和平稳定，维护国家主权和领土完整，维护中华民族根本利益，2005 年 3 月 14 日，十届全国人大三次会议通过《反分裂国家法》。《反分裂国家法》明确规定：世界上只有一个中国，大陆和台湾同属一个中国，中国的主权和领土完整不容分割。台湾是中国的一部分。国家绝不允许“台独”分裂势力以任何名义、任何方式把台湾从中国分裂出去；坚持一个中国原则，是实现祖国和平统一的基础。国家以最大的诚意，尽最大的努力，实现和平统一。国家和平统一后，台湾可以实行不同于大陆的制度，高度自治；“台独”分裂势力以任何名义、任何方式造成台湾从中国分裂出去的事实，或者发生将会导致台湾从中国分裂出去的重大事变，或者

① 胡锦涛：《胡锦涛文选》第二卷，人民出版社 2016 年版，第 301—304 页。

和平统一的可能性完全丧失，国家得采取非和平方式及其他必要措施，捍卫国家主权和领土完整。[①]《反分裂国家法》将党和国家关于解决台湾问题的大政方针法律化，充分表达了坚持和平统一的一贯立场和最大诚意，同时表明了全体中国人民坚决反对“台独”、捍卫国家主权和领土完整的共同意志和坚定决心，为“反独遏独”、推进两岸关系发展与祖国和平统一提供了法律依据，具有重大的现实作用和深远的历史影响。

这个时期，具有重要意义的是在中共中央的推动下，经过多方努力，两岸政党交流成功开启。2005年4月26日至5月3日，中国国民党主席连战受邀率团访问大陆。4月29日，胡锦涛与连战在北京举行会谈，实现了60年来中国共产党和中国国民党主要领导人之间的第一次历史性握手。胡锦涛指出，为了中华民族根本利益和两岸同胞福祉，基于认同“九二共识”、反对“台独”，共同致力于维护台海和平稳定，促进两岸关系发展，谋求中华民族伟大复兴，这是我们两党在新的时代背景下交往的政治基础，也是我们共同的主张。这符合两岸同胞期待，也顺应中国和世界发展潮流。[②]会谈中，胡锦涛就两党共同促进两岸关系改善和发展提出四点建议：一是建立政治上的互信，相互尊重，求同存异。二是加强经济上的交流合作，互利互惠，共同发展。三是开展平等协商，加强沟通，扩大共识。四是鼓励两岸民众加强交往，增进了解，融合亲情。[③]会谈结束后，胡锦涛与连战共同发表《两岸和平发展共同愿景》，国共两党达成一系列共识，包括促进尽速恢复两岸谈判，共谋两岸人民福祉；促进终止敌对状态，达成和平协议；促进两岸经济全面交流，建立两岸经济合作机制；促进协商台湾民众关心的参与国际活动的问题；建立两党定期沟通平台。这次60年来国共两党主要领导人的首次会谈，对于恢复国共两党关系具有开创性意义，对于开通中国共产党与台湾其他党派的往来具有引领作用。

---

① 中共中央文献研究室编《十六大以来重要文献选编》（中），中央文献出版社2011年版，第828—829页。

② 胡锦涛：《胡锦涛文选》第二卷，人民出版社2016年版，第307页。

③ 胡锦涛：《胡锦涛文选》第二卷，人民出版社2016年版，第310—313页。

此后，台湾亲民党主席宋楚瑜、新党主席郁慕明相继率团访问大陆。胡锦涛分别同他们会见、会谈，共同发表公报，达成坚持“九二共识”、反对“台独”、谋求台海和平稳定、促进两岸关系发展等多项共识。

在党际交往取得历史性突破的形势下，两岸的经济文化交流和人员往来进一步加强。根据国共两党领导人关于建立定期沟通平台的倡议，2006 年 4 月，中国共产党和中国国民党共同举办首届两岸经贸论坛。10 月，共同举办两岸农业合作论坛。从 2007 年开始，此类论坛统一命名为“两岸经贸文化论坛”，到 2012 年 7 月共举办八届。通过论坛平台，大陆方面推出多项促进两岸交流合作、惠及广大台湾同胞的政策措施。这些政策措施，包括便利台湾同胞往来大陆及在大陆居留、就业、就学、就医，对台湾农渔民向大陆销售部分水果、蔬菜、水产品提供优惠，扩大两岸农业交流，缓解台资企业投融资困难，以及开放大陆居民赴台旅游等，饱含着对台湾同胞的深情厚谊，受到台湾同胞的普遍欢迎。

两岸政党的广泛交流与合作，进一步打开了遏制“台独”分裂活动、促进两岸关系发展的新局面。台湾陈水扁当局借推动“宪改”和“入联公投”等谋求“台湾法理独立”的图谋，一次次被挫败。2008 年 3 月，在台湾地区举行的选举中，顽固坚持“台独”立场的民进党下台，国民党重新上台。这表明，台湾岛内政局发生了重大而积极的变化，两岸关系发展出现了难得的历史机遇。

在台湾局势发生重大积极变化的新形势下，中共中央作出了开创两岸关系和平发展新局面的决策部署。国共两党和两岸双方本着“建立互信、搁置争议、求同存异、共创双赢”的精神，根据先易后难、循序渐进的基本思路，着眼于两岸民众的现实需要，从解决紧迫的问题着手，从可能突破的领域做起，共同致力于两岸关系改善与发展。2008 年 6 月，海协会与台湾海基会在“九二共识”基础上恢复了中断 9 年多的制度化协商。11 月，海协会代表团首次赴台商谈，两会领导人会晤由过去借重国际场合、单项登陆迈向两岸轮流、双向互访的新阶段。12 月，两岸空运直航、海运直航和直接通邮正式启动，两岸同胞期盼30年之久的全面直接双向“三通”[①]得以实现。时隔不久，大熊猫“团团”“圆圆”运抵台湾，带去13亿大陆同胞的祝愿，增进了两岸民众的感情。

2008年12月31日，胡锦涛在纪念《告台湾同胞书》发表30周年座谈会上发表讲话，首次全面系统地阐述了两岸关系和平发展重要思想。他指出，争取祖国和平统一首先要确保两岸关系和平发展。要牢牢把握两岸关系和平发展的主题，积极推动两岸关系和平发展。把坚持大陆和台湾同属一个中国作为推动两岸关系和平发展的政治基础，把深化交流合作、推进协商谈判作为推动两岸关系和平发展的重要途径，把促进两岸同胞团结奋斗作为推动两岸关系和平发展的强大动力，携手共进，勠力同心，努力开创两岸关系和平发展新局面。[②]在讲话中，胡锦涛提出推动两岸关系和平发展的六点主张：第一，恪守一个中国，增进政治互信；第二，推进经济合作，促进共同发展；第三，弘扬中华文化，加强精神纽带；第四，加强人员往来，扩大各界交流；第五，维护国家主权，协商涉外事务；第六，结束敌对状态，达成和平协议。[③]这六点主张，揭示了祖国和平统一与两岸关系和平发展之间的内在联系和辩证统一关系，指明了推动两岸关系和平发展是实现和平统一的必由之路，对推动两岸关系发展具有重要指导意义。

在两岸双方的共同努力下，两岸关系呈现出和平发展的良好势头。为了加强两岸经济合作，共同应对国际金融危机冲击，大陆组织大型赴台采购活动，启动大陆企业赴台投资等，两岸经贸关系更加密切。同时，两岸制度化协商谈判稳步推进并取得丰硕成果，到2012年8月，海协会与台湾海基会共举行8次会谈，签署18项协议，解决了事关两岸同胞切身利益的一系列实际问题。特别是2010年6月《海峡两岸经济合作框架协议》（ECFA）的签署实施，启动了两岸经济一体化进程。与此同时，两岸同胞的交流交

---

① “三通”，指台湾海峡两岸之间通航、通邮、通商。1979年1月1日，全国人大常委会发表《告台湾同胞书》，首次提出双方通航、通邮和发展贸易、互通有无的主张，后称之为“三通”。

② 胡锦涛：《胡锦涛文选》第三卷，人民出版社2016年版，第190页。

③ 胡锦涛：《胡锦涛文选》第三卷，人民出版社2016年版，第190—193页。

往遍及社会各界各领域，文化教育交流更加活跃，基层民众交流方兴未艾。从 2009 年开始，大陆每年举办一届海峡论坛，成为两岸民间交流规模最大、台湾基层民众参与最多的盛会。2011 年 6 月，大陆居民赴台个人旅游启动，大陆游客迅速成为台湾旅游业第一大客源。文化交流方面，2011 年 6 月，有着“画中兰亭”之誉的《富春山居图》历经劫波终相聚，分隔两岸 62 年后在台北合璧展出。这个时期，两岸人民往来规模迅速扩大，2012 年达到 797 万人次。可以说，全方位、宽领域、多层次的两岸大交流局面已经形成。越来越多的两岸民众投身两岸大交流大合作的潮流，越来越多的台湾同胞增强了促进两岸关系和平发展的热情与信心，海峡两岸同胞的联系更加紧密、感情更加贴近、利益更加融洽。两岸关系开创了和平发展的新局面，焕发出蓬勃的生机和活力。

这个时期，中国政府还妥善处理了台湾参加世界卫生大会、亚太经合组织领导人非正式会议等涉台“外交”问题，减少了两岸在涉外事务领域的摩擦。祖国关心台湾同胞在海外的经济、民生、安全问题，在协助处理台胞涉外纠纷等事务中切实维护台胞的合法权益，照顾台胞福祉。这一系列举措，既获得了台湾岛内民众的欢迎和赞誉，又巩固了国际社会一个中国的格局，为两岸关系的和平发展增添了积极因素。

一水之隔、咫尺天涯，两岸迄今尚未完全统一是历史遗留给中华民族的创伤。“统则强、分必乱”，这是一条历史规律。在中华民族五千多年的发展进程中，追求统一、反对分裂始终是全民族的主流价值观，这一价值观早已深深融入整个中华民族的精神血脉。两岸关系和平发展是人心所向、大势所趋，两岸统一是中华民族走向伟大复兴的历史必然。从根本上说，决定两岸关系走向、实现祖国完全统一的关键因素，在于祖国大陆的不断发展进步。经过改革开放 40 多年的发展，大陆的面貌已发生历史性变化，中国与世界的关系已发生历史性转折，这是促进两岸关系和平发展的坚实基础和根本保障。全党全社会的支持和参与，也日益为对台工作增添更强大的力量。虽然两岸关系和平发展的进程不会一帆风顺，前进道路上还将遇到各种困难和挑战，但随着大陆综合实力的进一步增强，我们更有条件、更有信心、更有能力不断巩固和深化两岸关系和平发展，并为最终实现国家完全统一奠定更坚实的基础。祖国统一的历史车轮滚滚向前，只要包括两岸同胞在内的所有中华儿女同心同德、团结奋斗，就一定能够汇聚起促进祖国统一和民族复兴的磅礴伟力，祖国完全统一的历史任务一定能够实现！

## 第三节　坚持和平发展合作

改革开放以后，中国经济社会发展取得巨大成就，综合国力不断增强，在地区和世界事务中的影响力不断增大，进一步发展的潜力和势头不可阻挡。与此同时，作为一个拥有 13 亿人口并坚持走社会主义道路的发展中大国，中国通过什么方式和途径实现发展，对国际社会承担什么样的责任，也引起世界的普遍关注，并由此产生了所谓“中国威胁论”“中国崩溃论”“中国输出通缩论”“人民币升值论”等歪曲和诋毁中国发展的论调。在这种情况下，如何紧密结合国际形势新特点和中国国际地位的新变化，对我国国际战略和对外方针等重大问题进行创新，以向国际社会阐明中国发展的性质和走向，消除对中国发展前景的臆测，成为进入 21 世纪后党在外交上面临并急需回答的一个重大问题。对此，中国共产党和中国政府向世界郑重宣告，中国始终不渝走和平发展道路，并提出了推动建设持久和平、共同繁荣的和谐世界的主张。

2003 年 5 月 28 日，胡锦涛访问俄罗斯期间在莫斯科国际关系学院演讲时，明确指出：中国发展关乎中国各族人民根本利益，也同世界和平与发展事业紧密相关。中国一贯奉行独立自主的和平外交政策，愿同世界各国人民开展友好交往和各领域的合作。即使今后富强了，中国也将永远不称霸，永远不搞扩张，永远做维护世界和平、促进共同发展的坚定力量。[1]2005 年 11 月 9 日，在访问英国期间发表演讲时，胡锦涛再次明确表示：中国选择和坚持的是和平发展道路，中国的发展是和平的发展、开放的发展、合作的发展。坚持走和平发展道路，就是既通过争取和平国际环境来发展自己，又通过自己的发展来促进世界和平，永远做维护世界和平、促进共同发展的坚定力量。中国将主要依靠自身力量和改革创新来实现发展，同时坚持对外开放的基本国策，在平等互利的基础上同世界各国开展交流合作，努力实现互利共赢。[2]2006 年 8 月 21 日，在中央外事工作会议上，胡锦涛深刻分析国际形势的发展变化，对坚持走和平发展道路进行了更加全面、系统的阐述。他指出：“坚持走和平发展道路，是中国特色社会主义的本质要求，是我国独立自主的和平外交政策的应有之义，符合我们党和国家一贯坚持的对外大政方针，符合我国人民根本利益，符合中华民族爱好和平的历史文化传统，符合人类进步的时代潮流。坚持走和平发展道路，也是我们在深刻把握时代特征和基本国情，研究借鉴世界发展史特别是大国兴衰史的经验教训的基础上，对国家发展道路和对外战略作出的正确选择，是实现我国发展战略目标的正确途径。”对于实现和平发展，他提出了“三个必须”的要求：必须切实把我们自己的事情办好，着力发展我国社会生产力、提高我国综合国力，不断增强和平发展实力，夯实和平发展基础；必须坚持独立自主的和平外交政策，积极营造和平稳定的国际环境、睦邻友好的周边环境、平等互利的合作环境、互信协作的安全环境、客观友善的舆论环境；必须把我国发展放在世界发展大局中加以筹划，妥善处理同外部世界的利益关系，以合作谋和平，以合作促发展，以合作解争端。[3]

中国走和平发展道路，就是要把中国的国内发展与对外开放统一起来，把中国的发展与世界的发展联系起来，把中国人民的根本利益与世界人民的共同利益结合起来。它立足中国，放眼世界，是我国国际战略和国家发

---

① 胡锦涛：《胡锦涛文选》第二卷，人民出版社 2016 年版，第 49 页。

② 胡锦涛：《胡锦涛文选》第二卷，人民出版社 2016 年版，第 381 页。

③ 胡锦涛：《胡锦涛文选》第二卷，人民出版社 2016 年版，第 511—512 页。

展战略的高度概括。进入21世纪，和平与发展仍是时代主题。维护和平，促进发展，推动合作，是各国人民的共同愿望，也是不可阻挡的历史潮流。世界多极化、经济全球化深入发展，文化多样化、社会信息化持续推进，给世界的和平与发展带来了机遇和有利条件。但与此同时，国际环境复杂多变，影响和平和发展的不稳定不确定因素也在发展。不公正不合理的国际政治经济旧秩序并没有根本改变。传统安全威胁和非传统安全威胁的因素相互交织，恐怖主义危害上升。霸权主义和强权政治有新的表现，民族、宗教矛盾和边界、领土争端导致的局部冲突时起时伏，南北差距进一步扩大。世界还很不安宁，人类面临着许多严峻挑战。面对国际风云变幻，推动建设一个什么样的世界，是关系我国实现和平发展的大问题，也是关系世界格局和国际秩序的大问题。以胡锦涛同志为总书记的党中央科学总结我国对外交往的实践经验，创造性地提出了建设和谐世界的主张。

2005年4月22日，胡锦涛出席在印度尼西亚首都雅加达举行的亚非峰会，首次提出“和谐世界”的理念。他指出，亚非国家应“倡导开放包容精神，尊重文明、宗教、价值观的多样性，尊重各国选择社会制度和发展模式的自主权，推动不同文明友好相处、平等对话、发展繁荣，共同构建一个和谐世界”①。7月1日，中俄首脑将“和谐世界”的表述写入《中俄关于21世纪国际秩序的联合声明》，“和谐世界”第一次被确认为国与国之间的共识。9月15日，胡锦涛在联合国成立60周年首脑会议上发表题为《努力建设持久和平、共同繁荣的和谐世界》的讲话，阐述了建设和谐世界的主张。2006年8月21日，在中央外事工作会议上，胡锦涛对“为什么要推动建设和谐世界”“怎样推动建设和谐世界”进行了更加全面、系统的阐述。他说：“我们提出推动建设持久和平、共同繁荣的和谐世界，同推动建立公正合理的国际政治经济新秩序实质上是一致的。推动建设和谐世界，是我们坚持走和平发展道路的必然要求，也是我们实现和平发展的重要条件。我们要走和平发展道路，需要和谐的对外关系和稳定的外部环境，只

① 胡锦涛：《与时俱进　继往开来　构筑亚非新型战略伙伴关系》，《人民日报》2005年4月23日。

有在相对安宁的国际环境中我们才能实现和平发展。同时，我们要以实际行动向世界表明，中国的发展对世界是机遇和贡献而不是挑战、更不是威胁，中国始终是维护世界和平、促进共同发展的建设性力量。”他提出，“为了推动建设和谐世界，政治上，我们要致力于同各国相互尊重、扩大共识、和谐相处，坚持和倡导和平共处五项原则，维护联合国及其宪章权威和作用，主张恪守国际法和公认的国际关系准则，尊重各国人民自主选择社会制度和发展道路的权利，坚持各国平等参与国际事务，积极倡导多边主义，促进国际关系民主化，反对霸权主义和强权政治。经济上，我们要致力于同各国深化合作、共同发展、互利共赢，推动共享经济全球化和科技进步的成果，促进世界普遍繁荣。文化上，我们要致力于促进不同文明加强交流、增进了解、相互促进，倡导世界多样性，推动不同文明在竞争比较中取长补短、在求同存异中共同发展，推动人类文明发展进步。安全上，我们要致力于同各国加深互信、加强对话、增强合作，共同应对人类面临的各种全球性问题，促进和平解决国际争端，维护世界和地区安全稳定”①。

需要指出的是，推动建设和谐世界并不是只讲一团和气，不讲斗争。关于这一点，胡锦涛特别强调，在推动建设和谐世界的同时，也要看到，国际社会存在着复杂矛盾和尖锐斗争，这是不以我们的意志为转移的。和谐需要通过对话和合作来创造，也需要通过必要的斗争来推进。“对于损害我国主权、安全、发展利益的行径，对于损害世界各国人民共同利益的行径，必须坚持原则，坚决斗争。”②2007 年 10 月，中共十七大提出“推动建设持久和平、共同繁荣的和谐世界”，推动建设和谐世界在党的代表大会文件中得到确认。2012 年，中共十八大报告重申了这一主张。

推动建设和谐世界的主张，是中国共产党历来所倡导的世界秩序观的继承和发展，是新世纪新阶段中国对外战略思想和对外政策的集中体现。从提出科学发展观、在国内构建和谐社会，到坚持走和平发展道路、在国

① 胡锦涛：《胡锦涛文选》第二卷，人民出版社 2016 年版，第 515—517 页。
② 胡锦涛：《胡锦涛文选》第二卷，人民出版社 2016 年版，第 517 页。

际上推动建设和谐世界，清晰地展现了以胡锦涛同志为总书记的党中央立足国内国际两个大局，统筹内政外交两个方面，善于把握发展方向、掌握发展全局的宽广眼界和战略思维，同时也向国际社会传递了中国渴望和平发展、始终是负责任大国的积极信息，展示了中国愿与世界各国共同致力建设持久和平、共同繁荣的和谐世界的坚定决心。

为推动建设和谐世界，中国坚持独立自主的和平外交政策，提出了“大国是关键、周边是首要、发展中国家是基础、多边是重要舞台”的总体布局，积极开展一系列富有成效的外交活动。

这个时期，中国同主要大国的关系保持稳定并有所发展。中美关系总体上保持稳定和发展，双方各层次对话与交往密切，增进了相互理解和信任。两国在经济、科技、反恐、防扩散、地区安全等领域的对话与合作有所加强。2011 年 1 月，胡锦涛应邀对美国进行国事访问，两国发表《中美联合声明》，确认中美双方将共同努力建设相互尊重、互利共赢的中美合作伙伴关系。中俄之间战略协作伙伴关系继续深化，两国在政治、经济、军事、能源等领域的互利合作不断加强，在国际和地区问题上密切配合、协作，共同推动多边主义和国际关系民主化。2004 年 10 月，中俄签署《关于中俄国界东段的补充协定》。2005 年 6 月，互换补充协定批准书。2008 年 10 月，两国外交部通过换文确认《关于中俄国界线东段补充叙述议定书》及其附件正式生效，中俄历史遗留的边界问题得到解决。中国同欧盟和欧洲大国合作进一步加强。中欧全面战略伙伴关系的内涵不断充实，中国与欧盟及其成员国保持密切的高层往来。中欧在经济、文化、科技、教育、环保等领域的交流与合作保持蓬勃发展的势头。中日关系在曲折中发展，两国在政治层面保持交往和接触，经贸合作继续推进。2008 年 5 月，胡锦涛访问日本，两国领导人共同发表《中日关于全面推进战略互惠关系的联合声明》，这是中日之间自 1998 年《中日联合宣言》以来又一个重要政治文件。2012 年 9 月，日本政府宣布“购买”钓鱼岛及其附属岛屿，实施所谓“国有化”，中国政府与日方进行坚决斗争，发表了《中华人民共和国政府关于钓鱼岛及其附属岛屿领海基线的声明》和《钓鱼岛是中国的固有领土》白皮书，并通过常态化执法巡航等措施，对钓鱼岛及其附近海域实施管理，坚决捍卫国家主权。中国还同各主要大国启动了战略对话磋商机制，定期对各自关切的现实和长远问题交换意见，探寻解决办法。这一机制成为联系和稳定中国同各主要大国双边关系的纽带。

中国同周边国家的睦邻友好合作关系进一步扩大和深化。中国同几乎所有周边国家实现高层互访和交流，增加了同周边国家的政治互信，深化了各领域互利合作。中国稳步推动东南亚国家联盟（简称东盟）与中国（10+1）领导人会议、东盟与中日韩（10+3）领导人会议、中日韩合作、上海合作组织、亚太经合组织、东亚峰会、南亚区域合作联盟（简称南盟）等区域合作进程，促进地区国家共同发展。2007年，上海合作组织（简称“上合组织”）各成员国缔结长期睦邻友好合作条约，上合组织合作更加务实。中国深化同中亚国家务实合作，加大对中亚国家信贷支持，2009年年底中国—中亚天然气管道竣工通气。中国同南亚国家的关系进入新阶段。2005年4月，中国同孟加拉国、斯里兰卡、印度等邻国宣布确立战略合作伙伴关系或全面合作伙伴关系，中印两国还签署《中华人民共和国政府和印度共和国政府关于解决边界问题政治指导原则的协定》，为双方解决边界问题奠定了基础。中国巩固同朝鲜、越南、老挝、巴基斯坦等国的传统友谊，推进睦邻友好合作。中国坚持维权维稳相统一，妥善处理有争议的问题。2002年11月，中国同东盟签署《南海各方行为宣言》。这一宣言是中国与东盟签署的第一份有关南海问题的政治文件，为相关国家在南海开展务实合作和共同开发奠定了重要政治基础。2003年10月8日，中国正式加入《东南亚友好合作条约》，并同东盟建立面向和平与繁荣的战略伙伴关系。2010年1月，“中国—东盟自由贸易区”全面建成，中国与东盟实现货物自由化，许多产品享受零关税待遇，世界上近1/3人口得到实惠。

中国同发展中国家的团结合作取得重要进展。2005年4月，在印尼举行的亚非峰会上，胡锦涛发表讲话，全面阐述与亚非国家合作共赢的明确立场，强调政治上相互尊重、相互支持；经济上优势互补、互利共赢；文化上相互借鉴、取长补短；安全上平等互信、对话协作。2006 年 1 月，中国政府发表《中国对非洲政策文件》。同年 11 月，中非合作论坛北京峰会举行，峰会宣言郑重宣示建立中非新型战略伙伴关系。这在当时是新中国外交史上主办规模最大、与会外国领导人最多的一次国际会议。中国对发展中国家提供力所能及的援助。2010 年，中国与阿拉伯国家在中阿合作论坛第四届部长级会议上宣布在论坛框架下建立"全面合作、共同发展"的中阿战略合作关系，将中阿整体关系提升到新水平。进入 21 世纪，中国与拉美国家和加勒比国家关系实现跨越式发展，双方高层交往空前密切，经贸合作成果丰硕，初步形成了全方位、多层次、跨领域的合作格局。2008 年 11 月，中国政府发表《中国对拉丁美洲和加勒比政策文件》，提出中国将致力于同上述地区国家建立和发展平等互利、共同发展的全面合作伙伴关系，得到拉方积极响应，为双方关系未来发展指明了方向。中国与广大发展中国家的团结合作不断加强，有效拓展了国际合作空间。

中国通过多边舞台积极参与国际事务。中国更加全面、深入地参与以联合国为重点的国际组织多边活动，发挥了重要作用。在国际和地区事务中，中国坚持维护联合国及安理会权威，积极承担应尽国际责任，参与多边机制建设和联合国改革进程，积极参与国际宏观经济政策协调，努力促进经济全球化和区域经济一体化，在世界重大经济问题上的观点和态度引起各国关注。在气候变化、粮食安全、核不扩散、安全反恐、公共卫生、减少贫困等事关人类前途命运的全球性问题上，在朝鲜半岛无核化、伊朗核问题、达尔富尔问题等地区热点问题的处置上，中国都积极参与，推动妥善解决，发挥独特的建设性作用。中国认真履行国际责任和义务，支持并积极参加联合国维和行动，为维护世界和平和地区稳定作出了重要贡献。国际金融危机爆发后，中国通过出席二十国集团领导人峰会、亚太经合组织领导人非正式会议，以及举办博鳌亚洲论坛年会等活动，推动世界经济治理机制建设，积极引导国际经济体系改革，反对各种形式的贸易保护主义，呼吁建设公平、公正、包容、有序的国际货币金融体系和公正合理的国际自由贸易体系。中国在自身面临诸多困难的形势下，不仅以本国经济发展促进世界经济复苏，而且向陷入困境国家伸出援手，帮助这些国家克服困难，充分展示了负责任大国的形象。

进入 21 世纪，金砖国家[①]逐渐发展为国际社会的一支重要力量。从 2009 年开始，面对日益增多的全球性挑战，金砖国家领导人每年举行一次会晤，本着开放、团结、互助的基本原则，以循序渐进、积极务实的方式推进金砖国家合作。金砖国家之间合作的内涵不断丰富，层次不断拓展，成果不断涌现，逐步形成了多层次、宽领域的合作架构。金砖国家在国际经济金融和发展领域加强协调，增强了新兴市场和发展中国家在全球经济治理中的地位和作用。

作为最大发展中国家的执政党，中国共产党以开放的姿态积极推进政党外交，到 2011 年已与 160 多个国家和地区的 600 多个政党和政治组织建立了不同形式的交流与合作，形成了全方位、多渠道、宽领域、深层次的党际交往格局。

从大国关系到周边关系，从发展中国家关系到多边事务，中国坚持独立自主的和平外交政策，积极发挥建设性作用，推动构建更加公正合理的国际政治经济新秩序。中国外交双边与多边交织并行，传统安全与非传统安全并重，政治、经济、外交、军事、文化等各方面相互促进、全面发展的新格局已经初步形成。在国际舞台上，中国的国际地位显著提高，国际影响日益扩大，与世界各国友好合作关系全面发展。这既为我国发展争取了有利的国际环境，也为人类和平与发展事业作出了积极贡献。

---

① 2001 年，美国高盛公司首次提出"金砖四国"概念。"金砖四国"囊括了全球最大的四个新兴市场国家。"金砖四国"（BRIC）引用了巴西、俄罗斯、印度和中国的英文首字母，由于该词与英文的砖（BRICK）类似，因此被称为"金砖四国"。2010 年，南非申请加入获通过，"金砖四国"变成"金砖五国"，遂改称"金砖国家"（BRICS）。

# 第十一章

# 以改革创新精神<br>全面加强党的建设

在中国这样一个人口众多、经济社会发展不平衡的发展中大国，要把十几亿人口的思想统一起来、力量凝聚起来，共同致力于中国特色社会主义建设和中华民族伟大复兴事业，没有中国共产党的坚强领导，是不可想象的。办好中国的事情，关键在党。中共十六大以后，以胡锦涛同志为总书记的党中央面对世情、国情、党情的深刻变化，坚持以执政能力建设和先进性建设为主线，以改革创新精神全面加强党的自身建设，确立党的建设总布局和总要求，积极扩大党内民主，深化干部人事制度等各项改革，进一步加强党的基层建设，深入开展党风廉政建设和反腐败斗争。党的建设新的伟大工程继续推进，党的领导核心作用进一步加强。

## 第一节　加强党的执政能力建设和开展保持共产党员先进性教育活动

执政能力建设是中国共产党执政后的一项根本建设，这是由执政党的地位决定的。党的执政能力，就是党提出和运用正确的理论、路线、方针、政策和策略，领导制定和实施宪法和法律，采取科学的领导制度和领导方式，动员和组织人民依法管理国家和社会事务、经济和文化事业，有效治党治国治军，建设社会主义现代化国家的本领。

新中国成立后，经过 50 多年的执政，中国共产党的执政能力同党肩负的重任和使命总体上是适应的。但是，进入新世纪新阶段，国际形势发生深刻变化，我国改革发展处在关键时期，新情况新问题层出不穷。面对新形势新任务，党在领导方式和执政方式、领导体制和工作机制方面还有许多不完善的地方：一些领导干部和领导班子思想理论水平不高、依法执政能力不强、解决复杂矛盾本领不大，素质和能力同全面建设小康社会的要求还不适应；一些党员干部事业心和责任感不强、思想作风不端正、工作作风不扎实、脱离群众等问题比较突出；一些党的基层组织软弱涣散，一些党员不能发挥先锋模范作用；腐败现象在一些地方、部门和单位还比较严重。这些问题影响党的执政成效，引起党中央的高度重视。在机遇和挑战并存的国内外条件下，党要带领全国各族人民全面建设小康社会、加快推进社会主义现代化，必须加强执政能力建设。

2002 年，中共十六大首次正式提出“加强党的执政能力建设”的命题。此后，2004 年 9 月，中共十六届四中全会专门就加强党的执政能力建设进行全面部署，通过《中共中央关于加强党的执政能力建设的决定》（以下简称《决定》)。《决定》总结党的执政能力建设的历史经验，明确了加强党的执政能力建设的指导思想、总体目标和主要任务。《决定》郑重指出：无产阶级政党夺取政权不容易，执掌好政权尤其是长期执掌好政权更不容易。党的执政地位不是与生俱来的，也不是一劳永逸的。我们必须居安思危，增强忧患意识，深刻汲取世界上一些执政党兴衰成败的经验教训，更加自觉地加强执政能力建设，始终为人民执好政、掌好权。[①]《决定》提出，加强党的执政能力建设的总体目标是：通过全党共同努力，使党始终成为立党为公、执政为民的执政党，成为科学执政、民主执政、依法执政的执政党，成为求真务实、开拓创新、勤政高效、清正廉洁的执政党，归根到底成为始终做到"三个代表"、永远保持先进性、经得住各种风浪考验的马克思主义执政党，带领全国各族人民实现国家富强、民族振兴、社会和谐、人民幸福。[②]这一总体目标，明确了中国共产党为谁执政、怎样执政、靠什么执政的重大问题，指明了加强党的执政能力建设的方向。《决定》提出加强党的执政能力建设的主要任务是："按照推动社会主义物质文明、政治文明、精神文明协调发展的要求，不断提高驾驭社会主义市场经济的能力、发展社会主义民主政治的能力、建设社会主义先进文化的能力、构建社会主义和谐社会的能力、应对国际局势和处理国际事务的能力。"[③]五个方面的能力建设，涉及经济、政治、文化、社会、外交以及国家主权、安全和领土完整，关系各个方面，是对党的总体执政能力的要求。

党的先进性是党的生命所系、力量所在，事关党执政地位的巩固和执政使命的完成。2002 年，中共十六大作出在全党开展以实践"三个代表"重要思想为主要内容的保持共产党员先进性教育活动的重大决策。2004 年 10 月，胡锦涛先后主持中央政治局常委会议和中央政治局会议，专题研究先进性教育活动。11 月 7 日，中共中央正式下发《关于在全党开展以实践

---

① 中共中央文献研究室编《十六大以来重要文献选编》（中），中央文献出版社 2011 年版，第 273 页。

② 中共中央文献研究室编《十六大以来重要文献选编》（中），中央文献出版社 2011 年版，第 276 页。

③ 中共中央文献研究室编《十六大以来重要文献选编》（中），中央文献出版社 2011 年版，第 276 页。

“三个代表”重要思想为主要内容的保持共产党员先进性教育活动的意见》，决定从2005年1月开始，用一年半左右的时间，在全党开展以实践“三个代表”重要思想为主要内容的保持共产党员先进性教育活动。2005年1月5日至6日，中共中央召开保持共产党员先进性教育活动工作会议，对这项工作进行了部署。

2005年1月14日，在中共中央举行的新时期保持共产党员先进性专题报告会上，胡锦涛发表讲话，第一次明确提出并深入阐述了“党的先进性建设”这一重大命题。他指出：“先进性是马克思主义政党的根本特征，也是马克思主义政党的生命所系、力量所在。党的先进性建设是马克思主义政党自身建设的根本任务。开展党的先进性建设，就是要通过推进思想建设、组织建设、作风建设和制度建设，使党的理论和路线方针政策顺应时代发展潮流和我国社会发展进步要求、反映全国各族人民利益和愿望，使各级党组织不断提高创造力凝聚力战斗力、始终发挥领导核心作用和战斗堡垒作用，使广大党员不断提高自身素质、始终发挥先锋模范作用，使我们党保持与时俱进的品质、始终走在时代前列，不断提高执政能力、巩固执政地位、完成执政使命。”[①]他强调，抓住了先进性建设，就抓住了党的建设的根本，就抓住了加强党的执政能力建设、巩固党的执政地位的关键。一个政党过去先进，不等于现在先进；现在先进，不等于永远先进。必须居安思危，增强忧患意识，坚持用发展的眼光审视和评估自己，以改革精神加强和完善自己，永不自满，永不懈怠，不断把马克思主义中国化推向前进，不断把中国特色社会主义事业推向前进。这是我们党始终保持先进性的根本要求。[②]这个讲话，充分论述了加强党的先进性建设对提高党的执政能力、巩固党的执政地位的重大意义，明确提出开展先进性教育活动的目标要求，对全党搞好先进性教育活动具有重要指导作用。

保持共产党员先进性教育活动分三批进行，每批大约半年时间，分为

① 胡锦涛：《胡锦涛文选》第二卷，人民出版社2016年版，第263页。
② 胡锦涛：《胡锦涛文选》第二卷，人民出版社2016年版，第269—270页。

学习动员、分析评议、整改提高三个阶段，到2006年6月基本结束。整个活动主题鲜明、领导有力，措施得当、工作扎实，认真解决党员和党组织在思想、组织、作风以及工作方面存在的突出问题，促进影响本地区本部门本单位改革发展稳定、涉及群众切身利益的实际问题的解决，取得了丰硕成果。通过活动，广大党员受到一次深刻的马克思主义教育，先锋模范作用进一步发挥。有群众称赞身边的党员“日常工作能看得出来，关键时刻能站得出来，生死关头能豁得出来”。先进性教育活动中，新建基层党组织13万个，整顿软弱涣散、不起作用的基层党组织15.6万个，基层党组织的创造力、凝聚力、战斗力进一步增强。教育活动期间，各级党组织和广大党员与困难群众结成帮扶对1347万个，党组织和党员服务群众的行动更加自觉，党群关系更加密切。在先进性教育活动中，涌现出以人民的好公仆郑培民、人民的忠诚卫士任长霞等为代表的一大批优秀共产党员，他们用行动践行了“三个代表”重要思想，体现了当代中国共产党人的先进性。

党中央及时对先进性教育活动经验进行总结，提出建立保持共产党员先进性的长效机制。2006年6月，中央办公厅印发《关于加强党员经常性教育的意见》《关于做好党员联系和服务群众工作的意见》《关于加强和改进流动党员管理工作的意见》《关于建立健全地方党委、部门党组（党委）抓基层党建工作责任制的意见》等4个保持共产党员先进性长效机制文件，为巩固和发展先进性教育成果、进一步推进党的先进性建设提供了制度依据。

中共十六大以后，新一届中央政治局认真落实高级干部带头学习的号召，建立了集体学习制度。2002年12月26日，中央政治局进行第一次集体学习。十六届中央政治局共进行集体学习44次，十七届中央政治局共进行33次集体学习。这一学习制度的建立，显示了新一届中央领导集体建设学习型政党的理念，为全党起到了带头示范作用。

在开展党的执政能力建设和先进性建设过程中，党中央对全面推进党的建设新的伟大工程的总体布局和总要求的认识更加明确。2007年10月，中共十七大科学概括并正式确立了党的建设的总体布局和总要求，这就是：

“把党的执政能力建设和先进性建设作为主线，坚持党要管党、从严治党，贯彻为民、务实、清廉的要求，以坚定理想信念为重点加强思想建设，以造就高素质党员、干部队伍为重点加强组织建设，以保持党同人民群众的血肉联系为重点加强作风建设，以健全民主集中制为重点加强制度建设，以完善惩治和预防腐败体系为重点加强反腐倡廉建设，使党始终成为立党为公、执政为民，求真务实、改革创新，艰苦奋斗、清正廉洁，富有活力、团结和谐的马克思主义执政党。”①这个党的建设的总体布局和目标要求，集中反映了改革开放以后党对加强自身建设的新认识，标志着党对执政党建设规律的认识达到一个新的境界，为新形势下加强和改进党的建设，更好地发挥党在中国特色社会主义事业中的领导核心作用，提供了科学有力的指导。

## 第二节　开展学习实践科学发展观活动与中共十七届四中全会的召开

2007 年，中共十七大深刻阐述科学发展观的科学内涵、精神实质、根本要求，作出在全党开展深入学习实践科学发展观活动的决策。在试点基础上，2008 年 9 月 5 日，中央政治局会议决定从 2008 年 9 月开始，用一年半左右时间，在全党分批开展深入学习实践科学发展观活动。9 月 14 日，中共中央印发《关于在全党开展深入学习实践科学发展观活动的意见》。在全党开展深入学习实践科学发展观活动，是提高党的执政能力、保持和发展党的先进性、用中国特色社会主义理论体系武装全党、推进马克思主义中国化时代化大众化的重大举措。

中共中央对开展学习实践活动高度重视。2008 年 9 月，在中央党校专门举办全党深入学习实践科学发展观活动动员大会暨省部级主要领导干部

① 胡锦涛：《胡锦涛文选》第二卷，人民出版社 2016 年版，第 652 页。

专题研讨班。中央政治局常委带头参加学习实践活动，认真参加专题民主生活会，深入联系点调研指导。

整个学习实践活动自上而下分三批进行，每批历时半年左右，2010年2月底基本结束。共有370余万个党组织、7500余万名党员参加。这次学习实践活动，紧紧围绕党员干部受教育、科学发展上水平、人民群众得实惠的总要求，活动期间，各地党组织为群众办实事好事1780万件，解决党员干部党性党风党纪方面群众反映强烈的突出问题140余万个，人民群众得到更多实惠；共修订完善各类规章制度250多万项，进一步健全完善保障和促进科学发展的体制机制；各地共新建党组织6万多个，整顿软弱涣散基层党组织5万多个。各地区各部门还制定了一些推动科学发展的政策措施，建立健全了保障和促进科学发展的体制机制。总的来看，经过全党共同努力，教育活动基本实现了提高思想认识、解决突出问题、创新体制机制、促进科学发展、加强基层组织的目标，取得明显成效。

在学习实践活动中，中共中央就如何加强和改进新形势下党的建设作出新的决策部署。2009年9月，中共中央召开十七届四中全会，专门研究党的建设问题，通过《关于加强和改进新形势下党的建设若干重大问题的决定》（以下简称《决定》）。《决定》深入分析党的建设面临的形势和存在的问题，强调指出，党的先进性和党的执政地位都不是一劳永逸、一成不变的，过去先进不等于现在先进，现在先进不等于永远先进；过去拥有不等于现在拥有，现在拥有不等于永远拥有。世情、国情、党情的深刻变化对党的建设提出了新的要求，党面临的执政考验、改革开放考验、市场经济考验、外部环境考验是长期的、复杂的、严峻的。全党必须居安思危，增强忧患意识，常怀忧党之心，恪尽兴党之责，勇于变革、勇于创新，永不僵化、永不停滞，继续推进党的建设新的伟大工程，确保党在世界形势深刻变化的历史进程中始终走在时代前列，在应对国内外各种风险和考验的历史进程中始终成为全国人民的主心骨，在发展中国特色社会主义的历史进程中始终成为坚强的领导核心。[①]

《决定》站在执政60年的历史高度，对加强执政党自身建设的长期实践进行科学总结，概括出“六个坚持”的基本经验：坚持把思想理论建设放在首位，提高全党马克思主义水平；坚持把推进党的建设伟大工程同推进党领导的伟大事业紧密结合起来，保证党始终成为社会主义事业的坚强领导核心；坚持以执政能力建设和先进性建设为主线，保证党始终走在时代前列；坚持立党为公、执政为民，保持党同人民群众的血肉联系；坚持改革创新，增强党的生机活力；坚持党要管党、从严治党，提高管党治党水平。[②]这6条基本经验，是加强和改进党的建设必须长期坚持的重要指导原则。

《决定》提出了加强和改进新形势下党的建设的总要求：着眼于继续解放思想、坚持改革开放、推动科学发展、促进社会和谐，着眼于提高党的执政能力、保持和发展党的先进性，着眼于增强全党为党和人民事业不懈奋斗的使命感和责任感，着眼于保持党同人民群众的血肉联系，突出重点，突破难点，全面推进思想建设、组织建设、作风建设、制度建设和反腐倡廉建设，提高党的建设科学化水平，进一步把党建设成为立党为公、执政为民，求真务实、改革创新，艰苦奋斗、清正廉洁，富有活力、团结和谐的马克思主义执政党，确保党始终是中国工人阶级的先锋队、同时是中国人民和中华民族的先锋队。[③]这个总要求，强调了“四个着眼于”的党建着力点，重申了包括思想建设、组织建设、作风建设、制度建设和反腐倡廉建设在内的“五位一体”党的建设总布局，明确了党的建设总目标，从根本上为加强和改进新形势下党的建设指明了方向。

---

① 中共中央文献研究室编《十七大以来重要文献选编》(中)，中央文献出版社2011年版，第142—143页。

② 中共中央文献研究室编《十七大以来重要文献选编》(中)，中央文献出版社2011年版，第143—144页。

③ 中共中央文献研究室编《十七大以来重要文献选编》(中)，中央文献出版社2011年版，第145页。

值得注意的是，《决定》第一次鲜明提出“提高党的建设科学化水平”的命题和任务。这是根据世情、国情、党情的新变化对党的建设提出的新要求，也是以科学发展观指导党的建设的必然要求。提高党的建设科学化水平，归根到底是要准确把握和自觉运用马克思主义政党建设规律，做到以科学理论指导党的建设、以科学制度保障党的建设、以科学方法推进党的建设。提高党的建设科学化水平主要有三项要求：一是坚持用中国特色社会主义理论体系武装全党；二是建立健全以党章为根本、以民主集中制为核心的制度体系；三是继承和发展党在长期实践中形成的成功方法，又要不断创新和丰富党的建设有效管用的新方法，创造性地研究和解决时代发展、社会变革对党的建设提出的新课题。提高党的建设科学化水平，与加强党的执政能力建设和先进性建设具有同等重要的意义，表明党在复杂多变的新形势新挑战面前对进一步提高管党治党水平的新认识。

《决定》突出重点，抓住新形势下党的建设的重点和关键，提出六个方面的重大任务：一是建设马克思主义学习型政党，提高全党思想政治水平；二是坚持和健全民主集中制，积极发展党内民主；三是深化干部人事制度改革，建设善于推动科学发展、促进社会和谐的高素质干部队伍：四是做好抓基层打基础工作，夯实党执政的组织基础；五是弘扬党的优良作风，保持党同人民群众的血肉联系；六是加快推进惩治和预防腐败体系建设，深入开展反腐败斗争。[①] 总之，中共十七届四中全会《决定》重点研究解决党的建设中具有战略性、根本性、紧迫性的重大理论和实际问题，提出了加强和改进党的建设的总体要求、目标任务和重要举措，具有很强的思想性、指导性、针对性，是指导党的建设的纲领性文件。

全党深入学习实践科学发展观活动告一段落后，2010 年 3 月 19 日，中央政治局召开会议，明确提出要在党的基层组织和党员中深入开展以学习实践科学发展观为主题的创先争优活动，以不断巩固和拓展学习实践活动

① 中共中央文献研究室编《十七大以来重要文献选编》（中），中央文献出版社 2011 年版，第 145—162 页。

成果。创先争优活动，以“创建先进基层党组织、争当优秀共产党员”为主要内容。先进基层党组织的基本要求是：学习型党组织建设成效明显，出色完成党章规定的基本任务，努力做到“五个好”，即领导班子好，党员队伍好，工作机制好，工作业绩好，群众反映好。优秀共产党员的基本要求是：模范履行党章规定的义务，努力做到“五带头”，即带头学习提高，带头争创佳绩，带头服务群众，带头遵纪守法，带头弘扬正气。从 2010 年 4 月到 2012 年 6 月，创先争优活动扎实开展。这是学习实践科学发展观活动的延展和深入，也是新形势下保持党的先进性和纯洁性的一次有益探索。通过创先争优，提高了基层党组织的战斗力和党员队伍的素质，密切了党群、干群关系，增强了各级党委聚精会神抓党建和重视基层、加强基层、服务基层的自觉性，为加强党的先进性建设提供了新经验。

2011 年 7 月 1 日，在庆祝中国共产党成立 90 周年大会上，胡锦涛发表讲话，全面回顾中国共产党 90 年波澜壮阔的奋斗历程及取得的伟大成就，系统总结保持和发展马克思主义政党先进性的历史经验，明确提出提高党的建设科学化水平的目标任务，深刻阐述了继续全面推进中国特色社会主义伟大事业的一系列大政方针。此前，作为庆祝建党 90 周年的一项重要内容，2011 年 1 月，经中共中央批准，由中共中央党史研究室编写的《中国共产党历史》第二卷（1949—1978）出版发行；《中国共产党历史》第一卷（1921—1949）校订重印。在庆祝建党 90 周年之际，全党全社会兴起了学习中国共产党历史和学习贯彻胡锦涛“七一”重要讲话精神的热潮。

## 第三节　在新形势下加强和改进党的自身建设

提高党的执政能力，保持党的先进性，关键在于加强党的自身建设。中共十六大以后，围绕加强执政能力建设和先进性建设这条主线，中共中央以改革创新精神加强和改进党的自身建设。这个时期，积极发展党内民主、努力增强党的创新活力，深化干部人事制度改革、努力建设高素质干部队伍和人才队伍，进一步加强党的基层组织建设、努力夯实党执政的组织基础。

## 一、积极发展党内民主

党内民主是党的生命。发展党内民主，是加强和改进党的建设、提高党的战斗力的根本环节。中共十六大以后，以胡锦涛同志为总书记的党中央坚持和健全民主集中制，以保障党员民主权利为根本，以加强党内基层民主建设为基础，切实推进党内民主，极大地增强了党的创新活力。这一时期，党内民主建设理论和实践不断深入，在质和量上都有明显提高，在多方面取得重要进展。

一是进一步明确党员主体地位，党员民主权利得到保障。"党员是党的肌体的细胞和党的行为主体"[①]，党内民主从本质上说，就是全体党员在党内当家作主，党员主体地位的实现程度是衡量党内民主发展程度的根本标尺。而党员的主体地位是通过党员的民主权利来实现的，离开党员民主权利的充分行使和切实保障，党内民主就无从谈起。因此，发展党内民主，尊重党员主体地位，必须把保障党员民主权利作为基础，摆在突出位置。十六大以后，根据形势的新变化和党的建设面临的新情况新问题，中共中央对 1995 年颁布实施的《中国共产党党员权利保障条例（试行）》进行了修订。2004 年 9 月，经中央批准，修订后的《中国共产党党员权利保障条例》颁布实施。新的《中国共产党党员权利保障条例》共 5 章 38 条，其中第二章"党员权利"，在党章确立的党员八项权利的基础上，规定了党员享有的包括知情权、参与权、选择权和监督权等在内的各项权利的具体内容；第三章"保障措施"，用较大篇幅详细规定了保障党员正常行使权利和保障党员权利不受侵犯的一系列措施；第四章"责任追究"，明确了党的组织和领导

① 中共中央文献研究室编《十六大以来重要文献选编》（中），中央文献出版社 2011 年版，第 618 页。

干部等四种主体在保障党员权利方面的责任。《中国共产党党员权利保障条例》的颁布实施，使党员主体地位有了制度保障，对于坚持和健全民主集中制原则，进一步发展党内民主，增强党的生机活力，具有十分重要的意义。

二是积极推进党务公开。党务公开是党内民主的前提。中共十六大后，随着村务公开、厂务公开、政务公开快速发展，广大党员对实行党务公开、增强党组织工作透明度的要求也日益迫切。2004 年 9 月，中共十六届四中全会在总结各地经验的基础上，提出“逐步推进党务公开，增强党组织工作的透明度，使党员更好地了解和参与党内事务”[①]。这是首次将党务公开写入党的正式文件中。2007 年 10 月，中共十七大修订通过的新党章在“党的组织制度”一章中明确规定：党的各级组织要按规定实行党务公开，使党员对党内事务有更多的了解和参与。2009 年 9 月，中共十七届四中全会进一步提出“健全党内情况通报制度，及时公布党内信息”“建立党委新闻发言人制度”“办好党报党刊和党建网站”等推进党务公开的一系列办法措施。

为了加强对党务公开工作的组织领导和工作指导，经中共中央同意，2009 年 7 月还成立了由中央纪委牵头，有中央办公厅、中央组织部、中央宣传部等单位参加的中央党务公开工作领导小组。2010 年 9 月，中共中央办公厅印发《关于党的基层组织实行党务公开的意见》，对基层党组织实行党务公开的指导思想、基本原则，党务公开的内容、程序和方式等作出具体规定。党务公开的主要内容是：党组织决议、决定及执行情况；党的思想建设情况；党的组织管理情况；领导班子建设情况；干部选任和管理情况；联系和服务党员、群众情况；党风廉政建设情况等。

根据中央部署，十六大以后，全国各地区各部门积极探索，努力实践，推动党务公开工作有序开展、逐步深入。截至 2011 年年底，31 个省（自治区、直辖市）党的基层组织全面实行党务公开。同时，各部门积极建立党委新闻发言人制度。2010 年 6 月 30 日，中央纪委以及中央组织部等 10 个

① 中共中央文献研究室编《十六大以来重要文献选编》（中），中央文献出版社 2011 年版，第 294 页。

部门新闻发言人首次集体亮相，以前所未有的姿态向外界展示了执政党公开透明的形象。

三是完善党的代表大会制度和地方委员会工作机制。党的代表大会制度是中国共产党的根本制度，是党内民主最基本的实现形式。中国共产党对完善党的代表大会制度、充分发挥党代会代表作用的探索由来已久。在以往探索经验的基础上，2002 年中共十六大提出："要以保障党员民主权利为基础，以完善党的代表大会制度和党的委员会制度为重点，从改革体制机制入手，建立健全充分反映党员和党组织意愿的党内民主制度。扩大在市、县进行党的代表大会常任制的试点。积极探索党的代表大会闭会期间发挥代表作用的途径和形式。"①

十六大以后的 5 年间，中央扩大了在市、县进行党的代表大会常任制的试点，全国共有 21 个省（区、市）的 97 个县（市、区）进行试点。试点的基本内容和做法主要有两个方面：一是实行党的代表大会年会制。按照党章规定，党代表大会在各级党组织中享有最高权力，但每五年召开一次党代表大会实际上难以很好地行使权力，决策权和监督权分别由全委会和纪委代替执行；由于全委会也要闭会，决策权最终只能落到常委会身上。实行党代表大会年会制，即每年召开一次党代表大会，能够有效解决因两届党代表大会相隔时间太长而带来的监督不足、代表的主体意识降低等一系列问题，履行其作为同级党组织最高权力机关的职责。二是实行党的代表大会代表任期制。党代会代表是党的各级代表大会活动的主体，代表的整体素质和作用发挥情况，直接关系到党代会职权的行使，关系到党内民主建设的整体水平。实行党代会代表任期制，主要规定党代会代表的任期、明确党代会代表的职责、完善选举制度、建立发挥党代会代表作用的制度、加强对党代会代表的教育管理等。各试点地方普遍建立了党代表联系制度，有的地方在党委组织部设立代表联络处，主要负责代表的联络、组织和管

① 中共中央文献研究室编《十六大以来重要文献选编》（上），中央文献出版社 2011 年版，第 39 页。

理，有的地方建立了党委委员联系代表、代表联系党员、党员联系群众的制度等。实践证明，实行党代会代表任期制，是在党代会闭会期间发挥代表作用的重要途径，有利于调动代表参与党内事务的积极性和主动性；有利于扩大党内民主，提高党委决策的民主化、科学化水平，促进决策的贯彻落实；有利于建立并实行有效的监督制约机制，推进党委机关，党委领导班子的自身建设。

经过试点探索，实行党代表任期制的经验趋于成熟，具备了在全国各级党组织普遍实行的条件。2007 年中共十七大报告明确规定："实行党的代表大会代表任期制"，同时"选择一些县（市、区）试行党代表大会常任制"。[①]2008 年 5 月，中共中央印发《中国共产党全国代表大会和地方各级代表大会代表任期制暂行条例》，对实行党代表任期制作出具体规定。《暂行条例》的主要内容包括四个方面：一是明确代表的任期，落实代表的主体地位，规定代表在其任期内、在党代表大会召开和闭会期间，享有代表资格，行使代表权利，履行代表职责，发挥代表作用；二是在党章和其他党内法规的基础上，进一步明确代表的八项权利与职责，为其发挥作用提供了依据；三是明确党代表大会代表履行代表职责，主要是参加同级党代表大会和同级党委组织的活动，并对代表开展工作的主要方式作出规定；四是强调各级党组织必须尊重和保障党代表大会代表的权利，并对保障代表充分履行职责作出具体规定。

在改革党的代表大会制度的同时，中共十七大还提出，要完善党的地方各级全委会、常委会工作机制，发挥全委会对重大问题的决策作用。十七届四中全会提出，发挥全委会对重大问题的决策作用，完善常委会议事规则和决策程序。这对从机制上理顺规范全委会和常委会的关系，充分发挥全委会的作用提出了新的要求，有利于推动地方党委决策的科学化、民主化。

---

① 中共中央文献研究室编《十七大以来重要文献选编》(上)，中央文献出版社 2009 年版，第 39 页。

四是落实中央政治局向中央委员会、地方党委常委会向全委会定期报告工作并接受监督制度。党的各级委员会向同级的代表大会负责、报告工作并接受监督，各级常委会向同级的全委会负责、报告工作并接受监督，这是党内正常的权力归属关系。但是，这种报告工作并接受监督的制度在很长时期内并没有真正实行。中共十六大以后，中央政治局和中央政治局常委会作出决定，今后每次召开中央全会，中央政治局都要向全会报告工作，以接受监督。2003 年 2 月，胡锦涛在中共十六届二中全会上通报十六届一中全会以后中央政治局的工作。2003 年 10 月，在中共十六届三中全会上，胡锦涛首次代表中央政治局向中央全会作了工作报告。中共十六届四中全会正式提出，“建立健全常委会向全委会负责、报告工作和接受监督的制度”[①]。之后，中共十七大进一步把“建立健全中央政治局向中央委员会全体会议、地方各级党委常委会向委员会全体会议定期报告工作并接受监督的制度”[②]作为发展党内民主的一项重要制度，第一次在党的全国代表大会报告中作出明确规定。按照这个要求，中共十七大后，中央政治局向中央全会、地方各级党委常委会向全委会定期报告工作并接受监督得到切实贯彻执行。这对理顺党内权力关系、加强党内监督、保证权力得到正确行使，起到了有力的促进作用。

中共十六大以后，党的各级委员会按照集体领导、民主集中、个别酝酿、会议决定的原则决定重大事项。中央政治局带头执行重大事务、重大决策在党内讨论和征求意见制度。从经济社会发展到党的建设，从重大改革到重要规划，从重大灾害应急到国际热点应对，每逢重大问题，中央政治局都召开会议进行讨论，集体作出决策部署。各级领导机关以及基层党组织工作中的重大问题，也组织广大党员讨论或听取党员意见，推动党员和基层组织对党的事务的广泛参与和监督。

---

① 中共中央文献研究室编《十六大以来重要文献选编》(中)，中央文献出版社 2011 年版，第 294 页。

② 中共中央文献研究室编《十七大以来重要文献选编》(上)，中央文献出版社 2009 年版，第 40 页。

五是深化党内选举制度改革。选举权和被选举权是党员享有的基本民主权利。以此为基础形成的选举制度，是党内民主的一项根本制度。早在1987年，中共十三大就提出“要改革和完善党内选举制度”，改革的重点是“明确规定党内选举的提名程序和差额选举办法”[①]。在多年探索实践的基础上，中共十六届四中全会进一步提出“完善党内选举制度，改进候选人提名方式，适当扩大差额推荐和差额选举的范围和比例”[②]。中共十七大把改革党内选举制度作为党内民主建设的重要内容进一步加以强调，要求从改进候选人提名制度和选举方式等方面推进。实际上，中共十七大本身就是改革党内选举制度、发展党内民主的一次重要实践。十七大代表的选举，差额比例一般都超过15%，比中共十六大时增加了5个百分点。[③]按照大会选举办法的规定，中共十七大对中央委员、中央纪委委员和候补中央委员进行了预选，预选采用差额选举办法，差额比例在8%以上。2012年中共十八大代表选举经历了推荐提名、组织考察、确定代表候选人初步人选名单并公示、确定代表候选人预备人选、选举代表等环节，差额比例超过15%。[④]

党内基层民主是党内民主最广泛最直接最生动的实践，而在基层民主实践中，基层党组织领导班子选举方式的科学、完善，对于增强基层党组织公信力、保障党员主体地位、提高基层干部素质具有重要作用。中共十六大以后，党内基层民主的实现形式在实践中不断丰富。例如，江苏、四川等地借鉴村党组织换届选举采取“两票制”[⑤]“两推一选”[⑥]等成功经验，

---

① 中共中央文献研究室编《十三大以来重要文献选编》(上)，人民出版社1991年版，第51页。

② 中共中央文献研究室编《十六大以来重要文献选编》(中)，中央文献出版社2011年版，第292页。

③ 《中组部负责人就党的十七大代表选举工作情况答本报记者问》，《人民日报》2007年8月4日。

④ 《十八大代表应具备5项条件》，《人民日报》2011年11月3日。

⑤ 选举村党支部书记的“两票制”：第一票，首先全村各户代表从全村党员中推荐村党支部书记候选人，得票前几名者为正式候选人；第二票，召开全村党员大会从候选人中投票选举产生村党支部书记。

⑥ 农村党组织换届选举中的“两推一选”，即首先由党员推荐、群众推荐党组织班子成员候选人，在此基础上由乡镇党委进行考察确定正式候选人，最后由村党员大会选举产生村党支部委员会委员。

在乡镇党委换届选举中进行公推直选乡镇党委书记或乡镇党委领导班子成员的试点。公推直选的选举办法既较好地落实了党员对党内事务的知情权、参与权、选择权和监督权，激发了广大党员的政治热情，同时也增强了基层干部眼睛向下，为群众干事、对人民负责的主动性和积极性。在各地探索的基础上，2004 年 9 月，中共十六届四中全会明确提出“逐步扩大基层党组织领导班子成员直接选举的范围”。此后，公推直选试点进一步扩大。到 2007 年 10 月，全国有 300 多个乡镇开展了公推直选领导班子试点。[①] 中共十七大充分肯定了党内基层民主的创造性实践，进一步提出要“推广基层党组织领导班子成员由党员和群众公开推荐与上级党组织推荐相结合的办法，逐步扩大基层党组织领导班子直接选举范围，探索扩大党内基层民主多种实现形式”[②]。十七大修订通过的党章还将原第30条中“基层委员会、总支部委员会、支部委员会选出的书记、副书记，应报上级党组织批准”，修改为“基层委员会、总支部委员会、支部委员会的书记、副书记选举产生后，应报上级党组织批准”，这就为公推直选这一竞争性的党内选举提供了依据。2009 年 9 月，中共十七届四中全会在重申十七大关于“扩大基层党组织领导班子直接选举范围”规定的同时，为了巩固基层党组织探索基层民主的创新热情，明确规定“严格控制选任制领导干部任期内职务变动，维护选举结果严肃性”[③]。

党内民主是党的生命，党的团结统一也是党的生命。在积极发展党内民主的同时，党中央明确要求“全党同志要坚决维护党的集中统一，自觉遵守党的政治纪律，始终同党中央保持一致，坚决维护中央权威，切实保证政令畅通”[④]。中共十七届四中全会再次强调，全党必须“始终同党中央在

---

① 盛若蔚、曲昌荣:《党的建设新的伟大工程扎实推进》,《人民日报》2007 年 10 月 18 日。

② 中共中央文献研究室编《十七大以来重要文献选编》(上)，中央文献出版社 2009 年版，第 40 页。

③ 中共中央文献研究室编《十七大以来重要文献选编》(中)，中央文献出版社 2011 年版，第 150 页。

④ 中共中央文献研究室编《十七大以来重要文献选编》(上)，中央文献出版社 2009 年版，第 40 页。

思想上政治上行动上保持高度一致，坚持把发挥地方积极性同维护中央权威结合起来，把局部利益同全局利益统一起来，严守党的纪律特别是政治纪律，保证中央政令畅通”[①]。

## 二、深化干部人事制度改革

十六大以后，我国不断建立健全有利于促进科学发展的选人用人机制和干部考评体系，着力推进干部人事工作的制度化、科学化、民主化。

2004 年 4 月，中共中央办公厅印发《公开选拔党政领导干部工作暂行规定》《党政机关竞争上岗工作暂行规定》《党的地方委员会全体会议对下一级党委、政府领导班子正职拟任人选和推荐人选表决办法》《党政领导干部辞职暂行规定》《关于党政领导干部辞职从事经营活动有关问题的意见》等 5 个干部人事制度改革文件。此前，经中央同意，中央纪委和中央组织部曾于 2004 年 1 月联合下发《关于对党政领导干部在企业兼职进行清理的通知》。这“5+1”法规文件的颁布，是中央从整体上不断推进干部人事制度改革的重要举措。

此后，中共中央办公厅又于 2005 年 12 月、2006 年 6 月相继印发《关于对党员领导干部进行诫勉谈话和函询的暂行办法》《关于党员领导干部述职述廉的暂行规定》等 2 个法规文件及《党政领导干部职务任期暂行规定》《党政领导干部交流工作规定》《党政领导干部任职回避暂行规定》等 3 个法规文件。这 5 个法规文件与 2004 年集中出台的“5+1”法规文件以及其他相关法律法规一起，初步构成较为完备的干部人事工作法规体系，为加强干部队伍建设提供了有力的制度保证。

作为我国干部人事管理第一部具有总章程性质的法律，《中华人民共和国公务员法》自 2006 年 1 月 1 日起施行。公务员法的颁布实施，对健全

① 中共中央文献研究室编《十七大以来重要文献选编》(中)，中央文献出版社 2011 年版，第 151 页。

干部人事管理法律法规体系、实现干部人事的依法管理具有里程碑意义。2006年4月，中共中央、国务院印发《〈中华人民共和国公务员法〉实施方案》，明确了公务员范围、公务员登记、公务员职务与级别管理、公务员非领导职务设置、参照公务员法管理等，为明确公务员法入轨实施提供了制度保障。

2009年12月，中共中央办公厅印发《2010—2020年深化干部人事制度改革规划纲要》，明确今后10年深化干部人事制度改革的指导思想、基本目标、重点突破项目和整体推进任务。《规划纲要》提出，要坚持党管干部原则，坚持德才兼备、以德为先用人标准，坚持民主、公开、竞争、择优方针，坚持科学化、民主化、制度化方向，解放思想、勇于创新，着力解决领导班子和干部队伍建设中的关键问题、干部人事工作中的重点难点问题和干部群众反映强烈的突出问题，树立坚定信念、注重品行、科学发展、崇尚实干、重视基层、鼓励创新、群众公认的正确用人导向，提高选人用人公信度，把各方面优秀人才集聚到党和国家事业中来。通过坚持不懈的努力，逐步形成广纳群贤、人尽其才、能上能下、公平公正、充满活力的中国特色社会主义干部人事制度。

为从严管理干部，我国逐步健全干部选拔任用的监督机制和责任追究制度。2010年4月，中共中央办公厅印发《党政领导干部选拔任用工作责任追究办法（试行）》。中央组织部同步出台了《党政领导干部选拔任用工作有关事项报告办法（试行）》《地方党委常委会向全委会报告干部选拔任用工作并接受民主评议办法（试行）》《市县党委书记履行干部选拔任用工作职责离任检查办法（试行）》。这4个法规文件的出台，对于匡正选人用人风气、提高选人用人公信度具有重要意义。

这一时期，我国积极探索改革干部选拔任用方式。按照德才兼备、以德为先的用人标准，全面推行民主推荐、民主测评、民意调查、考察预告、任前公示等制度，大力推进公开选拔和竞争上岗，推行和完善地方党委任用重要干部票决制。据中央组织部统计，中共十七大以后的4年中，全国通过公开选拔、竞争上岗方式选拔厅局级以下干部23.4万名。[①]同时，加大从基层一线选拔干部工作力度，选派中央和国家机关中青年干部到省区市交流任职，选派西部地区和民族地区干部到中央和国家机关、经济相对发达地区挂职锻炼，做好干部援藏、援疆工作等。

干部人事制度改革的不断深化，有利于进一步拓宽选人视野，引进竞争机制，调动各方面的积极性，促使优秀人才脱颖而出；有利于加强干部的监督管理，规范党政领导人才的正常流动；有利于扩大党员和群众对于干部选拔任用的知情权、参与权、选择权和监督权，防止和克服用人上的不正之风。但与此同时，干部选拔任用工作中也出现了一些问题，集中反映在一些地方和部门存在唯票、唯分、唯GDP、唯年龄问题。这些看起来是操作层面的问题，实际上反映的是干部工作导向和深层次体制机制问题，需要根据新情况进行有针对性的研究解决，进一步深化干部选拔任用制度改革，推动形成有效管理、简便易行的选人用人机制。

人才是强国之本，是衡量一个国家综合国力的重要指标。改革开放以来，我国人才队伍建设取得积极进展，但与党和国家事业发展的要求相比，与世界先进水平相比，还存在较大差距，特别是高层次创新型人才匮乏，人才创新创业能力不强，人才结构性矛盾突出，严重制约我国经济和科技的国际竞争力，影响国家的长远发展。为此，进入新世纪新阶段，中共中央作出实施人才强国战略的重大决策，提出尊重劳动、尊重知识、尊重人才、尊重创造的方针，明确要努力形成广纳群贤、人尽其才、能上能下、充满活力的用人机制，把优秀人才集聚到党和国家各项事业中。

2003年12月，中共中央、国务院召开第一次全国人才工作会议，全面部署实施人才强国战略。随后，12月26日，中共中央、国务院作出《关于进一步加强人才工作的决定》，强调人才问题是关系党和国家事业发展的关键问题，新世纪新阶段人才工作的根本任务是实施人才强国战略。同时，

---

① 盛若蔚:《最有成效的干部人事制度改革举措》,《人民日报》2011年9月6日。

该《决定》进一步明确了党管人才原则，提出各级党政主要负责同志对于做好人才工作负有重要责任，要把人才工作纳入各级党政领导班子工作目标责任制，定期进行考核。按照党管人才的要求，到 2011 年年底，中央和 31 个省区市、新疆生产建设兵团和 15 个副省级城市全部成立了人才工作领导（协调）小组，99.8% 的地市和 98.6% 的县级党委设立人才工作领导机构，形成了上下贯通的人才工作领导格局。①

2010 年 5 月，中共中央、国务院再次召开全国人才工作会议，提出“人才资源是第一资源”的重大论断。同年 6 月 6 日，《国家中长期人才发展规划纲要（2010—2020 年）》颁布，确定了突出培养造就创新型科技人才、大力开发经济社会发展重点领域急需紧缺专门人才、统筹推进各类人才队伍建设的全国人才队伍建设的基本思路。第二次全国人才工作会议的召开和第一个中长期人才规划纲要的颁布，确立了人才优先发展的战略布局，标志着我国大力实施人才强国战略跃升到新的层次，也标志着人才工作进入全面展开、整体推进的新阶段。2012 年 9 月，中共中央办公厅印发《关于进一步加强党管人才工作的意见》。

随着这些政策措施的出台和贯彻实施，我国人才队伍建设取得突出成果，一批批饱学之才、实干之才、创新之才应运而生、大量涌现。截至 2010 年年底，全国人才资源总量达到 1.2 亿人，占人力资源总量的 11.1%，其中专业技术人才 5550.4 万人。② 规模庞大的专业技术人才队伍，为全面建设小康社会提供了源源不断的人才保证。

### 三、进一步加强党的基层组织建设

党的基层组织是党全部工作和战斗力的基础，是落实党的路线方针政策和各项工作任务的战斗堡垒。中共十六大以后，党的基层组织建设取得

---

① 赵振宇：《提高党管人才工作水平为党和国家事业发展集聚人才——党的十六大以来各地各部门加强党管人才工作回眸》，《中国组织人事报》2012 年 9 月 10 日。

② 尹蔚民：《民生为本　人才优先》，《党建研究》2012 年第 10 期。

明显成效。

在农村，党的建设“三级联创”活动[1]开展得有声有色。2003 年 9 月，中共中央办公厅下发《关于深入开展农村党的建设“三级联创”活动的意见》，对深化“三级联创”活动，提高农村基层组织建设整体水平，作出安排部署。为了扶持、帮助基层党组织开展活动，中央针对全国近 10 万个村级组织没有活动场所的问题，决定由中央财政和中央管理的党费拿出 17.5 亿元，地方计划配套 64 亿元，用两年时间集中解决。到中共十七大之前，各地新建村级活动场所 7.3 万个。此外，党中央还作出在全国农村普遍开展党员干部现代远程教育的决策，并专门成立全国农村党员干部现代远程教育工作领导协调小组，加强对远程教育的领导和组织协调。在中央高度重视下，到 2011 年年底，历时 8 年的农村党员干部现代远程教育网络一体化建设任务基本完成，68 万个基层远程教育接收站点成为广大农村党员干部增强党性的大熔炉、砥砺品质的大学校。可以说，通过开展“三级联创”，农村基层党的建设不断加强，整体水平不断提升，有力地推动了农村经济发展和社会进步。

在国有企业，中共十六大以后，党中央对加强和改进国有企业党建工作作出一系列重大部署，要求国有企业党组织适应建立现代企业制度的要求，完善工作机制，充分发挥政治核心作用。2004 年 10 月，中共中央办公厅转发《中央组织部、国务院国资委党委关于加强和改进中央企业党建工作的意见》，比较系统地提出了加强和改进中央企业党建工作的指导思想、目标任务和措施方法。从 2004 年起，通过深入开展创建政治素质好、经营业绩好、团结协作好、作风形象好的“四好”领导班子活动，国有企业领导班子和管理人员的思想作风、工作作风发生明显转变，战略决策、经营管理、市场竞争、创新创业和应对复杂局面的能力明显提高。在先进性教

---

① 农村党的建设“三级联创”活动，是指以“领导班子好、党员干部队伍好、工作机制好、小康建设业绩好、农民群众反映好”为主要内容的“五个好”村党组织、“五个好”乡镇党委和农村基层组织先进县（市）的创建活动。

育活动中，国有企业党组织结合实际，在党员中开展“保持先进性，增强凝聚力”“创党员先锋岗，建党员责任区”等主题实践活动，发挥了党员的先锋模范作用。

在城市社区，2004 年 10 月，中央办公厅转发《中共中央组织部关于进一步加强和改进街道社区党的建设工作的意见》，就加强和改进街道、社区党的建设工作提出要求。到 2006 年年底，全国城市和建制镇的“一社区一支部（总支、党委）”率达到 99%以上。以服务群众为重点，条块结合、资源共享、优势互补、共驻共建的城市社区党建工作新格局初步形成。许多地方组织社区中的党员积极开展党员承诺制、党员志愿者、党员义工、结对帮扶、无职党员设岗定责等特色鲜明的活动，服务群众，深受欢迎。

在非公有制经济组织、新社会组织，2002 年中共十六大第一次把非公有制企业党组织的职责任务写入党章，为非公有制企业党组织开展活动、发挥作用提供了依据。据统计，从 2002 年至 2006 年，全国非公有制企业党组织数量由 9.9 万个增长到 17.8 万个，增长 79.8%。全国有 3 名以上正式党员的非公有制企业建立党组织的比例达到 94.2%。特别是 2006 年 6 月以后，各地积极采取措施，把推进规模以上非公有制企业组建党组织工作，作为基层党建工作的重点工程来抓，取得了显著成效。截至 2006 年年底，非公有制企业中党员达到 286.3 万人。[①]2012 年 3 月，中共中央办公厅印发《关于加强和改进非公有制企业党的建设工作的意见（试行）》，就非公有制企业党组织的功能定位、领导体制和工作机制、教育培训等事项作出规定，为引导和推进基层党组织科学发展提供了指南。在党的方针政策引导下，非公企业党建在市场经济进程中蓬勃发展，非公企业党组织和党的工作覆盖面不断扩大。到 2010 年年底，全国非公企业中共有党员 350 多万名，党组织近 30 万个。

① 姜洁：《党的基层组织建设开创新局面》，《人民日报》2007 年 7 月 13 日。

## 第四节　深入推进党风廉政建设和反腐败斗争

坚决惩治和有效预防腐败，关系人心向背和党的生死存亡，是执政的中国共产党必须始终抓好的重大政治任务。中共十六大以后，以胡锦涛同志为总书记的党中央把党风廉政建设和反腐败斗争纳入党和国家工作大局，坚持标本兼治、综合治理、惩防并举、注重预防的方针，建立健全惩治和预防腐败体系，在坚决惩治腐败的同时，更加注重治本，更加注重预防，更加注重制度建设，拓展了从源头上防治腐败的工作领域。

一是确立并实施“标本兼治、综合治理、惩防并举、注重预防”的反腐败战略方针。坚决惩治腐败是党的执政能力的重要体现，有效预防腐败更是党的执政能力的重要标志。只有抓好从严惩治，才能有效遏制腐败现象的蔓延，为注重预防创造条件；只有抓好预防，才能巩固和发展反腐倡廉的成果，有效解决腐败问题。

改革开放以后，中国共产党适应时代发展要求和工作重点变化，正确处理惩治和预防的关系。20 世纪 90 年代，面对新旧体制转换加快，党中央确立了领导干部廉洁自律、查处大案要案、纠正部门和行业不正之风“反腐败三项工作格局”，推动反腐败从侧重遏制转到标本兼治、综合治理、逐步加大治本力度的轨道。进入 21 世纪，中国共产党把反腐败和廉政建设放在更加突出的位置。2002 年，中共十六大提出，反对和防止腐败，要“坚持标本兼治、综合治理的方针，逐步加大治本的力度”，“把反腐败寓于各项重要政策措施之中，从源头上预防和解决腐败问题”[①]。根据新形势下党风廉政建设和反腐败斗争的需要，2004 年 9 月，中共十六届四中全会第一次明确提出“标本兼治、综合治理、惩防并举、注重预防”的反腐败十六字战略方针，并要求“抓紧建立健全与社会主义市场经济体制相适应的教育、

① 中共中央文献研究室编《十六大以来重要文献选编》(上)，中央文献出版社 2011 年版，第 42 页。

制度、监督并重的惩治和预防腐败体系”[①]。为了从国家层面和行政角度组织开展预防腐败工作，2007 年 9 月，国家预防腐败局正式成立。

2007 年 10 月，中共十七大进一步提出“在坚决惩治腐败的同时，更加注重治本，更加注重预防，更加注重制度建设，拓展从源头上防治腐败工作领域”[②]的要求。这个要求，进一步丰富和发展了“标本兼治、综合治理、惩防并举、注重预防”方针，明确了惩治腐败和预防腐败两项工作相辅相成、同等重要的辩证关系，拓展了反腐倡廉工作的视野，确立了反腐倡廉工作的基本目标和基本着力点。与此同时，中共十七大还首次把“反腐倡廉建设”同党的思想建设、组织建设、作风建设、制度建设并列提出，将其纳入党的建设总体布局，从而更加突出了反腐倡廉在党的建设全局中的重要地位，丰富了党的建设内涵，拓展了党的建设领域。

2008 年 1 月，胡锦涛在中共第十七届中央纪律检查委员会第二次全体会议上讲话，强调反腐倡廉要注意把握和体现改革创新、惩防并举、统筹推进、重在建设的基本要求，坚持加强思想道德建设和加强制度建设相结合，坚持严肃查办大案要案和切实解决损害群众切身利益的问题相结合，坚持廉政建设和勤政建设相结合，坚持加强对干部的监督和发挥干部主观能动性相结合。[③]为了统筹协调预防腐败工作的各项政策措施，形成合力，2008 年 4 月，正式建立了由中央纪委、中央组织部、全国人大常委会法工委、最高人民法院、最高人民检察院等 13 个部门和单位组成的预防腐败工作联席会议制度。截至 2012 年 10 月，联席会议先后召开六次会议。在各成员单位的共同努力下，预防腐败工作呈现出整体推进的良好态势。

二是加强反腐倡廉制度建设，反腐倡廉法规制度体系的基本框架初步建立。制度问题更带有根本性、全局性、稳定性和长期性。反腐倡廉制

---

① 中共中央文献研究室编《十六大以来重要文献选编》（中），中央文献出版社 2011 年版，第 295 页。

② 中共中央文献研究室编《十七大以来重要文献选编》（上），中央文献出版社 2009 年版，第 42 页。

③ 胡锦涛：《胡锦涛文选》第三卷，人民出版社 2016 年版，第 44—56 页。

度建设是惩防体系建设的重要内容，也是从源头上防治腐败的根本途径。十六大以后，中共中央十分重视发挥法律法规制度的规范和保障作用，不断推进反腐败和廉政建设法制化、规范化。以宪法为依据，制定了一系列反腐倡廉法律法规；以《中国共产党章程》为依据，制定了一系列中国共产党党内制度规定。

2003 年 11 月，全国纪检监察法规工作会议提出了建立健全党风廉政和反腐败法规制度体系的规划。随后，2003 年 12 月，中共中央颁布实施《中国共产党党内监督条例（试行）》和《中国共产党纪律处分条例》。其中，《中国共产党党内监督条例（试行）》规定了加强党内监督工作的 10 项制度，标志党内监督工作进入规范化、制度化的新阶段；《中国共产党纪律处分条例》，则具体规定了党员违反廉洁自律规定行为、贪污贿赂行为、违反财经纪律行为等违犯党纪行为及其量纪标准，为党员干部画出了多条红线。2004 年 12 月，中央纪委、中央组织部、监察部、国务院国资委联合发布《国有企业领导人员廉洁从业若干规定（试行）》，这是我国第一部专门针对国有企业领导人员的比较系统的廉洁从业的规定。2005 年 1 月，中共中央印发《建立健全教育、制度、监督并重的惩治和预防腐败体系实施纲要》。该《实施纲要》根据社会主义市场经济条件下反腐倡廉工作的特点和规律，明确了惩治和预防腐败体系建设的指导思想、主要目标和工作原则，提出有效反对和防止腐败的一系列措施和办法。为加强对领导干部行使权力的制约和监督，确保公共权力的正确行使，2005 年 12 月，中共中央办公厅印发《关于党员领导干部述职述廉的暂行规定》。针对权钱交易案件中出现的新情况新问题，2007 年 5 月，中央纪委颁布《关于严格禁止利用职务上的便利谋取不正当利益的若干规定》，明确了对党员干部在经济和社会交往中可能出现以权谋私等 8 种行为的处理办法。

中共十七大以后，反腐倡廉法规制度建设的步伐进一步加快，内容科学、程序严密、配套完备、有效管用的反腐倡廉制度体系更加健全。2008 年 5 月，中共中央印发《建立健全惩治和预防腐败体系 2008—2012 年工作规划》，作出了教育、制度、监督、改革、纠风、惩处 6 项工作整体推进的部署，并提出相关措施。2010 年 1 月，修订后的《中国共产党党员领导干部廉洁从政若干准则》颁布实施。该准则在禁止“利用职权和职务上的影响谋取不正当利益”等 8 个方面对党员领导干部提出 52 个“不准”，比较全面地规范了社会主义市场经济条件下党员领导干部的廉洁从政行为，成为规范党员领导干部从政行为的基础性党内法规。

2010 年 1 月，胡锦涛在十七届中央纪委第五次全会上明确提出，“要以建立健全惩治和预防腐败体系各项制度为重点，以制约和监督权力为核心，以提高制度执行力为抓手，加强整体规划，抓紧重点突破，逐步建成内容科学、程序严密、配套完备、有效管用的反腐倡廉制度体系，切实提高制度执行力、增强制度实效”。[①] 这一论断，揭示了用制度管权、管事、管人的基本规律，是推进反腐倡廉建设的基本遵循。之后，2010 年 6 月，十一届全国人大常委会第十五次会议审议通过《关于修改〈中华人民共和国行政监察法〉的决定》，修订后进一步明确了监察对象范围，增加了监察机关的职责和义务，完善举报等相关制度。为规范领导干部廉洁从政行为，2010 年，中共中央办公厅、国务院办公厅还相继颁布《关于领导干部报告个人有关事项的规定》和《关于对配偶子女均已移居国（境）外的国家工作人员加强管理的暂行规定》，要求领导干部如实报告本人收入，本人及配偶、共同生活的子女房产、投资，以及配偶子女从业等情况；加强对配偶子女均已移居国（境）外的公职人员管理。此外，为明确领导班子和领导干部在党风廉政建设中的责任，2010 年 11 月，中共中央、国务院印发修订后的《关于实行党风廉政建设责任制的规定》。这些制度和规定，对维护国家利益、依法依纪加强对党员和国家工作人员管理，提高领导干部廉洁从政意识，具有重要意义。

总体上看，中共十六大以后，经过 10 年的努力，我国支撑反腐倡廉教

---

① 李章军：《建设科学严密完备管用的反腐倡廉制度体系 不断取得党风廉政建设和反腐败斗争新成效》，《人民日报》2010 年 1 月 13 日。

育、监督、预防、惩治以及领导体制和工作机制等方面的法规制度基本齐全，内容科学、程序严密、配套完备、有效管用的反腐倡廉法规制度体系基本形成，反腐倡廉工作基本实现有法可依，为深入推进党风廉政建设和反腐败斗争提供了制度上的有力保障。

三是坚决查办违纪违法案件，保持惩治腐败的强劲势头。依法依纪查处腐败案件，是惩治腐败最直接最有效的手段。改革开放以后，我国针对不同时期腐败现象发生的特点，确定查办案件的重点。20 世纪 80 年代，重点打击严重经济犯罪活动和利用价格“双轨制”非法倒买倒卖行为。20 世纪 90 年代，以查办党政领导机关、行政执法机关、司法机关、经济管理部门和县（处）级以上领导干部的违法违纪案件为重点，着重查处贪污贿赂、挪用公款、失职渎职、贪赃枉法、腐化堕落等方面的案件，加大对金融、房地产、工程建设等领域案件的查处力度。

中共十六大之后，在继续坚持查处以上重点案件的同时，着重查办领导干部利用人事权、司法权、行政审批权、行政执法权等搞官商勾结、权钱交易、索贿受贿的案件，为黑恶势力充当“保护伞”的案件，严重侵害群众利益的案件，群体性事件和重大责任事故背后的腐败案件。查办案件工作力度不断加大、领域不断拓展，取得了新的成效。2002 年 12 月至 2007 年 6 月，全国纪律检查机关共立案 677924 件，结案 679846 件（包括十六大前未办结案件），给予党纪处分 518484 人，[①] 查处陈良宇、杜世成、郑筱萸等极少数高级干部严重违纪案件。

中共十七大以后，惩治腐败力度进一步加大。2007 年 11 月至 2012 年 6 月，全国纪检监察机关共立案 643759 件，结案 639068 件，给予党纪政纪处分 668429 人。涉嫌犯罪被移送司法机关处理 24584 人。全国共查办商业

① 《坚持惩防并举　更加注重预防　深入推进党风廉政建设和反腐败斗争——中共中央纪律检查委员会向党的第十七次全国代表大会的工作报告》，《人民日报》2007 年 10 月 27 日。

贿赂案件 81391 件，涉案金额 222.03 亿元。[①] 坚决查处了薄熙来、刘志军、许宗衡等一批重大违纪违法案件。2012 年 4 月，鉴于薄熙来涉嫌严重违纪，中共中央决定，停止其担任的中央政治局委员、中央委员职务，由中共中央纪律检查委员会对其立案调查。

同时，中央坚持把纠正损害群众利益的不正之风作为反腐倡廉的重要任务。通过开展纠风专项治理、政风行风民主评议等，认真解决征地拆迁、涉法涉诉、环境保护、安全生产、食品药品安全、专项基金资金监管等方面群众反映强烈的突出问题，有力维护了人民群众合法权益。比如，2007 年 11 月至 2010 年年底，共纠正强农惠农专项资金管理使用方面的问题 2.3 万个，涉及金额 175.5 亿元；纠正和查处损害农民土地权益问题约 4.6 万个；取消教育收费项目 3764 项，查处各类教育乱收费问题涉及金额 16 亿元；查处食品药品安全事件 16.5 万件；查处社保基金、住房公积金、扶贫资金、救灾救济资金管理使用方面违纪违法问题 9800 多件，涉及金额 82 亿元。[②]

坚决查办违纪违法案件，彰显了党反对和惩治腐败的鲜明态度和坚强决心，维护了党纪国法的严肃性，有力惩处和震慑了违纪违法者，增强了干部群众对反腐败斗争的信心。据国家统计局的民意调查结果显示，2003 年至 2010 年，中国公众对反腐败和廉政建设成效的满意度平稳上升，从 51.9% 提高到 70.6%；公众认为消极腐败现象得到不同程度遏制的比例，从 68.1% 上升到 83.8%。[③]

四是不断加强和健全权力运行监督制约机制，推进权力运行程序化。不受监督的权力必然导致腐败。党中央高度重视加强对权力运行的制约和监督。根据中共十六大关于“改革和完善党的纪律检查体制，建立和完善

① 《中共中央纪律检查委员会向党的第十八次全国代表大会的工作报告》，《人民日报》2012 年 11 月 20 日。

② 贺国强：《认清形势　坚定信心　深入推进党风廉政建设和反腐败斗争》，《人民日报》2012 年 5 月 21 日。

③ 中华人民共和国国务院新闻办公室：《中国的反腐败和廉政建设》白皮书，《人民日报》2010 年 12 月 30 日。

巡视制度”的重大决策，2003 年，中央纪委、中央组织部正式组建专门的巡视机构。此后，中共十七大把巡视制度正式写进党章，以党内根本大法的形式确定下来。2009 年 7 月，中共中央颁布《中国共产党巡视工作条例（试行）》，为实现巡视工作的经常化、制度化、规范化提供了制度保障。从 2007 年 11 月至 2010 年年底，中央巡视组共完成对 30 个省（自治区、直辖市）、12 家中央金融单位和 13 户国有重要骨干企业的巡视。同时，各省（区、市）、部分中央和国家机关以及金融机构、国有重要骨干企业也积极开展对所属单位的巡视。巡视工作的开展，有力推动了党的路线方针政策的贯彻落实，促进了党风廉政建设和反腐败斗争深入开展。巡视逐渐成为从严治党、维护党纪的重要手段和加强党内监督的重要形式。

县一级在党的组织结构和国家政权结构中处于承上启下的关键环节，县委担负着把党的路线方针政策贯彻落实到基层的重要职责。为了在县一级建立健全决策权、执行权、监督权既相互制约又相互协调的权力结构和运行机制，推动县委权力公开透明运行，2010 年 11 月，中央纪委、中央组织部印发《关于开展县委权力公开透明运行试点工作的意见》，对在各省（自治区、直辖市）开展县委权力公开透明运行试点作出部署。此后，全国共有 11 个市（县级）、15 个区、40 个县和 3 个旗参加了试点。

五是切实加强党的作风建设，进一步密切党同人民群众的血肉联系。优良的党风是凝聚党心民心的巨大力量。中共十六大以后，党中央坚持不懈开展党员教育，促使广大党员增强廉洁自律意识，永葆全心全意为人民服务的政治本色。

2007 年 1 月，胡锦涛在十六届中央纪委第七次全体会议上，要求在各级领导干部中大力倡导勤奋好学、学以致用，心系群众、服务人民，真抓实干、务求实效，艰苦奋斗、勤俭节约，顾全大局、令行禁止，发扬民主、团结共事，秉公用权、廉洁从政，生活正派、情趣健康等八个方面的良好风气。[1]

① 胡锦涛：《胡锦涛文选》第二卷，人民出版社 2016 年版，第 550—558 页。

2009 年 9 月，中共十七届四中全会进一步强调，执政党的党风，关系党的形象，关系党和人民事业成败。要在全党大兴密切联系群众之风、大兴求真务实之风、大兴艰苦奋斗之风、大兴批评和自我批评之风，以坚强党性保证党的作风建设。①

为了大力开展廉政文化建设，弘扬以廉为荣、以贪为耻的社会风尚，2009 年 12 月，中央纪委、中央宣传部、监察部等六部门联合下发《关于加强廉政文化建设的意见》，推动廉政文化进机关、社区、家庭、学校、企业和农村，努力形成全社会崇尚廉洁的良好风尚。

总的来看，中共十六大以后，以胡锦涛同志为总书记的党中央对于长期执政条件下党内滋生腐败的严重性和危险性始终予以高度重视，坚持把反腐倡廉建设摆在更加突出的位置，为反对腐败、加强廉政建设作出了巨大努力，党风廉政建设和反腐败斗争取得明显成效，为党和国家事业发展提供了有力保证。

在充分肯定反腐倡廉建设取得明显成效的同时，也必须清醒地看到，滋生腐败的土壤依然存在，反腐败形势依然严峻复杂。从严峻性看，在一些地方和部门，腐败现象趋于严重化，区域性腐败、系统性腐败、家族式腐败、塌方式腐败等不断发生；从复杂性看，区域性腐败和领域性腐败交织，用人腐败和用权腐败共存，体制外和体制内挂钩，权钱交易、权色交易、权权交易同在，利益关系错综复杂、盘根错节，形成了“共腐关系圈”。不正之风和腐败严重损害党的肌体健康，解决不好就会对党造成致命伤害。坚持党要管党，从严治党，深入开展党风廉政建设和反腐败斗争，是一项长期的战略任务。坚持不懈加强党风廉政建设，坚决遏制腐败蔓延势头，仍需要全党上下付出艰巨努力。

---

① 中共中央文献研究室编《十七大以来重要文献选编》（中），中央文献出版社 2011 年版，第 157—159 页。